Ex libris
H. Synaston —
Westminster 18_2

COLEOPTERA BRITANNICA,

SISTENS

INSECTA COLEOPTERA BRITANNIÆ

INDIGENA,

SECUNDUM

METHODUM LINNÆANAM

DISPOSITA.

AUCTORE

THOMÁ MARSHAM,

SOC. LINNÆAN. LONDINENS. THESAURARIO,

NECNON SOCIET. LITERAR. ET PHILOSOPH.

MANCUNII SOCIO HONORARIO.

IN TWO VOLUMES.
VOL. II.

LONDINI:

PROSTAT VENALIS APUD J. WHITE, FLEET-STREET.

1446 F

BRUCHUS.

B. scabrosus.

24. BRUCHUS.

Antennæ filiformes, sensìm crassiores.
Caput retracto-inflexum.
Thorax anticè attenuatus.
Elytra truncata, abdomine breviora.

———

1. Bru. niger, elytris elevato-striatis rufis, nigro *scabrosus.*
  albidoque variis.

Fab. Syst. Ent. 64. 3. *Sp. Ins.* i. 75. 5. *Mant.* i. 41. 7.
  Vill. i. 172. 6. *Gmel.* 1735. 11.
Anthribus fasciatus. *Forst. Cent.* 9.
Anthribus scabrosus. *Fab. Ent. Syst.* i. b. 377. 6. *Panz.*
  Ent. Germ. 293. 6. *Payk. Faun. Suec.* iii. 163. 4.
Panz. Faun. Germ. 15. *t.* 15. *Fuesl. Arch.* 86. 1. *t.* 20.
  f. 15.
L'Antribe marbré. *Geoff.* i, 306. *t.* 5. *f.* 3.
Curculio scabrosus. *Payk. Monog.* 114.

Long. corp. 2 lin.

Habitat ———

DESCR. Antennæ et caput nigro-fusca. Thorax nigro
  fuscoque varius. Elytra rufa, striis quinque longitudinalibus elevatis, nigro albidoque variis : inter strias
  elevatas series punctorum excavatorum.

2. Bru. elytris nigris : atomis albis, pedibus anticis *granarius.*
  antennarumque basi rufis.

Linn. Syst. Nat. 605. 5. *Vill.* i. 171. 2. *Schrank,* 191.
  Gmel. 1736. 5. *Fab. Syst. Ent.* 65. 6. *Sp. Ins.* i.
  76. 11. *Mant.* 1. 42. 15. *Ent. Syst.* i. b. 372. 15.
  Faun. Etrusc. 109. *Hellw.* 109. *Panz. Ent. Germ.*
  291. 4. *Payk. Faun. Suec.* iii. 157. 1.
Panz. Faun. Germ. 61. *t.* 8.
Curculio atomarius. *Faun. Suec.* 628.

Long.

Long. corp. $1\frac{1}{2}$—2 lin.

Habitat in seminibus *Viciæ Fabæ.*

DESCR. Corpus fuscum. Elytra atra, punctis albis,
   vix conspicuis. Ani regio albida. Antennæ crassiusculæ, nigræ, basi angustiore rufæ. Femora postica
   dente armata. *Faun. Suec.*

seminarius. 3. Bru. ater, antennarum basi pedibusque anticis
   testaceis, femoribus muticis.

Linn. Syst. Nat. 605. 6. *Vill.* i. 171. 3. *Gmel.* 1737. 6.
   Fab. Syst. Ent. 65. 8. *Sp. Ins.* i, 76. 14. *Mant.* i.
   42. 18. *Ent. Syst.* i. b. 373. 19.
Le Mylabre satiné. *Geoff.* i. 268. 3.

Long. corp. $1\frac{1}{2}$ lin.

Habitat ——— Captus d. 28. Jun. prope Henley.
   Fab.

DESCR. Statura *Bru. granarii*, at paulo minor. Caput
   prominens, antennis quasi pedunculatis, crassis, serratis. Thorax anticè attenuatus. Elytra striata abdomine breviora. Pedes inermes. *Syst. Ent.*

ater. 4. Bru. totus ater unicolor, elytris striatis.

Long. corp. $1\frac{1}{2}$ lin.

Habitat ———

DESCR. Totum corpus atrum, sub lente leviter pubescens tomento cinerascenti. Elytra striata. Thorax
   lævis, punctulis numerosissimis.

-----

25. CURCULIO.

Antennæ subclavatæ, rostro insidentes.

Rostrum corneum prominens,

Caput posticè incrassatum.

A. Lon-

CURCULIO.

C. Phacbus.

A. Longirostres.

  a. *Antennis integris, femoribus simplicibus.*

      * *Abdomine ovato obtuso, rostri apice dilatato, thorace utrinque attenuato. Villosuli, paucis exceptis.*

      ** *Abdomine ovato acuto, rostro filiformi, thorace teretiusculo. Nudiusculi.*

  b. *Antennis fractis, femoribus simplicibus.*

      * *Corpore ovato, rostro pectori intra pedes sese applicante, sive pectus premente.*

      ** *Corpore ovato, rostro sese pectori applicante, femoribus posticis crassis.*

      *** *Corpore ovato, rostro breviusculo nec pectori applicabili.*

      **** *Corpore oblongo, thorace globoso. Pilosi.*

      ***** *Corpore cylindrico.*

  c. *Antennis fractis, femoribus dentatis.*

      * *Corpore ovato obtuso, rostro sese pectori intra pedes applicante.*

      ** *Corpore ovato acuto, rostro longissimo filiformi.*

      *** *Corpore oblongo, rostro crassiori.*

      **** *Corpore oblongo, rostro filiformi.*

      ***** *Corpore cylindrico.*

B. Brevirostres.

  a. *Antennis integris, femoribus simplicibus.*

  b. *Antennis fractis, femoribus simplicibus.*

      * *Corpore ovato.*

      ** *Corpore oblongo.*

  c. *Antennis fractis, femoribus dentatis.*

      * *Corpore ovato.*

      ** *Corpore oblongo.*

A. Long

A. Longirostres.

　a. *Antennis integris, femoribus simplicibus.*

　　* *Abdomine ovato obtuso, rostri apice dilatato, tho-*
　　race utrinque attenuato. Villosuli, paucis exceptis.

æquatus.　1. Cur. thorace rostroque æneis, elytris pedibusque rubris.

Linn. Syst. Nat. 607. 9.　*Vill.* i. 175. 6.　*Gmel.* 1744. 9.
　Payk. Monog. 126.
Don. Brit. Ins. t. 121. *f.* 1. 2.
Attelabus æquatus.　*Fab. Ent. Syst.* i. b. 388. 20.
　Faun. Ingr. 316.　*Panz. Ent. Germ.* 296. 8.　*Payk.*
　Faun. Suec. iii. 173. 6.
Rynchites æquatus. *Herbst. Jablonsk.* vii. 132. 8. *t.* 104.
　f. 8. B.
Le Becmare doré à étuis rouges. *Geoff.* i. 270. 4.

Long. corp. 2¼ lin.

Habitat in *Cratægo Oxyacanthâ.*

DESCR. Antennæ clavâ triarticulatâ perfoliatâ, ut in
　Dermestibus. Totum corpus pilosum. Rostrum apice
　furcatum, longum, depressum, ex rufo-æneum. Tho-
　rax æneus. Elytra rubra, striata, striis ex punctis ex-
　cavatis. Pedes rubri. Abdomen nigrum.

Alliariæ.　2. Cur. violaceus totus pilosus, rostro thorace breviori.

Linn. Syst. Nat. 606. 4.　*Faun. Suec.* 580.　*Vill.* i.
　173. 1.　*Fab. Sp. Ins.* i. 168. 40.　*Mant.* i. 101. 53.
Attelabus Alliariæ.　*Fab. Ent. Syst.* i. b. 390. 27.
　Payk. Faun. Suec. iii. 175. 8.　*Panz. Ent. Germ.*
　297. 16.

Long. corp. 2 lin. sed variat magnitudine.

Habitat in *Cratægo Oxyacanthâ.*

DESCR. ————

nanus.　3. Cur. violaceus totus tomentosus, rostro thoracis longitudine.

Payk.

Payk. Monog. 97.
Curculio cæruleus. *De Geer,* v. 251. 39.
Attelabus nanus. *Payk. Faun. Suec.* iii. 176. 9.

Long. corp. 1½ lin.

Habitat ————

DESCR. Hi duo *Curculiones* admodum affines; at hic
  tomentosus ille pilosus evadit; porro hic rostrum thoracem longitudine æquans præ se fert, at ille non item.
  In utroque elytra striata, striæ ex punctis majusculis
  impressis.

4. Cur. obscurè æneus, subtùs obscurior.   *cupreus.*

Linn. Syst. Nat. 608. 21.   *Faun. Suec.* 593.   *Vill.* i.
  179. 17.   *Gmel.* 1748. 21.   *Fab. Syst. Ent.* 131. 20.
  Sp. Ins. i. 166. 26.   *Mant.* i. 100. 34.   *Payk. Monog.*
  125.
Attelabus cupreus. *Fab. Ent. Syst.* i. b. 389. 23.   *Faun.*
  Ingr. 317.   *Panz. Ent. Germ.* 296. 10.   *Payk. Faun.*
  Suec. iii. 173. 5.
Panz. Faun. Germ. 20. *t.* 9.
Rhinomacer cupreus. *Harr.* 304.
Rynchites cupreus. *Herbst. Jablonsk.* vii. 138. 14. *t.* 105.
  f. 21.

Long. corp. 2¾ lin.

Habitat ———— Captus in foliis virgultorum, Hor-
  sington-wood.

DESCR.   Color tristis cupri, qui a pilis colore cupri ad-
  spersis dependet.   Elytra punctis latis excavatis striata.
  Faun. Suec.

5. Cur. æneo-viridis subtùs ater, elytris punctis *æneo-vi-*
  excavato-striatis.   *rens.*

Long. corp. 1½ lin.

Habitat ———— Captus in foliis virgultorum, Hor-
  sington-wood.

DESCR.   Totum corpus villosum, villis mollissimis.
  In omnibus, præterquam magnitudine et colore, simil-
                                                    limus

limus *Cur. cupreo.* Rostrum pariter bifurcum. Thorax punctulis (sub lente) prominulis scabriusculus. Elytra punctis excavato-impressis striata. Corpus pilosum, subtùs nitens. Antennæ articulis tribus perfoliatæ.

Bacchus.   6. Cur. aureus, rostro plantisque nigris.

Linn. Syst. Nat. 611. 38.   *Vill.* i. 184. 33.   *Gmel.* 1752. 38.   *De Geer,* v. 250. 38.   *Fab. Syst. Ent.* 130. 14.   *Sp. Ins.* i. 165. 22.   *Mant.* i. 99. 29. *Payk. Monog.* 124.   *Faun. Etrusc.* 286.   *Hellw.* 286. *Schrank,* 199.

Don. Brit. Ins. t. 34. *f.* 1.   *Sulz. Hist. Ins. t.* 4. *f.* 4. *Schæff. Icon. t.* 37. *f.* 13.

Attelabus Bacchus.   *Fab. Ent. Syst.* i. b. 387. 15. *Panz. Ent. Germ.* 295. 5.   *Payk. Faun. Suec.* iii. 172. 4.

Panz. Faun. Germ. 20. *t.* 5.

Rhinomacer Bacchus.   *Harr.* 308.   *Laich.* i. 238. 1.

Long. corp. 4 lin.

Habitat in *Pruno spinoso.*

DESCR. Corpus rubro-aureum, suprà subvillosum.

pubescens.   7. Cur. violaceus hirtus, rostro atro.

Fab. Syst. Ent. 131. 19.

Attelabus pubescens.   *Fab. Sp. Ins.* i. 200. 5.   *Mant.* i. 124. 9.   *Ent. Syst.* i. b. 387. 14.   *Faun. Etrusc.* 359. *Hellw.* 359.   *Vill.* i. 222. 13.   *Gmel.* 1810. 18. *Panz. Ent. Germ.* 295. 4.

Rynchites pubescens.   *Herbst. Jablonsk.* vii. 138. 15. *t.* 105. *f.* 3.

Long. corp. 4 lin.

Habitat in *Quercú.*

DESCR. Rostrum longitudine thoracis, sulcis duobus exaratum, atrum. Oculi flavescentes. Thorax cylindricus, lateribus gibbis, uti in *Cur. Betulæ,* et elytra violacea, pilis plurimis erectis, fuscis, hirta. *Syst. Ent.*

Obs. Magnitudo et statura *Cur. Bacchi,* cui omninò simillimus, sed differt colore, eoque solo.

8. Cur.

8. Cur. thorace antrorsùm sæpè spinoso, corpore *Betulæ*. viridi-aurato subtùs concolore.

Linn. Syst. Nat. 611. 39.   *Faun. Suec.* 605.   *Vill.* i.
185. 34.   *Gmel.* 1752. 39.   *Scop.* 77.   *Fab. Syst.*
Ent. 130. 16.   *Sp. Ins.* i. 165. 23.   *Mant.* i. 99. 30.
Schrank, 197.   *Faun. Etrusc.* 287.   *Hellw.* 287.
Poda, 29. 3.
De Geer, v. 248. 36. *t.* 7. *f.* 25.   *Don. Brit. Ins. t.* 74.
var. viridis.   *Schæff. Icon. t.* 104. *f.* 4.
Curculio Populi. *Payk. Monog.* 123.
Attelabus Betuleti. *Fab. Ent. Syst.* i. b. 387. 16.   *Faun.*
Ingr. 314.   *Panz. Ent. Germ.* 295. 6.
Attelabus Populi. *Payk. Faun. Suec.* iii. 170. 3.
Rhinomacer Alni. *Harr.* 309.   *Laich.* i. 239. 2.
Rynchites Betuleti. *Herbst. Jablonsk.* vii. 136. 2. *t.* 104.
f. 2.
Le Becmare vert. *Geoff.* i. 270. 2.

Long. corp. $3\frac{1}{2}$ lin.

Habitat in *Betulâ Alno*.

DESCR. Totus capite, thorace, rostro, elytris, abdomine, pedibus cæruleo viridi-inauratus, seu sericeo nitidissimus. Posteriora versus admodum obtusus. Totum corpus punctis minutissimis excavatis perfusum. Oculi et antennæ solæ nigræ; harum infimus articulus reliquis nullo modo longior est, ut in reliquis; clavatæ tamen sunt antennæ, ut in congeneribus. Hic minimè salit. *Faun. Suec.*
Alter sexus thoracis spinas habet; alter non. *Syst. Nat.*

9. Cur. thorace antrorsùm spinoso, corpore viridi *Populi*. ignito subtùs atro-cærulescente.

Linn. Syst. Nat. 611. 40.   *Faun. Suec.* 606.   *Vill.* i.
185. 35.   *Gmel.* 1752. 40.   *Scop.* 74.   *De Geer,* v.
249. 37.   *Fab. Syst. Ent.* 131. 17.   *Sp. Ins.* i. 166. 24.
Mant. i. 99. 29.   *Payk. Monog.* 123. var. γ.
Attelabus Populi. *Fab. Ent. Syst.* i. b. 388. 17.   *Faun.*
Ingr. 315.   *Panz. Ent. Germ.* 295. 7.   *Payk. Faun.*
Suec. iii. 170. 3. var. γ.
Panz. Faun. Germ. 20. *t.* 7.

Rhinomacer Populi. *Harr.* 303.   *Ent. Helv.* 110. 2.
Le Becmare doré. *Geoff.* i. 270. 3.

Long. corp. 2—3 lin.

Habitat in *Populo, Corylo.*

Descr.   Simillimus præcedenti, sed dimidio minor.
Viridi-inaurata sunt caput, thorax, elytra substriata.
Nigro-virescentia caput subtùs et pectus.   Antennæ
nigræ, infimo articulo reliquis non longiore.   Fossula
inter oculos.   *Faun. Suec.*

Mas thorace utrinque spinoso, femina vero non.   *Syst.
Nat.*

nitens.   10. Cur. violaceus nitidus, thorace pedibus abdomineque viridi-cæruleis.

Curculio Populi var. β.   *Payk. Monog.* 123.
Curculio Betulæ.   *Don. Brit. Ins. t.* 74. var. violacea.
Attelabus Populi var. β.   *Payk. Faun. Suec.* iii. 170. 3.
An Rhinomacer bispinis. *Harr.* 310?

Long. corp. 3—5 lin.

Habitat ————

Descr.   Elytra omninò violacea, punctata, punctis numerosissimis confertis, vix striata.   Rostrum et pedes,
certo lucis respectu præcipuè, viridescunt.   Totum
animal nitet.

Variat elytris subviridi-cæruleis.

** *Abdomine ovato acuto, rostro filiformi, thorace teretiusculo.   Nudiusculi.*

frumenta-   11. Cur. sanguineus, oculis nigris.
rius.

Linn. Syst. Nat. 608. 15.   *Faun. Suec.* 586.   *Vill.* i. 177.
12.   *Gmel.* 1745. 15.   *Fab. Syst. Ent.* 132. 34.   *Sp.
Ins.* i. 169. 49.   *Mant.* i. 102. 65.   *Act. Nidros.* iii.
391. 10.   *Faun. Etrusc.* 301.   *Hellw.* 301.   *Faun.
Fred.* 10. 94.   *Payk. Monog.* 130.
Cur. sanguineus.   *De Geer,* v. 251. 40.
Attelabus frumentarius.   *Fab. Ent. Syst.* i. b. 392. 35.
Faun.

Faun. Ingr. 320.   *Panz. Ent. Germ.* 298. 24.   *Payk.*
  Faun. Suec. iii. 177. 10.
Panz. Faun. Germ. 20. *t.* 14.
Rhinomacer frumentarius.   *Ent. Helv.* 109. 1. *t.* 13.
  f. 1. 2.
Apion frumentarium.   *Herbst. Jablonsk.* vii. 107. 6.
  t. 102. *f.* 6.

Long. corp. 2 lin.

Habitat in frumento diutiùs asservato.

Descr. Totum corpus sanguineum.   Elytra punctato-
  striata.   Pedes sanguinei.

12. Cur. ater, clytris nitidis cæruleis: scutello *chalceus.*
  concolore.

An Attelabus Astragali?   *Payk. Faun. Suec.* iii. 180. 15.

Long. corp. 2 lin.

Habitat ————

Descr. Totum corpus, præter elytra viridi-cærulea,
  atrum est.   Scutellum elytris concolor.   Elytra leviter
  striata.

13. Cur. niger, elytris æneis.   *æneus.*
Fab. Syst. Ent. 131. 22.   *Sp. Ins.* i. 166. 28.   *Mant.* i.
  100. 36.   *Ent. Syst.* i. b. 405. 46.   *Vill.* i. 187. 41.
  Gmel. 1748. 132.   *Payk. Monog.* 134.
Attelabus æneus.   *Fab. Ent. Syst.* i. b. 389. 23.   *Panz.*
  Ent. Germ. 296. 11.   *Payk. Faun. Suec.* iii. 179. 14.
Attelabus Craccæ. *Panz. Faun. Germ.* 20. *t.* 10.
Apion æneum. *Herbst. Jablonsk.* vii. 101. 1. *t.* 102. *f.* 1.

Long. corp. 1¼ lin.

Habitat ————

Descr. Parvus, corpus nigrum, clytris solis æneis.
  Syst. Ent.
Obs. Magnitudine et staturâ simillima *Cur. chalceo,* sed
  differt elytris æneis, nec viridi-cæruleis.   An species distincta? An sexûs differentia?

aterrimus. 14. Cur. niger, elytris cæruleis striatis obscuris, abdomine elliptico.

Linn. Syst. Nat. 607. 10. *Faun. Suec.* 582? *Faun. Fred.* 10. 90?

Long. corp. 2 lin.

Habitat ———

DESCR. Elytra cæruleo-viridia, obscuriuscula. Affinis *Cur. chalceo,* sed differt apprimè, elytris obscuriusculis, nec nitidis.

Sorbi. 15. Cur. ater, elytris cæruleis striatis, antennis rostro basi insidentibus.

Curculio lævigatus. *Payk. Monog.* 133.
Attelabus Sorbi. *Fab. Ent. Syst.* i. b. 390. 29. *Payk. Faun. Suec.* iii. 178. 12.
Panz. Faun. Germ. 20. *t.* 11.
Apion Sorbi. *Herbst. Jablonsk.* vii. 111. 9. *t.* 102. *f.* 9.

Long. corp. $1\frac{1}{2}$ lin.

Habitat ———

DESCR. Elytra profundè striata, punctis striarum impressis.

obscurus. 16. Cur. niger albido-villosulus, elytris obscurè nigro-æneis, pedibus quatuor anterioribus rufis.

Long. corp. $1\frac{3}{4}$ lin.

Habitat ———   Ex mus. *D. Lambert.*

DESCR. Statura ferè præcedentis, sed major. Corpus nigrum, pilis albidis scatens. Rostrum thorace longius, glabrum. Antennæ basi rufæ. Thorax anticè attenuatus. Elytra obscurè nigro-ænea, striata, striis subpunctatis. Pedes quatuor anteriories rufi, genubus nigris.

fuscicornis. 17. Cur. niger, elytris nigro-cæruleis striatis, antennarum basi testaceâ.

An

An Curculio punctiger. *Payk. Monog.* 132 ?
An Attelabus punctiger. *Payk. Faun. Suec.* iii. 179. 13?

Long. corp. 1½ lin.

Habitat ———

DESCR. Rostrum tenue, ferè longitudine thoracis.
Antennæ nigræ, parte inferiori testaceâ.

18. Cur. niger, rostro subulato brevi, abdomine *Craccæ.*
pallido.

Linn. Syst. Nat. 606. 6. *Gmel.* 1743. 6. *Payk. Monog.*
131. *Vill.* i. 174. 3.
Cur. Viciæ. *De Geer,* v. 253. 43. *t.* 6. *f.* 31. 32.
Attelabus Craccæ. *Payk. Faun. Suec.* iii. 177. 11.
Apion Craccæ. *Herbst. Jablonsk.* vii. 102. 2. *t.* 102. *f.* 2. B.

Long. corp. 1 lin.

Habitat in *Viciæ Craccæ* seminibus.

DESCR. Corpus nigrum. Elytra striata, striis latitudine
interstitiorum. Antennarum primus articulus testaceus.
Oculi subtùs ciliati, imprimis in masculis. *Syst. Nat.*

19. Cur. ater glaber, rostro subulato, antennis basi *glaber.*
rufis.

Long. corp. 2⅓ lin.

Habitat ———   In mus. *D. Kirby.*

DESCR. Præcedentis staturâ sed major. Totus ater obscurus. Rostrum subulatum, basi admodùm incrassatum, punctulatum, acumine lævi. Antennæ rostri
medio insidentes, articulo primo rufo. Thorax teres,
punctulatus, posticè lineâ longitudinali exaratus. Elytra
sulcato-striata, striis nitidè punctatis. Pedes nigri.

20. Cur. niger, rostro piloso subulato, thorace *cærulescens.*
elytrisque cæruleis.

Long. corp. 2 lin.

Habitat ———

            DESCR.

Descr. Corpus suprà cæruleum, subtùs nigrum. Elytra striata; puncta minima in fundo striarum.

rufirostris. 21. Cur. niger, rostro dimidiato pedibusque rufis.

Fab. Syst. Ent. 132. 25. *Sp. Ins.* i. 167. 35. *Mant.* 1. 100. 46. *Vill.* i. 187. 44. *Gmel.* 1744. 107. *Faun. Etrusc.* 293. *Hellw.* 293.
Attelabus rufirostris. *Fab. Ent. Syst.* i. b. 390. 26.
Apion rufirostris. *Herbst. Jablonsk.* vii. 111. 10. *t.* 102. *f.* 10.

Long. corp. 1½ lin.

Habitat in *Malvis.*

Descr. Caput nigrum, at anterior dimidia rostri pars rufa, apice tamen puncto parvo nigro. Thorax niger. Elytra striata, immaculata. Pedes rufi, femoribus simplicibus. *Syst. Ent.*

Trifolii. 22. Cur. ater, rostro porrecto, pedibus ferrugineis: plantis nigris.

Linn. Syst. Nat. iii. *App.* 224. *Gmel.* 1758. 209.
Trans. Linn. Soc. vi. 142. *t.* 5. *f.* a—c.
Curculio flavipes. *Fab. Syst. Ent.* 133. 33. *Sp. Ins.* i. 169. 47. *Mant.* i. 102. 63. *Gmel.* 1745. 111. *Laich.* i. 232. 23. *Payk. Monog.* 135.
Attelabus flavipes. *Fab. Ent. Syst.* i. b. 391. 33. *Panz. Ent. Germ.* 298. 22. *Payk. Faun. Suec.* iii. 182. 17.
Panz. Faun. Germ. 20. *t.* 13.
Apion flavipes. *Herbst. Jablonsk.* vii. 106. 5. *t.* 102. *f.* 5.
Le Becmare noir à pattes fauves. *Geoff.* i. 272. 8.

Long. corp. 1½ lin.

Habitat in floribus *Trifolii pratensis.*

Descr. Corpus atrum. Rostrum thorace paulo longius. Antennæ piceæ. Thorax punctulatus. Elytra striata. Pedes ferruginei, plantis semper nigris: est ubi tibiis nigris variat. Abdomen niveum.

Malvæ. 23. Cur. thorace nigro, elytris pedibusque testaceis.

Fab.

Fab. Syst. Ent. 132. 30.   *Sp. Ins.* i. 168. 42.   *Mant.* i.
   101. 57.   *Vill.* i. 188. 49.   *Gmel.* 1743. 101.
Curculio Pineti. *Payk. Monog.* 61. 58.
Attelabus Malvæ. *Fab. Ent. Syst.* i. b. 391. 32. *Panz.*
   Ent. Germ. 297. 21.
Rynchites Malvæ. *Herbst. Jablonsk.* vii. 138. 15.

Long. corp. 1 lin.

Habitat in floribus *Malvæ sylvestris* non infrequens.

DESCR. Rostrum nigricans. Thorax et abdomen pilis
   cinereis grisea. Elytra testacea. Pedes testacei, femoribus inermibus. *Syst. Ent.*

24. Cur. ater, an'ennis ferrugineis, thorace bitu- *Pruni.*
   berculato.

Linn. Syst. Nat. 607. 12.   *Faun. Suec.* 583.   *Vill.* i.
   176. 9.   *Scop.* 84.   *Fab. Gen. Ins. Mant.* 223.   *Sp.*
   Ins. i. 167. 30.   *Mant.* i. 100. 38.   *Ent. Syst.* i. b.
   405. 50.   *Payk. Monog.* 128.   *Panz. Ent. Germ.*
   301. 13.   *Herbst. Jablonsk.* vi. 445. 443.

Long. corp. 1 lin.

Habitat in foliis *Cerasi.*

DESCR. Totus ater. Elytra striata. Antennæ sub-
   ferrugineæ. Femora mutica. Thorax a tergo tuberculis duobus, elevatis, vix mucronatis. *Syst. Nat.*

25. Cur. ater lævis, corpore oblongo utrinque *radiolus.*
   acutiusculo, thorace punctulato.

Long. corp. 1¾ lin,

Habitat ————   Ex mus. *Miss Hill.*

DESCR. *Curculiones* atros difficile est ritè dignoscere.
   In hoc forma corporis quodammodo singularis est. Ra-
   dium quippe textoris refert, anticè enim et posticè
   acutior quam in congeneribus accidit. Thorax punctulatus, punctis minutissimis, numerosissimis, impressis.
   Elytra striata ; striæ absque punctis impressis, satis
   profundè exaratæ.

R 4   26. Cur.

concinnus. 26. **Cur.** grisco-cinerascens, elytris striatis :. fasciis duabus fusco-ferrugineis, pedibus rufis.

Long. corp. 1 lin.

Habitat ————   **Ex mus.** *D. Kirby.*

DESCR. Caput et thorax fusco-ferruginea, vellere cinerascenti obtecta. Elytra profundè pro magnitudine animalculi striata ; fasciis duabus sub-arcuatis, fuscoferrugineis, primâ ad medium, secundâ pone medium, parvo intervallo. Pedes pallidè rufi.

melanopus. 27. **Cur.** nigricans, elytris striatis griscis, pedibus rufis : plantis atris.

Long. corp. 2 lin.

Habitat ————

DESCR. Rostrum tenue, nigrum, nitidum. Caput et thorax nigro-fusca. Elytra profundiùs striata, fuscoferruginea, pilis brevissimis cinerascentia. Pedes rufi, plantis atris.

cinerascens. 28. **Cur.** nigricans, vellere argenteo-cinerascenti, tibiis ferrugineis.

An Attelabus Viciæ ? *Payk. Faun. Suec.* iii. 181. 16.

Long. corp. $1\frac{1}{4}$ lin.

Habitat ————

DESCR. Antennæ præter clavam ferrugineæ. Elytra tenuissimè striata, tomentosa, pilis argenteo cinerascentibus. Rostrum pro animalculi magnitudine crassiusculum, et vix dimidium corporis superat.

brunneus. 29. **Cur.** piceus, pedibus testaceis.

Long. corp. 1 lin.

Habitat ————

DESCR. Rostrum, caput, thorax et elytra ex nigro-picea. Thorax scaber, punctulis numerosissimis elevatis. Elytra profundè striata ; striæ ex punctis impressis. Pedes omninò testacei.

30. Cur.

30. Cur. ater, thorace scabro, coleoptris globosis *striatus.*
    profundè striatis : punctis profundiusculis im-
    pressis.

Long. corp. $1\frac{3}{4}$ lin.

Habitat ——————   Ex mus. *D. Kirby.*

DESCR. Antennæ nigræ. Rostrum atrum, porrectum,
    leviter arcuatum, glaberrimum, politum. Caput atrum,
    punctis prominulis scabrum. Elytra pro magnitudine
    animalculi striis latioribus et profundioribus exarata.
    In striis punctula profundiuscula impressa. Pedes
    atri, punctulis prominulis scabri.

31. Cur. ater, elytris viridescenti-cæruleis, rostro *viridescens.*
    longissimo.

Long. corp. 2 lin.

Habitat ——————

DESCR. Totus ater, elytris solis viridescenti-cæruleis.
    Thorax punctulatissimus, fossulâ longitudinali impres-
    sus. Elytra punctato-striata, striis quasi acuductis, et
    nitidè punctatis.

32. Cur. ater, elytris cæruleis subsulcatis, anten- *subsulcatus.*
    nis rostro medio insidentibus.

Long. corp. $1\frac{2}{3}$ lin.

Habitat ——————

DESCR. Ater, elytris cæruleis, sulcato-striatis, striis
    punctis impressis. Thorax punctulatus, fossulâ nullâ.

33. Cur. ater viridescenti-cæruleus, rostro brevi *Hydrolapa-*
    crassiusculo.   *tbi.*

Long. corp. $1\frac{2}{3}$ lin.

Habitat in *Rumice Hydrolapatho.*

DESCR. Rostrum brevius, crassius quam in cæteris
    hujus ordinis. Thorax leviter punctulatus. Elytra
    striata, striis nitidè punctatis.

                                34. Cur.

villosulus. 34. Cur. ater villosulus, elytris nigro-cæruleis subsulcatis, antennis basi testaceis.

Long. corp. 1¾ lin.

Habitat ————

DESCR. Totus cinerascenti-villosulus. Antennæ rostri
longiusculi medio insidentes. Thorax punctulatus,
lineâ longitudinali obsoletè exaratus. Elytra sulcato-
striata, striis punctatis.

b. *Antennis fractis, femoribus simplicibus.*

* *Corpore ovato, rostro pectori intra pedes sese applicante,
sive pectus premente.*

nigrinus. 35. Cur. niger sub-pubescens, elytris striatis.

Long. corp. 1½ lin.

Habitat ————

DESCR. Rostrum tenuissimum. Corpus pilis brevissimis obsitum, subtùs argenteum.

contractus. 36. Cur. ater unicolor, thorace anticè contracto.

Long. corp. 1 lin.

Habitat ————

DESCR. Rostrum tenue, arcuatum, thorace paulo longius.
Thorax anticè quasi filo circumdatus, subitò contractus;
sub lente punctis prominulis scabriusculus. Elytra
striata; striæ punctis impressis. Interstitia etiam
punctulata. Abdomen subtùs punctulatum. Pedes
tenues.

melano- 37. Cur. rufo-testaceus, elytris nebulis albican-
rhynchus. tibus, rostro nigro.

Long. corp. 1¾ lin.

Habitat ————   In mus. *D. Kirby.*

DESCR. Rostrum, quod thorace duplo longius, nigrum
est. Thorax anticè contractus, quasi filo arctè circumdatus et obstrictus. Elytra rufo-testacea, nebulis
albicantibus,

albicantibus, quæ aliquando posticè fasciæformes sunt :
porro striata ; striæ punctis impressis. Totum corpus
subtùs vellere albicanti. Distinguendus a *Cur. melanocephalo* rostro solo, nec capite nigro.

38. Cur. niger, thoracis lateribus elytrisque præ- *pallens.*
terquam ad basin pallidè testaceis.

Long. corp. $1\frac{1}{4}$ lin.

Habitat ————

DESCR. Rostrum nigrum, thorace paulo longius. Caput
nigrum. Thorax dorso nigro, lateribus pallidè testaceis.
Elytra satis profundè striata, basi et suturâ nigris ; per
cætera pallidè testacea. Abdomen fusco-nigrum. Pedes,
præter basin femorum posticorum quæ nigra, ferruginei sunt, sive testacei. Ad apicem utriusque elytri
punctum elevatum, pustulum referens.

39. Cur. rufo testaceus, thorace griseo, elytris ne- *ruber.*
bulis albicantibus.

Long. corp. $1\frac{3}{4}$ lin.

Habitat ————

DESCR. Totum corpus rufo-testaceum, sed caput et
thorax fuscescentia. Elytra striata, villositate nebu-
lisque albicantibus obsita. In medio elytrorum nebula
sive fascia recurva.

40. Cur. niger, antennarum basi coleoptrorum *Salicaria.*
disco tibiisque testaceis.

Fab. Sp. Ins, i. 167. 36. *Mant.* i. 101. 48. *Ent. Syst.*
i. b. 407. 59. *Vill.* i. 187. 46. *Panz. Ent. Germ.*
362. 21. *Gmel.* 1744. 109.
Panz. Faun. Germ. 17. *t.* 4.
Curculio Lythri var. β. *Payk. Monog.* 71. *Faun. Suec.*
iii. 263. 85.

Long. corp.

Habitat in *Lythro Salicari i. Fab.*

DESCR. Corpus parvum nigrum. Antennæ clavatæ,
nigræ,

nigræ, basi testaceæ. Rostrum elongatum, striatum,
et thorax nigra, immaculata. Coleoptra striata, disco
testaceo, margine omni nigro. Pedes testacei, femoribus apice fuscis. *Ent. Syst.*

Lytbri. 41. Cur. niger, elytris testaceis : basi margine exteriori fasciâque mediâ abbreviatâ obliquâ nigris.

Fab. Ent. Syst. i. b. 410. 73.   *Payk. Faun. Suec.* iii.
263. 85.   *Monog.* 71. *Herbst. Jablonsk.* vi. 451. 453.
Panz. Ent. Germ. 305. 33.
Panz. Faun. Germ. 17. t. 8.
Cionus Lythri. *Ent. Helv.* 69. 2.

Long. corp. 1¼ lin.

Habitat in *Lytbri* floribus.   Ex mus. *Miss Hill.*

Descr. Animal mirè variat. Thorax modo niger,
modo ferrugineus. Elytra variant testacea basi nigrâ,
et testacea basi margine exteriori et fasciâ mediâ
abbreviatâ obliquâ nigris ; fascia interdum latior, et
longior ; discum ferè totum occupat, et ad marginem
exteriorem attingit. Observandum autem, quod rostrum, caput et abdomen semper nigra. Basis elytrorum semper nigra. Pedes semper testacei.
An varietas *Cur. Salicariæ ?*

4 maculat- 42. Cur. nigricans, coleoptris maculis quatuor al-
tus.   bidis.

Linn. Syst. Nat. 609. 29.   *Faun. Suec.* 600.   *Vill.* i.
181. 25. *Herbst. Jablonsk.* vi. 447. 447. *Fab. Syst.*
Ent. 133. 31. *Sp. Ins.* i. 169. 44. *Mant.* i. 101. 58.
Ent. Syst. i. b. 410. 71.
Le Charanson quadrille à longue trompe.   *Geoff.* i.
287. 22.

Long. corp. 3 lin.

Habitat ——————

Descr. Corpus depressiusculum, ovatum, suprà nigricans, subtùs album. Rostrum, antennæ et pedes
nigra. Elytra maculâ albâ communi unâ ad apicem,
et unâ loco scutelli, nec non punctum album ad marginem exteriorem singuli elytri. *Faun. Suec.*

43. Cur.

43. Cur. ater, rostro inflexo, pedibus ferrugineis : *inflexus.*
ungue·nigro.

An Curculio acridulus? *Panz. Faun. Germ.* 42. *t.* 10.

Long. corp. ¾ lin.

Habitat ————

Descr. Simillimus *Cur. Trifolii*, sed rostrum inflexum
est, non porrectum, et ungues solùm nigri.

44. Cur. capite thoraceque nigris, pedibus elytris- *melano-*
que rufis.   *cephalus.*

Long. corp. (rostro autem inflexo) 1 lin.

Habitat ———— Captus in foliis virgultorum,
Coombe-wood.

Descr. Rostrum circiter dimidium corporis æquat.
Abdomen, thorax, caput, oculi et rostrum nigra. Pedes
et elytra rubra. Elytra profundiùs striata; striæ sub-
crenatæ, ex punctis impressis.

45. Cur. thorace bituberculato fusco : lateribus *leucogaster.*
pallidis, elytris fusco-cinereis striatis, corpore
subtùs pallido.

Long. corp. 1½ lin.

Habitat ————

Descr. Rostrum crassiusculum, thorace brevius. Thorax dorso fusco, lineâ longitudinali lateribusque albis ;
et tuberculo minuto in utroque latere. Elytra satis profundè striata, striis integris, fusca, vellere cinereo.
Totum corpus subtùs pallidum, sive album. Pedes rufescentes, geniculis nigris. Color hujusce animalculi
ubique ex squamulis sive vellere aut tomento efficitur.

46. Cur. cinereo-albus, elytris nigro-nebulosis, *Sisymbrii.*
rostro longo tenui inflexo.

Fab. Gen. Ins. Mant. 224. 26. 27. *Sp. Ins.* i. 168. 38.
Mant. i. 101. 50. *Ent. Syst.* i. b. 409. 66. *Payk.*
Monog. 52. *Faun. Suec.* iii. 247. 66. *Panz. Ent.*
Germ. 303. 26. *Gmel.* 1750. 143. *Vill.* i. 187. 47.
                                            Herbst.

Herbst. Jablonsk. vi. 159. 116. *t.* 70. *f.* 12. *Panz. Faun. Germ.* 17. *t.* 6.

Long. corp. 2 lin. rostro producto.

Habitat ————   In mus. *D. Kirby.*

Descr. Rostrum deflexum, et incurvum, nigrum. Thorax lateribus cinereo-albis, medio fuscescit, lineâ mediâ albidâ longitudinali. Elytra striata, cinereo-alba, nebulis queisdam nigris, sive maculis: quæ ad basin sitæ sunt arcuatim confluunt; una ante apicem singularis. Pedes concolores.

Lapathi. 47. Cur. albido nigroque varius muricatus.

Linn. Syst. Nat. 608. 20. *Faun. Suec.* 591. *Vill.* i. 178. 16. *Gmel.* 1763. 20. *Fab. Syst. Ent.* 138. 61. *Sp. Ins.* i. 176. 86. *Mant.* i. 106. 109. *Ent. Syst.* i. b. 429. 149. *Payk. Monog.* 35. *Faun. Ingr.* 329. *Panz. Ent. Germ.* 311. 71. *Laich.* i. 220. 15. *Payk. Faun. Suec.* iii. 187. 4.
Trans. Linn. Soc. i. 86. *t.* 5. *f.* 1—5. *Panz. Faun. Germ.* 42. *t.* 15. *Don. Brit. Ins. t.* 205. *f.* 1. *Herbst. Jablonsk.* vi. 153. 111. *t.* 70. *f.* 6.
Curculio albicaudis. *De Geer,* v. 223. 16. *t.* 7. *f.* 1. 2.

Long. corp. 5 lin.

Habitat in *Rumicibus Lapathis. Linn.* In truncis *Salicis viminalis. D. Curtis.*

Descr. Latera capitis thoracis elytrorumque alba, muricata. Elytra posticè contracta, albida, at a tergo nigricantia, muricata. Abdomen nigricans. Tibiæ rufescentes. *Faun. Suec.*

Equiseti. 48. Cur. thorace lævi, elytris muricatis nigris: punctis duobus apiceque albis.

Fab. Syst. Ent. 130. 14. *Sp. Ins.* i. 165. 20. *Mant.* i. 99. 26. *Ent. Syst.* i. b. 403. 39. *Payk. Monog.* 36. *Vill.* i. 186. 39. *Gmel.* 1748. 128. *Panz. Ent. Germ.* 301. 10. *Payk. Faun. Suec.* iii. 226. 44.
Herbst. Jablonsk. vi. 287. 258. *t.* 82. *f.* 4.
Curculio nigro-gibbosus. *De Geer,* v. 224. 17.

             Long.

Long. corp. 4 lin.

Habitat in *Equiseto arvensi.*

DESCR. Nimis affinis videtur *Cur. Lapatbi.* Rostrum
atrum. Thorax niger, vix tuberculatus, lateribus albis.
Elytra muricata, lateribus apiceque albis; in parte
anteriori nigrâ, puncta duo, parva, alba. *Syst. Ent.*

49. Cur. ater, elytris porcis duobus elevatis crena- *porcatus.*
tis: interiori subinflexo, thorace pedibusque albo
villosis.

Long. corp. 3 lin.

Habitat ad radices *Ornithogalorum* in horto suo,
Hammersmith.   *D. Lee.*

DESCR. Color hujusce animalculi omninò aterrimus;
at thorax et pedes tomento densissimo, sive villo albo,
obvestiuntur. Elytra admodum singularia: ad latera
plana sunt, et punctis maximis quasi pertusa; in medio
porci duo longitudinales crenati elevantur, quorum exterior subrectus, interior subincurvus, sive arcuatus, et ad
apicem subinterruptus. Porci non ad apicem per-
tingunt.

50. Cur. niger, cineritie albicanti, thorace anticè *obstrictus.*
contracto.

Long. corp. 2 lin.

Habitat ———

DESCR. Rostrum quod lentiùs inflexum, ferè dimidio
longitudinem thoracis superat. Thorax post juncturam
capitis circulo impresso quasi filo arctè obstrictus
fuerit. Totum corpus, et præcipuè subtùs, cineritie
notatur. Hæc autem cinerities ex tomento sive pilis
brevissimis oritur.

51. Cur. niger, corpore subtùs pallido, elytris *leucostigma.*
nigro-cinerascentibus: maculâ communi dorsali
albâ, rostro crassiusculo.

                               Long.

Long. corp. 1 ¼ lin.

Habitat ————

DESCR. Rostrum crassiusculum, thorace brevius. Thorax dorso nigro, lateribus pallidis. Elytra satis profundè striata, striis integris, nigra, vellere cinereo: ad basin suturæ macula parva oblonga communis alba. Totum corpus et pedes ut in *Cur. leucogastere.*

Resedæ.   52. Cur. niger, corpore subtùs pallido, elytris striatis: maculâ communi dorsali albâ, rostro teretiusculo.

Long. corp. 1 ¼ lin.

Habitat in *Resedâ luteâ.*   *D. Kirby.*

DESCR. Rostrum teretiusculum, thorace longius. Thorax dorso nigro, lateribus pallidis. Elytra striata, nigra, maculâ parvâ oblongâ communi albâ, ut in *Cur. leucostigmate.* Pedes ferruginei.

melano-   53. Cur. niger, corpore subtùs pallido, elytris
stigma.   nigro-cinerascentibus: maculâ communi nigrâ.

Long. corp. 1 ¼ lin.

Habitat ————

DESCR. Statura *Cur. leucostigmatis,* cui valdè affinis, at facilè distinguendus maculâ lineari atrâ dorsali communi medium suturæ inficienti; basis suturæ albescit.

Ulicis.   54. Cur. cinereus, pedibus anticis ferrugineis.
Forst. Cent. 31.

Long. corp. 2 lin.

Habitat in *Ulice Europæâ.*   *D. Kirby.*

DESCR. Rostrum tenue, nigrum, nitidum, ferè longitudine corporis. Totum corpus cinereum, præter oculos et sinciput quæ nigra, et pedes anticos qui ferruginei sunt. Elytra striis plurimis, circiter novem. Antennæ nigræ.

55. Cur.

55. **Cur.** niger, thorace bituberculato canaliculato- *assimilis.*
que, elytris striatis.

Fab. Ent. Syst. i. b. 409. 65.   *Payk. Monog.* 69. 67.
  Faun. Suec. iii. 257. 77.
Panz. Faun. Germ. 42. *t.* 6.

Long. corp. 2 lin.

·Habitat ———

DESCR. Rostrum tenue, nigrum. Thorax subdepressus,
  niger, anticè angustatus, margine anteriore parùm
  elevato, sulculo longitudinali et tuberculo utrinque laterali. Elytra nigra, striata ; callo baseos in angulo exteriore. Totum corpus subtùs nigrum, squamulis
  cinerascentibus. Pedes nigri.

56. **Cur.** niger lævis, thorace bituberculato, elytris *Erysimi.*
  cyaneis profundè punctato-striatis.

Fab. Mant. i. 101. 54. *Ent. Syst.* i. b. 410. 70. *Faun.*
  Ingr. 325. *Gmel.* 1743. 100. *Panz. Ent. Germ.*
  304. 30. *Payk. Faun. Suec.* iii. 265. 87. *Monog.*
  76. 73.
Panz. Faun. Germ. 17. *t.* 7. *Herbst. Jablonsk.* vi. 407.
  388. *t.* 92. *f.* 1.

Long. corp. $1\frac{1}{2}$ lin.

Habitat ———

DESCR. Rostrum nigrum. Thorax obscurè viridis,
  tuberculo utrinque elevato. Elytra striata, cyanea.
  Pedes nigri. *Ent. Syst.*

57. **Cur.** niger, rostro deflexo thorace longiori *pyrrborbyn-*
  rufo basi nigro.   *chus.*

Long. corp. $\frac{1}{4}$ lin.

Habitat ———

DESCR. Antennæ rufæ. Rostrum deflexum, præter
  basin, rufum. Totum corpus nigrum, subtùs argenteo-album. Thorax punctulatus. Elytra striata,
  tomentosa, pilis argenteo-cinerascentibus : in striis
  punctula minuta, impressa. Pedes nigri.

phæorhyn- 58. Cur. nigricans, vellere argenteo-cinerascenti,
chus.   rostro ferrugineo.

Long. corp. $1\frac{1}{4}$ lin.

Habitat ————

DESCR. Antennæ nigræ, apicibus clavarum cinerascentibus. Rostrum longissimum, ferrugineum. Elytra tenuissimè striata, tomentosa, pilis argenteo-cinerascentibus.

plinoides. 59. Cur. brunneus, thorace scabro, elytris profundè striatis squamulis testaceis nebulosis obtectis, rostro rufo.

Long. corp. $1\frac{1}{2}$ lin.

Habitat ————

DESCR. Rostrum rufum, depressum, apice dilatato.
Antennæ rufæ. Thorax globosus, scaber, squamulis
testaceis obtectus. Elytra profundè striata, squamulis
testaceis albisque varia. Pedes ferruginci, squamulis
obvestiti.

Obs. Hoc animal primâ facie simíllimum *Ptino Furi* est.

ruficrus. 60. Cur. niger, elytris obscurè rufis cinereo-striatis, tibiis testaceis.

Long. corp. circiter 1 lin.

Habitat ————

DESCR. Thorax anticè angustatus, quasi constrictus,
albido-villosus. Elytra obscurè rufa, villis cinereis jucundè et distinctè striatula. Corpus subtùs nigrum,
polline albido irroratum. Pedes nigri, tibiis solis rufis.

constrictus. 61. Cur. niger, elytris cinereo striatis.

Long. corp. 1 lin.

Habitat in *Cochleariâ Armoraciâ.*

DESCR. Præcedenti simillimus, sed totus niger, albido-villosus.

62. Cur.

62. Cur. piceus, capite thoracisque striis tribus *canescens.*
   obsoletè canescentibus, elytris striatis: suturâ
   nigrâ.

Long. corp. $1\frac{1}{2}$ lin.

Habitat ————   Ex mus. *Miss Hill.*

DESCR. Rostrum subinflexum, ex nigro piceum, glaberrimum. Oculi nigri. Caput pilis incanis tomentosum. Thorax piceus, striis tribus, unâ mediâ, duabus lateralibus, obsoletè cinerascentibus. Elytra ex
   rufo-picea, striata; striis satis profundis, punctis impressis. Sutura nigra. Abdomen ex nigro piceum.
   Pedes ex rufo-picei.

63. Cur. niger, elytris striatis, tarsis rufis.   *pyrrhodac-*
Long. corp. 3 lin.   *tylus.*

.Habitat ————   In mus. *D. Kirby.*

DESCR. Totus niger. Thorax punctatus, lineâ longi-
   . tudinali elevatâ in medio. Elytra valdè striata. Cor-
   . pus subtùs squamis cinerascentibus obtectum. Tarsi
   rufi.

64. Cur. niger, thorace anticè contracto subspi-*pallidacty-*
   noso, elytris striatis, tarsis pallidis.   *lus.*

Long. corp. 2 lin.

Habitat ————

DESCR. Totus niger. Thorax punctatus, lineâ longitudinali impressâ in medio, anticè circulo valdè impresso, et hinc margo anterior elevatus et subspinosus
   videtur. Elytra striata. Tarsi pallidi.

65. Cur. niger, elytris nigris ferrugineo canoque *tricolor.*
   variis, tibiis plantisque rubellis.

An Curculio pygmæus? *Herbst. Jablonsk.* vi. 142. 102.
   t. 69. *f.* 7.

Long. corp. $1\frac{1}{4}$ lin.

Habitat in gramine.   *D. Sheppard.*

                      DESCR.

DESCR. Niger, cano pilosulus. Elytra striata, nigra, vittâ laterali introrsùm ramosâ, ferrugineâ : in utroque elytro punctum album, prope apicem.

villosus. 66. Cur. tomentosus pallidus, thorace subgriseo.

Long. corp. $1\frac{2}{3}$ lin.

Habitat in *Tritici* culmis.   *D. Kirby.*

DESCR. Reverà niger, sed totus, etiam rostri basis, pilis brevissimis squamulisve pallidis obtectus. Thorax subglobosus, parùm rufescens.

** *Corpore ovato, rostro sese pectori applicante, femoribus posticis crassis.*

Alni. 67. Cur. niger villosus, elytris testaceis : maculis duabus obscuris.

Linn. Syst. Nat. 611. 42.   *Faun. Suec.* 608.   *Vill.* i. 192. 82.   *Gmel.* 1760. 42.   *Fab. Syst. Ent.* 144. 90. *Sp. Ins.* i. 183. 23.   *Mant.* i. 110. 151.   *Ent. Syst.* i. b. 445. 216.   *Faun. Etrusc.* i. 321.   *Hellw.* 321. *Panz. Ent. Germ.* 318. 109.   *De Geer,* v. 262. 49. *Payk. Monog.* 19.   *Faun. Suec.* iii. 220. 39. *Don. Brit. Ins. t.* 249. *f.* 2.   *Herbst. Jablonsk.* vi. 425. 411. *t.* 93. *f.* 7.
Le Charanson sauteur à taches noires. *Geoff.* i. 286. 20.

Long. corp. 2 lin.

Habitat in *Betulâ Alno.*

DESCR. Niger villosus. Thorax rufo-testaceus, fasciâ abbreviatâ nigrâ. Elytra testacea, striata, maculâ baseos oblongâ, et posticè aliâ majore transversali, communi, obscuriore.

ferrugineus. 68. Cur. ferrugineus, rostro capite abdomineque anticè aterrimis.

Long. corp. $1\frac{1}{2}$ lin.

Habitat in *Quercu.*

DESCR. Elytra villosa, striata. Abdomen atrum, seg-
                   mentis

mentis ultimis, præcipuè ad latera, ferrugineis. Antennæ ferrugineæ. Pedes ferruginei, geniculis nigricantibus.

· 69. Cur. rufus, oculis pectore abdomineque an- *rufus.*
ticè nigris.

Schrank, 220. *Vill.* i. 193. 86.
Don. Brit. Ins. t. 249. *f.* 1.
Curculio viminalis. *Fab. Syst. Ent.* 145. 92. *Sp. Ins.* i.
184. 126. *Mant.* i. 110. 155. *Ent. Syst.* i. b.
447. 223. *Payk. Monog.* 18. *Faun. Suec.* iii. 219. 38.
Panz. Ent. Germ. 319. 116.
Cur. saltator Ulmi. *De Geer,* v. 260. 48. *t.* 8. *f.* 5.
Le Charanson sauteur brun. *Geoff.* i. 286. 19.

Long. corp. 1½ lin.

Habitat in *Corylo.*

Descr. Totus, etiam rostro antennis pedibusque, rufus, et ferè ruber; sed oculi, pectus et abdomen nigra.
Femora dentata, postica crassiora. *Schrank.*
Obs. Simillimus *Cur. ferrugineo,* a quo differt, rostro rufo
nec nigro, et abdomine subtùs toto nigro, nec segmentis ultimis ferrugineis.

70. Cur. niger pilosus, antennis elytris ano pedi- *nigricollis.*
busque ferrugineis.

Long. corp. 1½ lin.

Habitat ———

Descr. Antennæ ferrugineæ. Rostrum ferrugineum,
basi nigrâ. Caput et thorax nigra, pilosa. Elytra
striata, pilosa, ferruginea, disco obscuriusculo. Corpus subtùs nigrum, ano rufo. Pedes ferruginei.

71. Cur. testaceus, capite sterno abdominisque *atricapillus.*
basi subtùs nigris.

Long. corp. 1¼ lin.

Habitat ———

Descr. Corpus oblongum, subangustum. Thorax,
elytra et pedes testacei. Elytra punctato-striata. Abdomen subtùs testaceum, basi nigrâ.
Variat thorace disco nigro, et pedibus sordidè testaceis.

pilosus. 72. Cur. hirtus niger albido maculatus, antennis
plantisque rufis.

Fab. Sp. Ins. i. 183. 124. *Mant.* i. 110. 152. *Ent.*
Syst. i. b. 446. 217. *Vill.* i. 194. 87. *Gmel.* 1761.
222. *Payk. Faun. Suec.* iii. 218. 26.

Long. corp. 2 lin.

Habitat ————

Descr. Rostrum nigrum, inflexum. Thorax maculâ
albâ mediâ sub-asterisciformi. Elytra nigro-maculata,
sed sutura baseos albida : maculæ aliquot aliæ albidæ
obsoletiores conspersæ conspiciendæ sunt.
Variat coloribus sordidis.

depressus. 73. Cur. nigro-fuscus hirsutiusculus, corpore sub-
depresso, thorace lineolâ dorsali impressâ obso-
letâ.

Long. corp. 1¾ lin.

Habitat ————

Descr. Rostrum rubrum, inflexum. Totum corpus
suprà pilis brevissimis rigidiusculis obsitum, nigro-
fuscum. Thorax sub lente lineolâ dorsali impressâ.
Antennæ, tibiæ et plantæ obscurè-rufescentes. Femora postica dentata.

rhododac- 74. Cur. niger, elytris virescenti-fuscis, tarsis rufis.
tylus. Long. corp. 1¼ lin.

Habitat ————

Descr. Antennæ rufæ. Elytra fusca, pilis virescenti-
bus obvestita. Rostrum inflexum. Corpus, præterquam tarsi qui rufi sunt, omninò nigrum. Elytra admodùm punctulata, et striata ; striæ punctis impressis.

75. Cur.

75. Cur. fuscus, elytris striatis subtomentosis, *Fragariæ.*
antennis tarsisque rufis.

Fab. Ent. Syst. i. b. 448. 227.   *Payk. Faun. Suec.* iii.
217. 35. *Panz. Ent. Germ.* 320. 120.
Herbst. Jablonsk. vi. 423. 407. *t.* 93. *f.* 3.
Curculio Calcar. *Payk. Monog.* 17. *Fab. Ent. Syst.*
i. b. 446. 219. *Panz. Ent. Germ.* 319. 112.

Long. corp. $1\frac{1}{4}$ lin.

Habitat ———

DESCR. Rostrum crassiusculum, capite thoraceque longius. Caput et thorax minima fusca. Elytra fusca,
striata, subtomentosa, capite thoraceque quadruplo
longiora. Pedes nigri, tarsis rufis.

76. Cur. rugosus fuscus, antennis tarsisque rufis. *rhodopus.*

Long. corp. 1 lin.

Habitat ———

DESCR. Simillimus *Cur. Fragariæ* at minor, et differt
etiam elytris rugosis, non striatis, nec tomentosis.

77. Cur. minutus niger, elytris striatis: striis ex *Oxyacan-*
punctulis impressis.   *thæ.*

Long. corp. $\frac{1}{2}$ lin.

Habitat in *Cratægo Oxyacanthâ.*   *D. Kirby.*

DESCR. Totus niger. Porrò hic minimus est generis *Curculionum.*

78. Cur. niger, elytris striatis: basi interne lunulâ *Avellanæ.*
fasciâque ante apicem albis.

Don. Brit. Ins. t. 205. *f.* 3.

Long. corp. 1 lin.

Habitat in *Corylo.*

DESCR. Thorax albido villosus. Elytra obscure nigra,
striata, maculâ communi apud scutellum X literam referenti. Antennæ, tibiæ et tarsi testacei. Femora nigra.

Salicis. 79. Cur. ater, elytris striatis: fasciis duabus suturâque baseos albis.

Linn. Syst. Nat. 611. 43 ? *Faun. Suec.* 610? *Vill.* i.
193. 83 ? *Gmel.* 1761. 43 ? *Fab. Syst. Ent.* 144. 91.
Sp. Ins. i. 183. 125. *Mant.* i. 110. 154. *Ent. Syst.*
i. b. 447. 222. *Panz. Ent. Germ.* 319. 115. *De*
Geer, v. 264. 51. *Faun. Etrusc.* 320. *Hellw.* 320.
Faun. Ingr. 338. *Payk. Monog.* 62. *Faun. Suec.*
iii. 269. 91.
Herbst. Jablonsk. vi. 422. 406. *t.* 93. *f.* 2. *Panz. Faun.*
Germ. 18. *t.* 15 ?
Curculio Capreæ. *Don. Brit. Ins. t.* 121. *f.* 5. 6. 7.

Long. corp. $1\frac{1}{4}$ lin.
Habitat in *Salice.*

DESCR. Caput atrum. Thorax ater, punctulatus, lineolâ dorsali cinerascensti. Scutellum album. Elytra
striata, atra, fasciis duabus albis, marginem exteriorem
haud attingentibus; anteriore latiore, sinuatâ, pilis
quibusdam ferrugineis suturam versus; posteriore undulatâ. Pedes nigri.

*** *Corpore ovato, rostro breviusculo nec pectori appli-*
cabili.

Antirrhini. 80. Cur. ater, villis brevissimis albicantibus, rostro
thorace breviori, capite posticè gibbo.

Payk. Faun. Suec. iii. 257. 78.
Cur. Linariæ. *Panz. Ent. Germ.* 304. 27.
Panz. Faun. Germ. 26. *t.* 18.

Long. corp. $1\frac{1}{2}$ lin.
Habitat in *Antirrhino Linariâ.*

DESCR. Quæ in hoc animalculo admodùm singularia
sunt, Rostrum lineare, obtusiusculum, quod non
thoracem longitudine æquat, et caput quod posticè
gibbum, sive gibbosum est; sed hæc sub lente. Elytra
striata, villis brevissimis albicantibus. Thorax sub
lente punctulis prominulis scabriusculus.

crassus. 81. Cur. fuscus, rostro incrassato thorace breviori,
pedibus rufescentibus.

Long.

Long. corp. 1¼ lin.

Habitat ————

DESCR. Rostrum incrassatum, nigrum, thorace paulo
   brevius.   Caput et thorax punctulis numerosissimis
   prominulis scabriuscula.   Elytra punctulata, striata;
   striæ punctis impressis.   Pedes rufescentes.   Corpus
   subtùs, certo lucis respectu, albescit.

82. Cur. ater punctulatus, rostro brevi crassius- *brevis.*
   culo, elytris striatis.

Long. corp. 1 lin.

Habitat ————   .Ex mus. *Miss Hill.*

DESCR. *Curculiones* atri maximam inter se habent affi-
   nitatem.   Ideoque singula cautè inspicienda sunt
   membra.   Hunc exponemus præcipuo rostri brevis
   crassi signo. Thorax punctulatus. Elytra etiam punctulata, et insuper striata, et in striis punctula minuta,
   impressa.   Corpus totum ejusdem coloris est.

83. Cur. ater, elytris opacis oblongis.   *Cerasi.*
Linn. Syst. Nat. 607. 11.   *Faun. Suec.* 583.   *Gmel.*
   1762. 11.   *Scop.* 84.

Long. corp. 1½ lin.

Habitat in *Cerasi* foliis, quorum epidermidem exedit larva. *Linn.*

DESCR.   Totus ater, elytris punctis striatis opacis, nec
   ullo modo nitidiusculis. *Faun. Suec.*

   **** *Corpore oblongo, thorace globoso. Pilosi.*

84. Cur. elytris cinereis : maculâ mediâ fuscâ.   *Plantagi-*
Fab. Mant. i. 103. 72.   *Ent. Syst.* i. b. 413. 85.   *Vill.* *nis.*
   i. 191. 78.   *Gmel.* 1749. 139.   *Payk. Monog.* 41.
   Faun. Suec. iii. 231. 48.   *Panz. Ent. Germ.* 307. 45.
De Geer, v. 237. 24. *t.* 7. *f.* 17. 18.   *Herbst. Jablonsk.*
   vi. 264. 233. *t.* 80. *f.* 2.
                                        Long.

Long. corp. 2½ lin.

Habitat ——————

DESCR. Statura et omninò *Cur. Rumicis.* Rostrum
nigrum. Thorax cinereus, medio fuscus, lineâ dorsali, cinereâ. Elytra cinerea, maculâ magnâ, mediâ,
fuscâ, et præterea puncta aliquot ejusdem coloris.
Fab. Mant.

Rumicis.   85. Cur. cinerascens, elytris fusco cinereoque obsoletè tessellatis, antennis basi rubris.

Linn. Syst. Nat. 614. 60.   *Faun. Suec.* 590.   *Gmel.*
1754. 60.   *Vill.* i. 197. 94.   *Fab. Syst. Ent.* 134. 38.
Sp. Ins. i. 170. 55.   *Mant.* i. 103. 73.   *Ent. Syst.*
i. b. 413. 86.   *Payk. Monog.* 40.   *Faun. Suec.* iii.
229. 47.   *Faun. Fred.* 10. 97.   *Panz. Ent. Germ.*
307. 46.
De Geer, v. 231. 20. *t.* 7. *f.* 10. 11.   *Herbst. Jablonsk.*
vi. 241. 205. *t.* 77. *f.* 9.

Long. corp. 2¾ lin.

Habitat ——————

DESCR. Totum corpus nigrum, vellere cinereo obtectum. Elytra tenuiter striata, fusco cinereoque varia,
sive obsoletè tessellata. Antennæ rufæ, clavâ nigrâ.
Pedes nigri, vellere cinereo.

bimacula-   86. Cur. piceus, elytris striatis apice rufo-ferru-
tus.   gineis.

Long. corp. 2½ lin.

Habitat ——————   Captus prope Hastingas.

DESCR. Rostrum nigrum. Thorax et elytra anticè
picea. Elytra posticè rufo-ferruginea; porro striata
sunt, punctis impressis. Antennæ et pedes rufescentes,
sive ex rufo-ferruginei.

arator.   87. Cur. subovatus, thorace fusco : lineis tribus
pallidis, elytrorum suturâ nigrâ dentatâ.

Linn. Mant. 531.   *Gmel.* 1762. 284.

Curculio

Curculio Polygoni. *Fab. Ent. Syst.* i. b. 464. 291. *Payk.*
Monog. var. β. 39. *Faun. Suec.* β. iii. 228. 46.

Long. corp. 3¼ lin.

Habitat in *Spergulâ arvensi.*

DESCR. Rostrum fuscum. Antennæ clavatæ, articulis
duobus nodosis. Pedes fusci, edentuli. Thorax fuscus, lineis tribus testaceis. Elytra testacea, suturâ
communi nigrâ, dentatâ; lineæ 2 sive 3 abruptæ singuli elytri. *Linn. Mant.*

88. **Cur.** testaceus, rostri apice nigro, thorace *stramineus.*
subferrugineo: lineis tribus pallidis.

Long. corp. 1¾ lin.

Habitat ————

DESCR. Rostrum testaceum, apice nigrum. Oculi
nigri. Thorax ferrugineus, lineis tribus longitudinalibus pallidis, quarum media tenuior. Elytra testacea,
lineolis punctisque ferrugineis, obsoletis, striata, (striæ
punctis impressis) villosa, villis brevissimis rigidis,
suturâ sub-elevato-incrassatâ. Pedes testacei.

89. **Cur.** holosericeus viridis, pedibus elytrorum- *nigrirostris.*
que margine sordidè rufescentibus.

Fab. Syst. Ent. 132. 24. *Sp. Ins.* i. 167. 33. *Mant.*
i. 100. 44. *Ent. Syst.* i. b. 407. 56. *Vill.* i. 187. 43.
Gmel. 1744. 105. *Payk. Monog.* 53. *Faun. Suec.*
iii. 247. 67. *Faun. Etrusc.* 292. *Hellw.* 292. *Panz.*
Ent. Germ. 302. 19.
Panz. Faun. Germ. 36. t. 14. *Herbst. Jablonsk.* vi. 281.
254. t. 81. f. 11. 12.

Long. corp. 2 lin.

Habitat ————

DESCR. Corpus oblongum, viride, holosericeum. Thorax globosus. Antennæ sordidè rufescunt. Pedes
etiam obscurè rufescentes, geniculis nigris. Elytrorum margo inflexus, pedibus concolor.

90. Cur.

trilineatus.   90. Cur. fusco-ferrugineus, thorace lineis tribus
      pallidis, pedibus testaceis.

Long. corp. 1¼ lin.

Habitat ————

Descr. Rostrum fuscum. Thorax fusco-ferrugineus,
      lineis tribus albis, longitudinalibus, quarum media te-
      nuior. Elytra ut in *Cur. straminèo,* sed colore satura-
      tiori. Pedes testacei.

An a *Cur. stramineo* satis distinctus?

resimosus.   91. Cur. piceus, elytris punctis excavato-striatis,
      antennis pedibusque obscurè rufescentibus.

Long. corp. 3 lin.

Habitat ————

Descr. Totum corpus piceum, villositate quâdam ci-
      nerascenti adspersum. Thorax punctulis prominulis
      scabriusculus, lineâ mediâ elevatâ, lævi. Elytra striata ;
      striæ punctis impressis. Pedes et antennæ rufo-piceæ.

enemery-   92. Cur. ater, tibiis plantisque rufis, thorace co-
tbrus.   leoptris duplo angustiori.

Long. corp. 2 lin.

Habitat ————   In mus. *D. Kirby.*

Descr. Rostrum crassiusculum, thorace paulo brevius.
      Thorax ovatus, coleoptris ferè duplo angustior. Cor-
      pus hujusce animalculi oblongum est, et nigrum, at
      ex pilis plurimis brevissimis cineritie quâdam albicanti
      obvestitum. Antennarum basis et tibiæ solummodò
      piceæ, et hæc quidem obscurâ, nec, ut in pice solet,
      clarâ et quasi pellucidâ tincturâ. Elytra striata ; striæ
      punctis impressis.

bitæniatus. 93. Cur. thorace fusco: lineâ utrinque pallidâ,
      elytris cinereis fusco-conspersis punctato-striatis.

Long. corp. 2¾ lin.

Habitat ————

Descr.

Descr. Rostrum nigricans, thorace brevius. Thorax fuscus, ex ovato rotundus, lineâ utrinque pallidâ. Elytra fusco-cinerea, striata; striæ punctis impressis: inter strias punctula plurima nigricantia.

94. Cur. oblongo-ovatus fusco-cinereus, antennis *striati*-plantisque rufescentibus, rostro striato.   *rostris.*

Long. corp. 3½ lin.

Habitat ———

Descr. Affinis *Cur. bitæniato,* sed lineæ pallidæ thoracis desunt. Rostrum latiusculum, crassum, nigrum, lineâ mediâ exaratum. Elytra cinerea, thorace pallidiora, punctis aliquot nigris ornata, striata sunt; striis punctatis. Antennæ rufescentes, clavâ saturatiori. Pedes cinerei, plantis rufescentibus.

95. Cur. oblongo-ovatus griseo-cinereus, elytris *interruptus.* lineolis albis interruptis, tibiis plantisque rufescentibus.

Long. corp. 2¼ lin.

Habitat ———

Descr. Rostrum nigrum, vix thorace longius. Thorax et elytra griseo-cinerea. Thorax lineâ dorsali pallidâ. Elytra striata, punctis aliquot nigris, lineolisque albis interruptis, quæ præcipuè posticè sita sunt. Antennæ, tibiæ plantæque rufescentes.

96. Cur. fuscus, coleoptris griseis: maculâ posticâ *seleneus.* communi lunulari pallidâ, antennis pedibusque rufescentibus.

Long. corp. 2¼ lin.

Habitat ———

Descr. Rostrum, caput et thorax fusca, sive fusco-grisea. Coleoptra grisea, maculâ pone medium communi lunari, pallidâ, fusco marginatâ. Antennæ et pedes rufi. Elytra in acutius desinunt.

97. Cur. ———

rigidus. 97. Cur. niger, elytris striatis: puncto albo-villoso obsoleto, pedibus piceis.

Long. corp. 2½ lin.

Habitat ———— Mus. *D. Beckwith.*

DESCR. Thorax valdè punctatus, punctis sæpiùs confluentibus. Elytra villis raris albidis conspersa, omninò punctulata sunt, imo et striata; striæ punctis impressis. Pone medium propter suturam in utroque elytro punctum album, ex villis albidis confectum. Corpus subtùs atrum, punctulatissimum. Pedes picei.

tomentosus. 98. Cur. fusco-cinereus tomentosus, elytris obsoletè striato-punctatis, plantis nigris.

Long. corp. 3 lin.

Habitat————Captus sub stercore bovino, propter fluvium Usk, prope Crickhowell.

DESCR. Totum corpus tomento sive vellere brevissimo densissimo obtectum. Elytra obsoletè striata; striæ ex punctis impressis, quæ puncta præ vellere denso vix nisi oculo armato conspicienda. Antennæ rufescentes. Abdomen obtusum. Rostrum thorace brevius.

rufimanus. 99. Cur. fusco-cinereus, elytris obsoletè punctato-striatis rufis.

Long. corp. 3 lin.

Habitat ———— Captus cum præcedenti.

DESCR. Præcedenti simillimus adeo ut ferè varietatem sexûs dicas. Differt sanè abdomine tenuiori, acutiusculo, nec obtuso, plantis rufis, nec nigris: porrò tomento non æqualiter denso obvelatur. Rostrum thorace brevius.

ebeneus. 100. Cur. niger, thorace scabriusculo, elytris obsoletè striatis punctulatissimisque.

Long. corp. 5 lin.

Habitat ———— Ex mus. *Miss Hill.*

DESCR.

Descr. Rostrum crassum, thorace paulo longius. Thorax punctis numerosissimis prominulis scaber. Elytra punctulis numerosissimis minutissimis conspersa. Porro striata sunt, striis obsoletis; striæ punctis impressis. Abdomen et pedes concolores.

101. Cur. cinerascenti-villosus, rostro nigro, antennis basi tibiisque ferrugineis.   *fusco-cinereus.*

Long. corp. 2¼ lin.

Habitat ———— Captus in cretario, Aprili medio. *D. Kirby.*

Descr. Fusco-niger, villis cinerascentibus adspersus. Rostrum nigrum. Antennæ nigricantes, basi ferrugineæ. Elytra fusca, punctato-striata. Tibiæ femorumque apices ferruginei, tarsis obscurioribus.

102. Cur. pubescens, capite intra thoracem retractili, elytris cinereo-striatis.   *acephalus.*

Long. corp. 1⅔ lin.

Habitat ————

Descr. Rostrum breviusculum, pubescens, cujus medio insident antennæ breves, capitulo majori. Caput intra thoracem omninò retractile. Thorax albido pubescens. Elytra villis cinereis jucundè striata. Corpus subtùs albido pubescens.

103. Cur. elongatus piceus, thorace punctato, elytris striatis.   *linearis.*

Fab. Ent. Syst. i. b. 419. 110. *Panz. Ent. Germ.* 309. 60. *Payk. Faun. Suec.* iii. 242. 60. *Herbst. Jablonsk.* vi. 53. 15.
Panz. Faun. Germ. 18. t. 7.
Cossonus linearis. *Ent. Helv.* 60. 1. t. 1. f. 1. 2.

Long. corp. 2¾ lin.

Habitat in *Boleto.*   *D. Sheppard.*

Descr. Antennæ rufo-piceæ, capitulis dilutioribus. Rostrum et thorax nigro-picea. Thorax punctatus,
        lineâ

lineâ mediâ elevatâ, longitudinali. Elytra rufo-picea, valdè striata, et inter strias punctis impressis notata. Pedes rufo-picei.

picipes. 104. Cur. niger obscurus, elytris punctato-striatis, antennis tarsisque rufo-piceis.

Long. corp. 4 lin.

Habitat ————

DESCR. Antennæ rufæ, villosæ. Caput et rostrum nigra, plana. Thorax scabriusculo-punctatus, lineâ mediâ longitudinali, elevatâ, lævi. Elytra striata, striis ex punctis excavatis. Pedes villosi, nigri, sive nigro-picei, tarsis rufo-piceis.

vernalis. 105. Cur. cinereus tomentosus, rostro atro nitido apice ferrugineo, thorace elytrisque vittis luteis.

Reich. Mant. Ins. i. 8. *t.* 1. *f.* 4.

Long. corp. 1½ lin.

Habitat sub foliis putridis primo vere.

DESCR. Caput cinereum, seu potiùs nigrum, pilis squamulisque cinereum. Rostrum thorace vix longius, arcuatum, basi albidum, medio atrum nitidum, apice ferrugineum. Oculi laterales, prominuli. Antennæ ferrugineæ, rostro vix æquiparantes. Thorax pilis confertissimis albidus, vittis duabus luteis vix distinctis. Elytra oblonga, punctato-striata, pilis albidis undique tecta, vittâ in medio elytrorum vix distinctâ, luteâ. Scutellum albidum, triquetrum. Sternum et abdomen pilis numerosissimis albida. Pedes clavati, femoribus muticis, cinereis, tibiis tarsisque ferrugineis, pilis rarioribus cinereis. *Reich.*

***** *Corpore cylindrico.*

paraplecti- 106. Cur. subcinereus, elytris mucronatis.
cus.
Linn. Syst. Nat. 610. 34.   *Faun. Suec.* 604.   *Vill.* i. 183. 29. *Gmel.* 1750. 34. *Panz. Ent. Germ.* 307. 49. *Fab. Syst. Ent.* 135. 44. *Sp. Ins.* i. 172. 62. *Mant.* i. 103.

i. 103. 77.　　*Ent. Syst.* i. b. 414. 91.　　*Faun. Fred.*
10. 100.　*Faun. Etrusc.* 295.　*Hellw.* 295.　*Harr.*
290.　*Poda Mus. Græc.* 29. 4.　*Payk. Monog.* 50.
Faun. Suec. iii. 244. 63.
Panz. Faun. Germ. 6. *t.* 15.　*Pontop. Atl. Dan.* i. 671.
14. *t.* 29.　*Schæff. Icon. t.* 44. *f.* 1.　*Voet.* ii. *t.* 37.
f. 1.　*Herbst. Jablonsk.* vi. 42. 1. *t.* 62. *f.* 1.　*Don.*
Brit. Ins. t. 348. *f.* 2.
Le Charanson à suture noire. *Geoff.* i. 279. 4?
Curculio Phellandrii. *De Geer,* v. 204. 18. *t.* 7. *f.* 3.

Long. corp. 8 lin.

Habitat in *Phellandrio, Sio,* intra caules.　Larva
　alba capite luteo, equis lethalis.　Captus in
　Insulâ Eliensi. *D. Curtis.*

Descr.　Rostrum longum, teres.　Thorax punctis excavatis.　Elytra minùs quam in reliquis gibba, recta,
in apicem seu angulum acutum desinentia, oblonga,
singula striis decem longitudinalibus exarata et simul
excavato-punctata; hæ striæ coëunt per paria ante
apicem, in singulo elytro.　Totum corpus atrum, villis
conspicuis cinereis tectum, hinc totum cinereum rore
flavo sæpè pictum.　Antennæ magnæ, infimo articulo
longissimo, rufescenti; apice nigræ. *Faun. Suec.*

107. Cur. ater, elytris obtusis punctatis.　　　　*angustatus.*
Fab. Syst. Ent. 135. 46.　*Sp. Ins.* i. 172. 66.　*Mant.*
　i. 104. 83.　*Ent. Syst.* i. b. 418. 106.　*Vill.* i. 189. 56.
Gmel. 1751. 151.　　*Panz. Ent. Germ.* 308. 55.
Harr. 291.
Mart. Eng. Ent. t. 20. *f.* 43.　*Schæff. Icon. t.* 79. *f.* 1.
Panz. Faun. Germ. 42. *t.* 12.　*Herbst. Jablonsk.* vi.
44. 2. *t.* 62. *f.* 2.　*Herbst. Arch. t.* 24. *f.* 7.

Long. corp. 6 lin.

Habitat ——————

Descr. Statura *Cur. paraplectici.* Thorax scaber. Elytra
striato-punctata. *Syst. Ent.*

108. Cur. cinereo-albus, elytris nigro-nebulosis, *Alismatis.*
rostro abbreviato crasso porrecto sulcato.

Long. corp. 1½ lin.

Habitat ————

DESCR. Rostrum curtum, crassiusculum, basi suprà sulco longitudinali, abbreviato, exaratum. Elytra pariter nebulosa, sed macula singularis pone medium sita est, et fasciæformis. Elytra striata, striis profundiusculis.

hypoleucus. 109. Cur. ater subcylindricus, elytris striatis, abdomine subtùs albo.

Long. corp. 1¾ lin.

Habitat in culmis *Junci* marcidis exsiccatis.

DESCR. Totum corpus aterrimum, glabrum, nitidiusculum. Thorax politus, punctulis impressis. Elytra glabra, striata. Abdomen subtùs, præcipuè apicem versus, argenteo-album.

circulatus. 110. Cur. niger, lineâ pallidâ subgriseâ utroque latere marginatus.

Long. corp. 2 lin.

Habitat ————

DESCR. Villosus. Rostrum breve, deorsùm spectans apice rufo. Antennæ rufæ, capitulo fusco. Thorax lateribus lineâque intermediâ albido-villosis. Scutellum albidum. Elytra albido latè marginata : punctum etiam album gerunt ante apices. Subtùs albidovillosus. Pedes rufi, femoribus fuscis.

granarius. 111. Cur. piceus, thorace punctato longitudine elytrorum.

Linn. Syst. Nat. 608. 16. *Faun. Suec.* 587. *Vill.* i. 177. 13. *Gmel.* 1745. 16. *Scop.* 89. *Schrank,* 207. *Fab. Syst. Ent.* 134. 39. *Sp. Ins.* i. 171. 56. *Mant.* i. 103. 74. *Ent. Syst.* i. b. 414. 88. *De Geer,* v. 239. 25. *Faun. Ingr.* 327. *Harr.* 288. *Faun. Fred.* 10. 95. *Faun. Etrusc.* 302. *Hellw.* 302. *Payk. Monog.* 51. *Faun. Suec.* iii. 245. 64. *Rai.* 88. *Laich.* i. 218. 14.

Le

Le Charanson brun de bled. *Geoff.* i. 285. 18.
Pontop. Dan. Atl. i. 671. 5. *t.* 29.
Rhynchophorus granarius. *Herbst. Jablonsk.* vi. 14. 8.
  t. 60. *f.* 7.
Calendra granaria. *Ent. Helv.* 62. 1. *t.* 2. *f.* 1. 2.

Long. corp. 2 lin.

Habitat frequens in granulis avenaceis decorticatis;
  in mercatorum tabernis frequens. *Linn.*

DESCR. Totus omnibus partibus concolor, rufo-testaceus. Corpus admodùm oblongum est, et, quod in
  hac specie singulare est, thorax valdè longus et magnus,
  ut longitudinem elytrorum ferè (non tamen omninò)
  adtingat. Thorax punctis excavatis adspersus, et elytra
  striis excavata. *Faun. Suec.*

112. Cur. ferrugineus unicolor punctatus.   *unicolor.*

Long. corp. 1 lin.

Habitat ———

DESCR. Simillimus *Cur. granario*, sed minor, et differt
  colore etiam.

113. Cur. nigro-piceus totus, rostro crassiusculo, *lignarius.*
  thorace punctato elytris breviori.

Long. corp. $1\frac{1}{4}$ lin.

Habitat ———

DESCR. Hoc animalculum primo intuitu *Cur. granarium*
  diceres, at differt, thorace elytris multo breviori, et
  punctis thoracis rotundis, nec oblongis, sive sublinearibus. Rostrum crassum. Thorax omninò punctulatus. Elytra striata; striæ punctis impressis.

114. Cur. niger, elytris maculis quatuor ferru- *Oryzæ.*
  gineis.

Linn. Amœn. Acad. vi. 395. 19.   *Fab. Syst. Ent.* 130. 40.
  Sp. Ins. i. 171. 57.   *Mant.* i. 103. 75.   *Ent. Syst.*
  i. b. 414. 89.   *Vill.* i. 188. 54.   *Gmel.* 1745. 113.
Curculio frugilegus. *De Geer,* v. 273. 7.
                          Rhynchophorus

Rhynchophorus Oryzæ.   *Herbst. Jablonsk.* vi. 18. 10.
t. 60. f. 9.

Long. corp. 1¾ lin.

Habitat in *Oryzæ* seminibus, ab exteris regionibus
allatis. *Linn.*

Descr. Magnitudo grani *Oryzæ*. Totus niger, sive
piceo-niger, punctis cavis scaber, oblongus, subtùs
piceus est. Elytra striata; in singulis maculæ duæ
ferrugineæ, quarum prior ad basin elytri, posterior
ante apicem elytri. *Amœn. Acad.*

picicornis.   115. Cur. subtùs niger suprà atro-cæruleus, antennis piceis.

Long. corp. 1⅓ lin.

Habitat ————

Descr. Suprà nitidus. Rostrum deorsùm spectans
apice dilatato, cui insident antennæ. Antennarum
clava magna. Thorax anticè angustatus, excavato
punctatus. Elytra striata. Certo situ tarsi rufescunt.

laticollis.   116. Cur. ater nitidus, thorace lato, elytris striatis.

Long. corp. 2 lin.

Habitat ————

Descr. Totus ater, nitidus. Caput et thorax suprà
subtilissimè punctata. Elytra striata. Totum corpus
subtùs valdè punctatum. Pedes concolores.

c. *Antennis fractis, femoribus dentatis.*

* *Corpore ovato obtuso, rostro sese pectori intra pedes
applicante.*

Scrophula-   117. Cur. coleoptris maculis duabus atris albisque
riæ.   dorsalibus, elytris striis elevatis nigro albidoque
variis.

Linn. Syst. Nat. 614. 61.   *Faun. Suec.* 603.   *Vill.* i.
197. 95. *Gmel.* 1767. 61. *Laich.* i. 224. 18. *Fab.*
Syst.

Syst. Ent. 140. 68.   *Sp. Ins.* i. 177. 95.   *Mant.* i.
107. 120.   *Ent. Syst.* i. b. 434. 167.   *Payk. Monog.* 22.
Faun. Etrusc. 310.   *Hellw.* 310.   *Faun. Fred.* 10. 99.
Faun. Ingr. 330.   *Panz. Ent. Germ.* 312. 76.   *Payk.*
Faun. Suec. iii. 207. 24.
Le Charanson à lozange de la Scrofulaire. *Geoff.* i. 296. 44.
Donov. Brit. Ins. t. 60.   *De Geer,* v. 208. 3. *t.* 6.
f. 17—20.   *Herbst. Jablonsk.* vi. 184. 147. *t.* 73. *f.* 1.
Mart. Eng. Ent. t. 19. *f.* 25.

Long. corp. 3 lin.

Habitat in *Scrophulariâ.*

DESCR.   Rostrum nigricans, thorace longius, quod ter-
refactus sub ventrem maximè inflectit.   Thorax exal-
bidus, pilis cinereis vestitus, cum maculis duabus
atris a tergo.   Elytra glabra, sulcata, cinereo-testacea :
singula striis quinque, interjacentibus lineis elevatis
nigris, albis punctis; in medio dorso, clausis elytris,
inque ipsâ suturâ, punctum atrum cum puncto albo
adnexo a parte posticâ : pone hoc punctum, aliud
punctum nigrum in ipsâ suturâ coleoptrorum versus
anum albedine cinctum; antennarum infimus articulus
longus.   Pedes nigri; plantæ ferrugineæ. *Faun. Suec.*

118. Cur. coleoptris maculis duabus dorsalibus *Thapsi.*
atris simplicibus.

Fab. Ent. Syst. i. b. 434. 168.   *Panz. Ent. Germ.*
312. 77.
Herbst. Jablonsk. vi. 187. 148. *t.* 73. *f.* 2.
Curculio Scrophulariæ var. β. *Payk. Faun. Suec.* iii.
207. 24.   *Monog.* 22. var. β et γ.

Long. corp. 3 lin.

Habitat in *Verbasco Thapso.*

DESCR. Mera varietas præcedentis, teste D. de Paykull.
Caput et thorax villosa, cinerea, immaculata, antennis ferrugineis. Coleoptra villosa, cinerea, lineis
plurimis e punctis nigris albisque alternis.   In medio
vel in suturâ puncta duo magna, orbiculata, omninò
simplicia.   Corpus et pedes cinerea. *Ent. Syst.*

T 3   119. Cur.

Hortulanus. 119. Cur. cinereus, coleoptris maculis duabus atris dorsalibus.

Vill. i. 202. 18.
Don. Brit. Ins. t. 205. *f.* 2.

Long. corp. 2¼ lin.

Habitat in *Scrophulariâ.*

DESCR. *Cur. Scrophulariæ* affinis, sed griseus. Elytra striis elevatis punctis albis fuscisque variegatis, maculis duabus nigris ad suturam supernè infernèque. An varietas *Cur. Scrophulariæ? Vill.*
Obs. Nulla sexûs differentia.

immunis. 120. Cur. subgriseus, elytrorum lineis tribus elevatis albo nigroque tessellatis, tibiis plantisque rufis.

Long. corp. 1¾ lin.

Habitat in *Scrophulariâ aquaticâ.*   *D. Sheppard.*

DESCR. Statura et summa affinitas *Cur. Scrophulariæ,* sed minor. Totus pilis grisescenti-cinereis adspersus. Antennæ rufæ, clavâ nigrâ. Thorax subnebulosus. Elytra striis tribus elevatiusculis, punctis alternè albis nigrisque tessellatis. Pedes rufi, femoribus nigris. A cæteris *Curculionibus* in *Scrophulariâ* victitantibus hæc species præcipuè differt, quod puncta duo magna atra, suturæ communia, nequicquam gerit; unde nomen.

bipustula-tus. 121. Cur. cinereo-griseus, elytris striis elevatis: maculis duabus atris dorsalibus; posteriore rotundatâ.

Curculio Fraxini. *De Geer,* v. 212. 4.
Le Charanson gris de la Scrophulaire. *Geoff.* i. 298. 45.
An Curculio Blattariæ. *Fab. Ent. Syst.* i. b. 435. 170?
    Ent. Germ. 313. 79?
An Cionus Blattariæ. *Ent. Helv.* 66. 1. *t.* 3. *f.* 1 ?

Long. corp. 1¾ lin.

Habitat ⸻

DESCR.

Descr.   Affinis *Cur. Scrophulariæ*, sed minor. Corpus
cinereum, nec cinereo-testaceum, punctis nigris. Elytra maculis binis atris, velutinis, dorsalibus, communibus ; alterâ ad basin minùs distinctâ, aliâ ad apicem
amœniori. Cinerities purior maculam apicis amplec-
titur. Porrò scutellum immersum esse videtur, et
undique nigredine cingitur.

122. Cur. nigro-fuscus squamosus lineolis albis *Echii.*
    variegatus.

Fab. Ent. Syst. i. b. 436. 176.   *Panz. Ent. Germ.*
    314. 85.
Herbst. Jablonsk. vi. 391. 370. *t.* 91. *f.* 1.   *Panz. Faun.*
    Germ. 17. *t.* 12.
Cur. geographicus. *Vill.* i. 201. 116. *t.* 1. *f.* 22.
    iv. 275. 116.   *Fourc.* i. 128. 43.   *Gmel.* 1778. 329.
Le Charanson geographie.   *Geoff.* i. 294. 40.

Long. corp. 3 lin.

Habitat in *Echio.*

Descr. Fusco-niger, squamulis albis suprà infràque
    tectus, quæ squamæ supra thoracem elytraque varias
    lineas formant.   Thorax tribus lineis longitudinalibus
    tribusque aliis transversalibus. Variæ elytrorum lineæ
    secantur, aliis duabus a scutello oblique descendentibus.
    Pedes nigri, albo variegati. *Vill.*
Variat absque tribus lineis transversalibus.

123. Cur. nigro cinereoque nebulosus, thorace *ovalis.*
    puncto utrinque nigro.

An Curculio ovalis? *Linn. Syst. Nat.* 612. 47.   *Faun.*
    Suec. 613.   *Vill.* i. 194. 89.

Long. corp. (rostro deflexo) $1\frac{1}{3}$ lin.

Habitat in pratis.

Descr. Totum corpus suprà nigro albidoque nebulo-
    sum. Thorax medio, et utrinque puncto nigro. Sub-
    tùs, certo lucis respectù, totum corpus cinerascit.
    Thorax utrinque denticulato spinosus. Pedes, rostrum
    et antennæ nigra.

T 4

124. Cur.

fuliginosus. 124. Cur. niger subgriseus, coleoptris maculis tribus communibus : duabus albidis ; mediâ atrâ.

An Curculio guttula ? *Fab. Mant.* i. 107. 124. *Ent. Syst.* i. b. 436. 174. *Panz. Ent. Germ.* 314. 83. *Herbst. Jablonsk.* vi. 393. 372. *t.* 91. *f.* 3 ?

Long. corp. 1¼ lin.

Habitat ————

DESCR. Totum corpus nigrum, et quasi fuliginosum, villis tamen cinerascentibus obsitum. Thorax utrinque denticulatus. Elytra striata, maculis tribus communibus; prima quæ proximè scutellum sita est albida, et punctum refert; secunda, quæ huic contigua est, atra, oblonga, basi præmorsa; tertia autem ad anum locatur oblonga, albida.

dentatus. 125. Cur. piceus, thorace utrinque dentato, plantis rufis.

Long. corp. 1¾ lin.

Habitat ————

DESCR. Thorax scaber. Elytra striata. Color ex nigro obsoletiùs rufescit. Tarsi rufi.

Quercicola. 126. Cur. fusco-griseus, thorace utrinque dentato, rostro deflexo thorace longiori.

Fab. Ent. Syst. i. b. 408. 64. *Payk. Monog.* 68. *Faun. Suec.* iii. 215. 33. *Herbst. Jablonsk.* vi. 403. 383. *t.* 91. *f.* 13.

Long. corp. 1¼ lin.

Habitat ————

DESCR. Rostrum deflexum, leviter arcuatum, nigrum, thorace paulo longius. Thorax margine baseos elevato, anticè angustior, utrinque ad medium dentatus. Abdomen ovatum. Elytra scabriuscula, fusco-grisea, striata. Pedes cinereo-rufescentes.

127. Cur.

127. Cur. rufo-ferrugineus, thorace strigis albis *Troglo-*
obsoletiusculis, elytris striatis.   *dytes.*

Fab. Mant. i. 108. 131.   *Ent. Syst.* i. b. 439. 187.
  Gmel. 1763. 224.   *Panz. Ent. Germ.* 315. 94.   *Payk.*
  Monog. 29.   *Faun. Suec.* iii. 214. 31.   *Herbst. Jablonsk.*
  vi. 473. 484.

Long. corp. $1\frac{1}{2}$ lin.

Habitat ———

Descr. Rostrum arcuatum, nigrum, thorace subduplo
  longius.   Per cætera animalculum ferrugineum est.
  Thorax dorso subcarinato, margine antico elevato.
  Elytra satis profundè striata, apicem versùs scabriuscula.

128. Cur. niger subtùs incanus, thorace lineâ **Urticæ.**
  mediâ exarato, elytris profundè striatis.

An Cur. pollinarius? *Forst. Cent.* 33.

Long. corp. $1\frac{1}{2}$ lin.

Habitat in *Urticâ dioicâ.*

Descr. Corpus ovatum, suprà convexiusculum, subtùs
  ventricosum.   Thorax lineâ mediâ exaratus, nec punctatus.   Elytra, pro ratione animalis, satis profundè
  striata.   Femora omnia dentata.   Totum corpus, præcipuè pectus, pedes et abdomen subtùs, polline quodam
  albido obtectum.   An *Cur. pollinarius* Forsteri?   At neque thorax neque elytra suprà plana sunt, sed convexa.

129. Cur. cinereus, suprà fasciis duabus longi- *bivittatus.*
  tudinalibus olivaceis integris.

An Curculio Parallelus? *Panz. Ent. Germ.* 306. 44.
Panz. Faun. Germ. 18. t. 5.

Long. corp. (rostro autem inflexo) $1\frac{1}{2}$ lin.

Habitat ———

Descr. Totum corpus pilis brevissimis sive tomento
  cinereo vestitum.   Depilatus niger est.   Per dorsum
  duæ fasciæ longitudinales, olivaceæ, obsoletiusculæ,
                                        a capite

a capite usque ad elytrorum apices decurrunt. In nonnullis hæ fasciæ retrò ab apice elytrorum sursùm marginem versùs exteriorem referuntur; non autem ad marginem aut ad basin attingunt, sed sub medio deficiunt. Plantæ obsoletè rufescentes. Femora omnia dentata.

nervosus. 130. Cur. griseus, elytris striatis: striis elevatis nigro alboque variis.

Long. corp. $1\frac{1}{2}$ lin.

Habitat ―――――

Descr. Satis distinctus. Elytra grisea, elevato-striata. Rostrum et pedes rufo-testacei.

pleuro-stigma. 131. Cur. obscurè niger, pectore utrinque puncto albo.

Long. corp. $1\frac{2}{3}$ lin.

Habitat ―――――

Descr. Subtùs albido squamosus; inter thoracem et elytrorum basin puncto albo pectus notatur. Thorax utrinque obsoletè dentatus, posticè et anticè fossulâ intermediâ exaratur. Femora omnia denticulata.

melano-stictus. 132. Cur. cinereus, elytris nigro-tessellatis, tarsis testaceis.

Long. corp. 1 lin.

Habitat ―――――

Descr. Suprà cinereo villosus, subtùs cinereo squamosus. Rostrum et antennæ nigræ. Thorax nigricans, lineâ intermediâ et lateribus albidis, anticè minus constrictus. Elytra cinereo villosa, nigro tessellata. Tarsi testacei.

subrufus. 133. Cur. obscurè rufus cinereo-nebulosus, elytris apice subretusis.

Long. corp. 1 lin.

Habitat ―――――

Descr.

Dsscr. Totus obscurè rufus, squamis cinereis nebulosus. Rostrum nigricans. Thorax anticè angustatus,
utrinque obsoletè dentatus.

134. Cur. cinereus, elytris basi lineâ suturali ab- *cinereus.*
breviatâ anticè albâ posticè nigrâ, tarsis rubellis.

Long. corp. 1⅔ lin.

Habitat ————

Dsscr. Subtùs squamis albidis tectus, suprà cinereo-
villosus, etiam rostrum et caput. Thorax anticè angustatus, utrinque sub-dentatus. Elytra striata, striis
nigris, interstitiis cinereo-villosis. Sutura basi lineâ
dimidiatâ anticè albâ posticè nigrâ.

135. Cur. cinerascenti-squamosus, elytris cano- *unigutta-*
nebulosis : maculâ communi nigricanti, plan- *tus.*
tis rufescentibus.

Long. corp. circiter 1 lin.

Habitat ————   In mus. *D. Kirby.*

Dsscr. Subtùs totus squamulis incanis obsitus. Thorax anticè constrictus, utrinque tuberculo armatus,
cinerascenti-squamosus, lineâ intermediâ obscurâ, in-
canâ. Elytra striata, squamulis cinereo-fuscis canisque
nebulosa, maculâ mediâ suturali fuscâ notata. Tibiæ
quatuor anticæ tarsique omnes rufescentes.

** *Corpore ovato acuto, rostro longissimo filiformi.*

136. Cur. corpore griseo longitudine rostri rubri. *Nucum.*
Linn. Syst. Nat. 613. 59. *Faun. Suec.* 616. *Vill.* i.
196. 93. *Gmel.* 1767. 59. *Fab. Syst. Ent.* 141. 77.
Sp. Ins. i. 179. 106. *Mant.* i. 108. 135. *Ent. Syst.*
i. b. 440. 192. *De Geer,* v. 205. 2. *Scop.* 105.
Panz. Ent. Germ. 317. 100. *Faun. Etrusc.* 314.
Hellw. 314. *Faun. Ingr.* 334. *Harr.* 297. *Udd.*
Diss. 24. *Payk. Monog.* 20. *Faun. Suec.* iii.
204. 20.
Mart. Eng. Ent. t. 19. *f.* 26. *Panz. Faun. Germ.*
42.

42. *t.* 21. *Roes.* 3. *t.* 67. *f.* 1. 5. 6. *Poda,* 29. 7. *t.* 1.
f. 3. *Sulz. Ins. t.* 3. *f.* 22. *Schæff. Icon. t.* 50. *f.* 4.
Herbst. Jablonsk. vi. 197. 158. *t.* 73. *f.* 10.
Le Charanson trompette. *Geoff.* i. 295. 42.

Long. corp. $3\frac{1}{2}$—5 lin.

Habitat intra *Coryli* nuces.

DESCR. Statura *Cur. Pini,* sed minor. Rostrum filiforme, tenuissimum, inflexum, rubrum, longitudine
totius corporis. Femora omnia apice introrsùm denticulo instructa, sed priora majore. *Faun. Suec.*

Glandium. 137. Cur. cinereus, femoribus omnibus dentatis,
rostro pedibusque rufis.

Long. corp. $4\frac{1}{2}$ lin.

Habitat in Glandibus.

DESCR. Staturâ et magnitudine *Cur. Nucum.* Rostrum
longitudine corporis est, et rufum. Pedes rufi. Totum
corpus vellere cinereo vestitum; sed scutellum, et
punctum utrinque ad latera sterni sub elytrorum basi
saturatiùs lucent; unde tripunctatus videtur.

Cerasorum. 138. Cur. corpore griseo longitudine rostri nigri.
Fab. Syst. Ent. 142. 80. *Sp. Ins.* i. 180. 109. *Mant.*
i. 109. 138. *Ent. Syst.* i. b. 442. 200. *Vill.* i. 200.
107. *Gmel.* 1767. 250. *Panz. Ent. Germ.* 317. 101.
Payk. Faun. Suec. iii. 206. 21. *Monog.* 21.
Panz. Faun. Germ. 42. *t.* 22. *Herbst. Jablonsk.* vi. 196.
157. *t.* 73. *f.* 9.

Long. corp. $2\frac{1}{2}$—4 lin.

Habitat ——————

DESCR. Maximè affinis *Cur. Nucum,* sed primo intuitu dignoscatur; nam hic minor est, et rostro nigro; ille rufo gaudet. Elytra posticè fasciâ transversâ
lutescenti, magìs minùsve manifestâ.

tenuirostris. 139. Cur. niger, elytris albo subfasciatis, antennis rufis.

Fab.

Fab. Sp. Ins. i. 180. 12.   *Mant.* i. 109. 141.   *Ent.*
Syst. i. b. 443. 204.   *Vill.* i. 200. 108.   *Gmel.* 1767.
253.   *Rai.* 89.   *Herbst. Jablonsk.* 210. 173.
Don. Brit. Ins. t. 249. f. 3.   *Mart. Eng. Ent.* t. 20.
f. 40.

Long. corp. 3 lin.

Habitat ————

DESCR.   Caput nigrum, rostro porrecto, tenui, glabro,
atro.   Antennæ rufæ, clavâ cinereâ.   Thorax niger,
pilis brevissimis cinereis.   Scutellum cinereum.   Elytra nigra, fasciis plurimis, undatis, pallidioribus.
Fab. Sp. Ins.

140. Cur. niger, femoribus omnibus dentatis, ely- *clavatus.*
tris striatris, rostro clavato : clavâ compressâ.

Long. corp. 1 $\frac{1}{2}$ lin.

Habitat ————

DESCR.   Affinis *Cur. stygio*, at rostrum clavatum satis
indicat ; apex sive clava rostri compressa est, et quod
singulare, ad basin clavæ unguiculus quidam incurvus apicem spectans prodit.   Abdomen subtùs argenteo nitens.

141. Cur. ater, rostro tenui parùm elongato.   *ater.*

Long. corp. 2 lin.

Habitat ————   In mus. *D. Kirby.*

DESCR.   Inter *Curculiones* atros differentia tenuior ;
quæ igitur notanda sese exhibent cautè observanda.
In hoc thorax sub lente punctis prominulis scabriusculus, opacus est, etiam rostrum elongatum, $\frac{2}{3}$ longitudinis corporis.   Elytra striata, striæ punctis impressis.

142. Cur. corpore griseo nebuloso, scutello albo, *Pomorum.*
elytris obliquè fasciatis.

Linn. Syst. Nat. 612. 46.   *Faun. Suec.* 612.   *Vill.* i.
194. 88.   *Gmel.* 1764. 46.   *Fab. Syst. Ent.* 143. 84.
Sp.

Sp. Ins. 181. 115.   *Mant.* i. 109. 145.   *Ent. Syst.*
i. b. 444. 209.   *Panz. Ent. Germ.* 317. 105.   *Faun.*
Fred. 11. 103.   *Harr.* 301.   *Payk. Faun. Suec.* iii.
199. 16. *Monog.* 12.
Frisch. i. 32. *t.* 8.   *Schæff. Icon. t.* 221. *f.* 2. a. b.
Herbst. Jablonsk. vi. 157. 115. *t.* 70. *f.* 11.

Long. corp. 2¼ lin.

Habitat in floribus Pomonæ.

DESCR. Totus nebulosus, sive griseo-cinereus, fasciâ
   duplici transversâ supra elytra, quarum antica ad angulum rectum, in medio, ad juncturas suturarum,
   pone coit, et alia fascia fusca posterior magis transversa ;
   ad apicem thoracis a tergo punctum album. Antennæ
   pedesque subfusci. In femorum primi paris latere interiore apicem versus, denticulus robustus, quâ notâ
   manifestè differt ab aliis. *Faun. Suec.*

pedicula-   143. Cur. corpore rubro, elytris albidis sub-fas-
rius.   ciatis.

Linn. Syst. Nat. 615. 66.   *Faun. Suec.* 620.   *Vill.* i.
   199. 100.   *Gmel.* 1769. 66.

Long. corp. 2 lin.

Habitat————Captus in foliis *Cratægi Oxyacanthæ.*

DESCR. Rostrum rubrum, rectum, longitudine ferè
   corporis. Elytra grisea, obsoletè fasciata. Femora
   omnia dentata. *Faun. Suec.*

fasciatus.   144. Cur. fusco-ferrugineus, elytris albo-fasciatis,
   pedibus rufis.

An Curculio incurvus ? *Panz. Faun. Germ.* 36. *t.* 7.

Long. corp. 2 lin.

Habitat in foliis *Cratægi Oxyacanthæ.*

DESCR. Antennæ, rostrum et pedes rufa. Thorax fusco-
   ferrugineus, lineâ dorsali tenui, albâ. Scutellum album. Elytra fusco-ferruginea, striata ; striæ punctis
   impressis ; ad basin elytrorum macula magna, alba,
   fasciæformis, ad marginem latior, intùs sensìm de-
   crescens,

crescens, sed ad suturam minimè pertingit; post medium fascia alba, lata, quæ tamen suturam ipsam non
tangit. Simillimus *Cur. pediculario.* An sexûs diffe-
rentiâ ?

145. Cur. thorace rufo, elytris striatis posticè ru- *Ulmi.*
fescentibus, femoribus anticis longiùs dentatis.

Vill. i. 201. 115. *Gmel.* 1772. 296.
De Geer, v. 215. 8. *t. 6. f.* 26. 27.

Long. corp. 2 lin. ·
Habitat ————

DESCR. Rostrum longiùs nigrum. Caput nigrum.
Thorax sub lente punctulis prominulis scaber, rufus,
lineâ albidâ mediâ, obsoletâ. Elytra striata, basi nigra, posticè rufa. Pedes rufescentes. Femora duo
antica crassiora, dente firmo longiusculo; quatuor
postica dente qualis in plerisque observatur. Ut color
elytrorum probe judicetur, paululum sub-leves, inde
color verus perspicitur.

146. Cur. globoso-ovatus niger, thorace strigis *strigosus.*
tribus albis, elytris inciso-striatis.

Long. corp. 3 lin.
Habitat ————   Ex mus. *D. Allen.*

DESCR. Rostrum nigrum. Thorax anticè angustior,
posticè ventricosus, gibbus, strigis tribus albis; quarum una media, duæ ad latera : media in lineolam
dorsalem tenuem impressam abbreviatam desinit.
Elytra striata; striæ valdè tenues, quasi incisionibus
factis. Femora dente valido.

147. Cur. ater, rostro tenuiori arcuato, antennis *curvatus.*
rufis.

Long. corp. 1½ lin.
Habitat ————   In mus. *D. Kirby.*

DESCR. Rostrum arcuatum, circiter ⅔ longitudinis corporis æquat, glabrum et politum. Thorax ater, opacus,
sub

sub lente scabriusculus. Elytra striata. Antennæ
rufæ. Simillimus *Cur. nigrino,* at antennæ rufæ.

arcuatus. 148. Cur. suprà subcinereus subtùs albus, rostro
arcuato thorace longiore.

Long. corp. 2 lin.

Habitat in *Salicibus.*   Ex mus. *D. Kirby.*

Descr. Rostrum filiforme, atrum, nitidum, thorace
longius, arcuatum. Antennæ nigræ, cinerascenti-vil-
losulæ, articulo primo glabro, fusco. Thorax subconicus, punctulatus. Scutellum niveum. Elytra atra,
striata, striarum interstitiis pilositate vix conspicuâ cinerascentibus. Corpus subtùs squamulis albis vestitum.
Pedes villosuli.

pyrrho- 149. Cur. suprà subcinereus subtùs albus, an-
ceras.   tennis rostrique apice rufis.

Long. corp. 1⅓ lin.

Habitat ———

Descr. Statura præcedentis, sed paulo minor. Rostrum thorace brevius, basi nigrum, villosulum, apice
glabrum, sanguineum. Antennæ rostri medio insidentes, testaceæ, capitulo nigro. Caput atrum, ocu-
lorum orbitâ cinerascenti. Thorax ater, subconicus,
punctulatissimus. Elytra atra, profundè striata, striarum interstitiis pilositate parvâ subincanis. Corpus
subtùs squamulis albis tectum.

interme- 150. Cur. suprà subcinereus subtùs albus, rostro
dius.   thorace breviore, antennis testaceis.

Long. corp. 1 lin.

Habitat in *Salicibus.*

Descr. Rostrum totum nigrum ut in *Cur. arcuato,*
sed thorace brevius, et antennæ testaceæ capitulo nigro, ut in *Cur. pyrrhocerate.* An satis distinctus?
Intermedius videtur inter has species; aut sexus alter
prioris?

151. Cur.

151. Cur. niger, thorace subpubescente, elytris *melano-* *pterus.*
nitidiusculis, antennarum articulo primo lon-
gissimo fusco.

Long. corp. $1\frac{1}{3}$ lin.

Habitat ————

DESCR. Rostrum apice latiori. Antennæ prope apicem
insident. Thorax obscurè trilineatus. Elytra magìs
nitida, striata, striis punctatis.

*** *Corpore oblongo, rostro crassiori.*

152. Cur. niger, elytris fuscis: fasciis nebulosis. *Pini.*

Linn. Syst. Nat. 608. 19. *Faun. Suec.* 589. *Vill.* i.
178. 15. *Gmel.* 1746. 19.
Curculio Abietis. *Fab. Syst. Ent.* 138. 59. *Sp. Ins.* i.
175. 84. *Mant.* i. 106. 107. *Ent. Syst.* i. b. 428. 144.
De Geer, v. 204. 1. *Payk. Monog.* 11. *Panz. Ent.*
Germ. 299. 1. *Payk. Faun. Suec.* iii. 186. 3. *Faun.*
Etrusc. 311. *Hellw.* 311.
Mart. Eng. Ent. t. 21. *f.* 60.

Long. corp. 6 lin.

Habitat in *Pino sylvestri.* Captus in Rivelston-
wood, prope Edinburgum. *D. Smith..*

DESCR. Abdomen valdè gibbum est a tergo anum
versus. Animalculum totum e griseo nigrum; totum
corpus, rostrum, thorax, elytra et pedes punctis minutissimis, contiguis, excavatis. Signaturæ aliquæ
testaceæ in thorace ex villis tenuissimis, similes etiam
in formam fasciarum duarum transversarum linearum,
quarum quæ thoraci proprior ad suturam elytrorum interrupta est. Antennarum apices flavescunt. *Faun. Suec.*
Obs. Illustrissimus Linnæus hoc insectum et *Cur. Abietis*
haud solità virtute distinxit. Descriptio enim specifica cum in *Syst. Nat.* tum in *Faunâ Suecicâ,* utraque
Cur. Abietis spectat. Quicunque autem vult hæc duo
insecta probè dignoscere *Faunam Suecicam* adeat : in
quo opere, descriptio auctior sub alterutrâ specie, utriusque signa ritè notavit. *Cur. Pini Curculione Abietis*

duplo major est; tum elytris fuscis gaudet. Porro
Cur. Pini femoribus dentatis, *Cur. Abietis* autem femoribus simplicibus insignitur. *Cur. Pini* cum spe-
cimine Linnæano contuli, unde quod in numero nostratum habendus sit, certus scio. *Cur. Abietis* nunquam in Britanniâ inveni.

germanus. 153. Cur. corpore ovato-oblongo nigro punctis
testaceis adsperso.

Linn. Syst. Nat. 613. 58. *Vill.* i. 195. 92. *Gmel.*
1766. 58. *Schrank,* 210. *Faun. Fred.* 11. 110. *Poda,*
29. 6. *Harr.* 293. *Payk. Monog.* 1. *Laich.* i.
204. 1.
Mart. Eng. Ent. t. 22. *f.* 68. *Panz. Faun. Germ.*
42. *t.* 16. *Schæff. Icon. t.* 25. *f.* 2. 5. *t.* 62. *f.* 11.
t. 101. *f.* 6. *Sulz. Ins. t.* 4. *f.* 8.
Curculio fusco-maculatus. *Payk. Faun. Suec.* iii. 184. 1.
Herbst. Jablonsk. vi. 329. 304. *t.* 86. *f.* 2.
Le Charanson tigré. *Geoff.* i. 292. 35.

Long. corp. 10 lin.

Habitat ————   Ex mus. *D. Lyon.*

DESCR. Inter maximos Europæos. Rostrum crassiusculum. Thorax subrotundus, utrinque punctis tribus
ferrugineis. Coleoptra abdomen tegentia, ovata, nigra, punctis ferrugineis adspersa. Femora postica
obsoletiùs dentata; anteriora quatuor mutica, cum
rudimento dentis. Similis *Cur. Pini. Syst. Nat.*

anglicanus. 154. Cur. corpore ovato-oblongo atro, thorace
puncto utrinque testaceo gemino.

Curculio germanus. *Fab. Syst. Ent.* 139. 67. *Sp. Ins.*
i. 177. 94. *Mant.* i. 107. 119. *Ent. Syst.* i. b.
433. 166. *Panz. Ent. Germ.* 312. 75. *Payk. Faun.*
Suec. iii. 185. 2.
Don. Brit. Ins. t. 34. *f.* 3. *Mart. Eng. Ent. t.* 18. *f.* 7.
Herbst. Jablonsk. vi. 328. 303.
Le Charanson à corcelet couronné. *Geoff.* i. 291. 34.

Long. corp. 7—9 lin.

Habitat in locis præcipuè cretaceis.

DESCR.

Dsscr. Statura *Cur. germani*, cui maximè affinis; at colcoptra nunquam punctis testaceis adspersa, et thorax punctis duobus utrinque nec tribus ornatur. Pedes omnes dentati, dente robusto. Thorax et elytra punctata, punctis impressis, ut in *Cur. germano*; scilicet, thorax punctis plurimis distinctis, elytra autem punctis confluentibus, adeò ut quodammodò rugosa videntur.

155. Cur. ater, thorace punctato, elytris punctato- *punctatus.* striatis.

Long. corp. 1½ lin.

Habitat ⸺

Descr. Statura *Cur. anglicani*, at multoties minor. Thorax punctatissimus, punctis majusculis impressis. Elytra striata; striæ ex punctulis majusculis impressis. Femora antica subdentata. Antennæ et plantæ rufescentes. Coleoptra erosa, dura, ut in *Cur. germano* et *anglicano*. Corpus punctis albis omninò caret.
Variat thorace pedibusque omninò rufo-ferrugineis, rostro piceo.

**** *Corpore oblongo, rostro filiformi.*

156. Cur. nigricans, elytris striatis griseo irroratis. *Tremulæ.*

Fab. Mant. i. 109. 147. *Ent. Syst.* i. b. 445. 212. *Gmel.* 1769. 263. *Payk. Monog.* 4. *Faun. Suec.* iii. 189. 6.

Long. corp. 3 lin.

Habitat in *Populo.*

Descr. Statura et magnitudo *Cur. Tortricis.* Rostrum porrectum, atrum. Thorax ater, lævis, nitidus, posticè rubro nitens. Elytra crenata, striata, nigra, atomis plurimis griseis. *Fab. Mant.*

157. Cur. corpore testaceo, pectore fusco.   *Tortrix.*

Linn. Syst. Nat. 615. 67. *Faun. Suec.* 622. *Vill.* i. 199. 101. *Gmel.* 1769. 67. *Fab. Syst. Ent.* 143. 85. *Sp. Ins.* i. 181. 116. *Mant.* i. 109. 145. *Ent. Syst.*

i. b. 444. 211.　*Payk. Monog.* 6.　*Faun. Suec.* iii.
192. 9.　*Panz. Ent. Germ.* 318. 108.　*Faun.
Etrusc.* 315.　*Hellw.* 315.　*Faun. Ingr.* 337.
Mart. Eng. Ent. t. 18. *f.* 2.　*Panz. Faun. Germ.* 18.
t. 14.　*Ent. Helv.* 92. 8. *t.* 9. *f.* 3. 4.　*Herbst.
Jablonsk.* vi. 155. 113. *t.* 70. *f.* 8.
Le Charanson couleur de rouille. *Geoff.* i. 300. 51.
Curculio fulvus. *De Geer,* v. 214. 6.
Long. corp. 3 lin.
Habitat in *Populi Tremulæ* foliis, quæ contorquet.
　Linn.

DESCR. Corpus oblongum, subcylindricum, testaceum,
　sive triste flavescens. Pectus inter femora duo pos-
　trema, nigricans. Elytra subtilissimè striata. Fe-
　mora omnia dentata. *Faun. Suec.*

maculatus. 158. Cur. griseus nigro nebulosus, elytris ob-
　tusiusculis.

Long. corp. 2 lin.

Habitat ———

DESCR. Totum corpus (præter abdomen nigrum)
　obscurè rufum, sive griseum, maculis punctisque ni-
　gris nebulosum. Sub lente elytra striata; striæ punc-
　tulis impressis ornantur. Rostrum thorace longius,
　nigro-rufum. Femora omnia dentata. Coleoptra mi-
　nimè acuminata. Thorax margine antico nigro-rufo.

Fructuum. 159. Cur. ferrugineus, elytris nigro obsoletè ne-
　bulosis.

Long. corp. 2 lin.

Habitat ———

DESCR. Maximè affinis *Cur. maculato* sed minor.
　Rostrum brevius ferrugineum, concolor, nec, ut in
　Cur. maculato, nigro-rufum. Thorax unicolor. An-
　tennæ etiam ferrugineæ, concolores. Oculi solùm
　nigri. Abdomen ferrugineum.

caliginosus. 160. Cur. ater, elytrorum striis punctatis approxi-
　matis.

　　　　　　　　　　　　　　　　　　　　Fab.

Fab. Syst. Ent. 137. 58.   *Sp. Ins.* i. 175. 82.   *Mant.* i.
105. 103.   *Ent. Syst.* i. b. 427. 140.

Long. corp.

Habitat ————   In mus. Brit.

DESCR.   Statura oblonga *Cur. paraplectici*, at paulo
minor.   Totus ater, obscurus, minimè nitens.   Thorax rotundatus, punctatus, carinatus.   Elytra striato-
punctata, striis per paria approximatis profundis.   Femora acutè dentata. *Fab. Syst. Ent.*

Obs. Hoc animal non nisi in Musæo Britannico inter
collectanea D. Dandridge vidi.   Ideoque non nisi
metu quodam dubius speciebus Britannicis conscripsi.

161. Cur. piceus pilis cinereis tomentosus nebu- *longimanus.*
lòsus, manibus longissimis.

Forst. Cent. 32.

Long. corp. 4 lin.

Habitat ————

DESCR.   Corpus oblongum, piceum, pilis cinereis tomentosis nebulosum.   Antennæ rufæ.   Rostrum cum
thorace longitudinem elytrorum æquat.   Manus seu
pedes primi paris tertiâ parte ad minimum reliquos
pedes superant.   Elytra cinerea, punctis nigris sparsis.
Tarsi rufi. *Forst. Cent.*

162. Cur. rufus, elytris disco fusco albidoque ne- *rubellus.*
bulosis.

Long. corp. 2 lin.

Habitat in *Salice.*

DESCR.   *Cur. maculato* affinis.   Totus rufus, albido-
villosus, exceptis oculis nigris, et elytrorum disco abdominisque basi fuscis.   Femora omnia dentata.

***** *Corpore cylindrico.*

163. Cur. ater obovatus, thorace anticè utrinque *atramenta-*
unidentato, elytris striatis.   *rius.*

Cureulio Cerasi. *Fab. Ent. Syst.* i. b. 440. 190.   *Payk.*
  Monog. 7.   *Faun. Suec.* iii. 193. 10.   *Panz. Ent.*
  Germ. 316. 98.   *Faun. Etrusc.* 307.   *Hellw.* 307.
Herbst. Jablonsk. vi. 68. 32. *t.* 64. *f.* 2.   *Panz. Faun.*
  Germ. 42. *t.* 19.
Le Charanson noir à corcelet armé. *Geoff.* i. 299. 48.
Long. corp. 2½ lin.
Habitat ————

Descr. Totum corpus aterrimum, opacum, obovatum,
  abdomine obtuso.   Thorax anticè utrinque dente
  brevi acuto, scaber, ex punctulis numerosissimis prominulis.   Elytra satis profundè striata; striæ punctis
  impressis.
Obs. Auctores suprà citati omnes de hoc insecto erravere;
  quippe *Cur. Cerasi* Linnæi temerè dixerunt.   *Cur.*
  autem *Cerasi* verus non modo locum inter *Longirostres*
  femoribus simplicibus, sibi vindicat, quin et *thoracem*
  simplicem inermemque habet.   Insectum autem quod
  illi male *Cur. Cerasi* nominaverunt, cum meo *Cur.*
  atramentario satis convenit: nempè inter *Longirostres*
  femoribus dentatis numeratur, et *thoracem anticè utrin-*
  que bidentatum jactat.   Icon Herbstii meum *Cur.*
  atramentarium planè exhibet, quod et Panzeri item;
  hæc autem infelicior.
Hellwig in *Faunâ Etruscâ* hunc errorem de *Cur. Cerasi*
  Linnæi ex animis nostris conatus est detrahere.   Quis
  non inter thoracem et femora dentata et mutica facile
  dijudicet?

semicylin-
dricus.

164. Cur. ater, elytris striatis, corpore elongato
  semicylindrico.

Long. corp. 2¾ lin.
Habitat ————

Descr. Thorax sub lente punctulis prominulis scabriusculus.   Elytra striata, punctis in fundo striarum impressis.

stygius.

165. Cur. ater oblongus, elytris striatis, thorace
  lævi antrorsùm utrinque dentato.

Long.

Long. corp. $1\frac{1}{2}$ lin.

Habitat ———

DESCR. Affinis admodum' *Cur. atramentario*, sed dimidio minor; tum thorax lævis, nec punctis excavatus.

B. Brevirostres.

a. *Antennis integris, femoribus simplicibus.*

166. Cur. niger, fronte anoque albis, thorace tu- *albinus.*
berculato.

Linn. Syst. Nat. 616. 79.　*Faun. Suec.* 632.　*Vill.* i.
208. 147.　*Gmel.* 1783. 79.　*Scop.* 66.　*Fab. Syst.*
Ent. 151. 127.　*Sp. Ins.* i. 192. 180.　*Mant.* i.
118. 236.　*Payk. Monog.* 112.　*Udd. Diss.* 27.
Faun. Ingr. 311.
Bonsd. Cur. Suec. 1. *f.* 1.　*De Geer,* v. 255. 44. *t.* 8.
f. 1.　*Knoch.* i. 81. *t.* 6. *f.* 1—7.　*Don. Brit. Ins.*
t. 348. *f.* 3.
Anthribus albinus. *Fab. Ent. Syst.* i. b. 375. 1.　*Panz.*
Ent. Germ. 292. 1.　*Payk. Faun. Suec.* iii. 160. 2,
Panz. Faun. Germ. 3. *t.* 16.

Long. corp. 5 lin.

Habitat ———

DESCR. Rostrum breviusculum, planum, suprà lacteum.
Thorax a tergo tuberculis tribus, mucronatis, transversis. Elytra griseo-fusca, punctis nonnullis mucronatis, apice lacteo. Pedes et antennæ annulis albis
et nigricantibus: hæ longitudine corporis. *Faun Suec.*
Color ferè *Curculionis Lapathi. Syst. Nat.*

167. Cur. rostro latissimo plano, elytris apice albis: *latirostris.*
punctis duobus nigris.

Fab. Syst. Ent. 151. 128.　*Spec. Ins.* i. 193. 181.　*Mant.*
i. 118. 237.　*Vill.* i. 214. 173.　*Gmel.* 1783. 360.　*Payk.*
Monog. 111.
Bonsd. Cur. Suec. 2. *f.* 2.　*Schæff. Icon.* *t.* 89. *f.* 6.
Don. Brit. Ins. *t.* 348. *f.* 1.

Anthribus

Anthribus latirostris. *Fab. Ent. Syst.* i. b. 376. 2. *Faun. Ingr.* 312. *Panz. Ent. Germ.* 292. 2. *Payk. Faun. Suec.* iii. 159. 1.

Panz. Faun. Suec. 15. *t.* 12.

L'Antribe noir strié. *Geoff.* i. 307. 3. *t.* 5. *f.* 2.

Long. corp. 6 lin.

Habitat in *Sphæriâ entomorrhizâ*.

DESCR.   Statura *Cur. albini*, at major.   Corpus nigrum. Rostrum latissimum, planum, album, apice nigrum. Thorax niger, canaliculatus.   Elytra nigra, striis interruptis glaucis, apice alba, punctis duobus nigris. Pedes nigri, albo annulati.   Abdomen subtùs album, lateribus nigris. *Fab. Syst. Ent.*

brevirostris.   168. Cur. griseo-niger, rostro dilatato, scutello elytrorum apicibus anoque albis.

Anthribus brevirostris. *Panz. Faun. Germ.* 57. *t.* 9.

Long. corp. 2 lin.

Habitat ———

DESCR.   Affinis *Cur. latirostri* at quadruplo minor; tum abdomen subtùs griseo-nigrum, nec album. Antennæ ferrugineæ.   Frons sive rostrum latum, album.   Thorax niger, puncto albo, scutello albo subcontiguo.   Elytra nigra, apicibus omninò albis.   Anus suprà albus.   Pedes albido obsoletè annulati.

ruficollis.   169. Cur. ferrugineus, elytris capitisque basi atrocæruleis.

Linn. Syst. Nat. 609. 24.   *Faun. Suec.* 595.   *Vill.* i. 179. 20.   *Gmel.* 1748. 24.

Curculio rostratus. *De Geer*, v. 252. 42. *t.* 7. *f.* 27. 28.

Curculio Roboris. *Payk. Monog.* 118.

Anthribus ruficollis. *Panz. Ent. Germ.* 293. 5.

Panz. Faun. Germ. 24. *t.* 19.   *Ent. Helv.* 122. 1. *t.* 15. *f.* 4. 5.

Anthribus Roboris. *Fab. Supp.* 161. 4—5. *Payk. Faun. Suec.* iii. 165. 7.

Long.

Long. corp. 1¼ lin.

Habitat ⸻

Descr. Antennæ fusco-nigræ, basi flavescentes. Caput
et thorax ferruginea. Elytra glaberrima, polita, nitida,
atro-cærulea. Pedes pallidi, sive flavescentes.

170. Cur. æneus nitidus, rostro pedibusque fer- *planirostris.*
rugineis.

Fab. Mant. i. 119. 239.   *Gmel.* 1784. 362.
Cur. fulvirostris. *Fab. Mant. App.* ii. 381. 161. 2.
    Payk. Monog. 117.
Anthribus planirostris. *Fab. Ent. Syst.* i. b. 377. 5.
    Payk. Faun. Suec. iii. 167. 9.   *Panz. Ent. Germ.*
    293. 4.
Panz. Faun. Germ. 15. *t.* 14.

Long. corp. 1¼ lin.

Habitat ⸻

Descr. Rostrum breve, depressum, sub-sulcatum, ferrugineum. Thorax æneus, nitidus. Elytra ænea, nitida, punctato-striata. Abdomen subtùs castaneum.
Pedes ferruginei.

171. Cur. niger, rostro thoraceque ferrugineo, *4-pustula-*
elytris maculis duabus ferrugineis.   *tus.*

Long. corp. 1¼ lin.

Habitat ⸻

Descr. Caput et thorax ferruginea. Maculæ elytrorum ovatæ, satìs magnæ; altera ad basin, altera pone
medium sitæ sunt. Abdomen nigrum. Pedes ferruginei.

b. *Antennis fractis, femoribus simplicibus.*

* *Corpore ovato.*

172. Cur. niger nitidus, elytris striatis, pedibus *niger.*
rufis.

Fab.

Fab. Syst. Ent. 150. 121.   *Sp. Ins.* i. 191. 168.   *Mant.*
   i. 118. 223. *Ent. Syst.* i. b. 473. 332. *Vill.* i. 213. 171.
   Gmel. 1786. 380.   *Payk. Monog.* 98. *Faun. Suec.* iii.
   295. 119.
Ent. Helv. 85. 5. *t.* 8. *f.* 1. 2.
Curculio clavipes. *Bonsd.* 35. *f.* 36.
Curculio ater. *Herbst. Jablonsk.* vi. 332. 306.

Long. corp. 6 lin.

Habitat ——————

DESCR. Habitus et ferè magnitudine *Cur. anglicani.*
Thorax sub lente punctis numerosissimis prominentibus
scaber. Elytra punctatissima, obsoletè striata. Pedes
rufi, femoribus medio incrassatis, adeo ut inflata videntur. Antennæ articulo inferiori longissimo, apice
clavato.

Lima.   173. Cur. oblongo-ovatus niger totus, punctis
         prominulis scaber.

Long. corp. 8 lin.

Habitat ——————

DESCR. Inter maximos nostratum. Totum corpus ejusdem coloris nigrum, et omninò punctis prominentibus
inæqualibus scabrum. Thorax ovatus, anticè et posticè
truncatus. Abdomen ovatum, posticè acutiusculum.

scabrosus.   174. Cur. oblongo-ovatus scaber, femoribus sub-
         dentatis, thorace fusco, elytris striatis pedibusque
         brunneis.

Long. corp. 3 lin.

Habitat ——————

DESCR. Antennæ, pedes et elytra rufo-ferruginea.
Thorax scaber, punctulis confertis elevatis. Elytra
etiam scabra, striis decem elevatis; striæ autem punctis
sive scrobiculis excavantur, undè elytra rugoso-scabra,
limæ instar apparent; porro elytra pilis brevissimis
rarioribus obsita.

175. Cur.

175. Cur. fusco-cinereus oblongo-ovatus, elytris *pilosulus.*
pilofis obfoletè striatis acutiusculis, pedibus
nigris.

Cur. obscurus. *Fab. Ent. Syst.* i. b. 472. 330.   *Payk*
   Monog. 95.   *Faun. Suec.* iii. 292. 116.
Herbst. Jablonsk. vi. 344. 317. *t.* 87. *f.* 3.
An Curculio murinus ?   *Bonsd.* 30. *f.* 31.

Long. corp. 5 lin.

Habitat ————

DESCR.   Rostrum, pedes et abdomen ex nigro cinerea ;
   in his autem cinerities ex villis brevissimis sive tomento constat.   Thorax obsoletè scabriusculus.   Elytra fusco-cinerea, pilosa, satìs acuta ; porro obsoletiùs
   striata sunt, punctis obsoletis impressis inter strias interpositis.

176. Cur. fuscus, elytris cinéreis : lineis duabus *carinatus.*
suturaque elevatis nigris ; punctis intermediis
impressis.

Long. corp. 4 lin.

Habitat ————   In mus. *D. Sheppard.*

DESCR.   Antennæ fuscæ, clavâ ferrugineâ.   Caput fus-
 · cum, dorso sulcatum.   Thorax fuscus, punctatus, lineâ
   dorsali obsoletâ, impressâ.   Elytra cinerea, lineis
   duabus suturaque elevatis, nigris : inter has lineas striæ
   duæ punctorum impressorum.   Pedes picei.

177. Cur. elytris maculâ et figurâ V communi albis. *Vau.*
Schrank, 227.   *Vill.* i. 214. 174.

Long. corp. 3—4 lin.

Habitat ———— Captus inter gramina, sub lapidi-
 · bus.   *D. Kirby.*

DESCR.   Corpus pilosum.   Rostrum crassum.   Insectum
   oblongum, cinereum.   In singulo elytro infra medium
   macula albida, tum in medio macula oblonga, obliqua,
   cum alterâ alterius elytri signum arietis ♈ seu literam
   V constituens. *Schrank.*

178. Cur.

3-guttatus. 178. Cur. nigricans, coleoptris griseis: maculis tribus albis ; posteriori majore cordatâ communi.

Fab. Syst. Ent. 148. 109. *Sp. Ins.* i. 188. 153. *Mant.* i. 116. 202. *Ent. Syst.* i. b. 464. 293. *Vill.* i. 212. 163. *Gmel.* 1780. 336. *Harr.* 270. *Panz. Ent. Germ.* 324. 143.

Schæff. Icon. t. 43. *f.* 9. *Herbst. Jablonsk.* vi. 238. 203. *t.* 77. *f.* 7.

Cur. vau var. *Schrank,* 227.

Curculio cordiger. *Sulz. t.* 4. *f.* 11. *Ent. Helv.* 86. 4. *t.* 7. *f.* 3. 4.

Long. corp. 3½ lin.

Habitat ———— Captus inter gramina, sub lapidibus. *D. Kirby.*

DESCR. Corpus pilosum. Rostrum breve, canaliculatum. Thorax fuscus, immaculatus. Elytra substriata, grisea, puncto parvo albo in medio, et maculâ apicem versùs majore communi. Hic et præcedens sunt medii inter longirostres et brevirostres.

raucus. 179. Cur. femoribus subdentatis fuscus, thorace globoso scabro, elytris punctis majoribus excavato-striatis.

Fab. Ent. Syst. i. b. 472. 327. *Payk. Monog.* 94. *Faun. Suec.* iii. 291. 114.

Herbst. Jablonsk. vi. 343. 316. *t.* 87. *f.* 2.

Long. corp. 2¾ lin.

Habitat ————

DESCR. Thorax subglobosus, niger, punctis prominulis scaber, lineâ mediâ elevatâ, abbreviatâ. Elytra villosa, villis cinerascentibus, punctis magnis excavatis striatâ.

vastator. 180. Cur. fuscus, thorace varioloso, elytris striatis: striis elevato punctatis.

Long. corp. 4 lin.

Habitat ————

DESCR. Antennæ pilosæ, fuscæ, thorace longiores, rostri

rostri apice insidentes. Rostrum brevissimum, apice
dilatato. Oculi nigri. Caput vix a rostro distinc-
tum. Thorax globosus, punctis elevatis variolosus.
Elytra abdominis latera obvolventia, striata, striis circiter sex e punctis elevatis constantibus, squamis pallidis tecta, pilis rigidis exasperata. Corpus subtùs fuscum, pilis brevibus pallidis adpressis consitum. Pedes
rufi, femoribus clavatis, subdentatis.

181. Cur. fuscus, thorace varioloso, elytris striatis : *asper.*
    striis squamulis albidis seriatim dispositis.

Long. corp. 3 lin.

Habitat ⸺

Descr. Antennæ pilosæ, fuscæ, clavâ pallidâ. Thorax
    globosus, punctis elevatis confertis variolosus, lateri-
    bus squamulis albidis tectus. Elytra latera obvol-
    ventia, decemstriata, striis leviter sed latè exaratis,
    squamulis albidis seriatim dispositis ornata, fusco albi-
    doque squamosa, pilis rigidis exasperata. Corpus sub-
    tùs nigro-fuscum, pilis albidis adpressis consitum.
    Pedes rufi. Femora clavata, antica subdentata.

182. Cur. testaceus, capite fusco, elytris elevato- *squamiger.*
    striatis: squamis pallidis testaceisque marmoratis.

Long.corp. 3½ lin.

Habitat in arbore cujus nomen me fefellit. Semel
    legi.

Descr. Caput fuscum, pilis albidis consitum. An-
    tennæ fuscæ, clavâ pallidâ. Thorax globosus, punctis
    elevatis confertis variolosus, lateribus pallido squamosis.
    Elytra striata, striis circiter sex elevatiusculis, setis ri-
    gidis exasperata; tota squamis albidis testaceisque sub-
    nebulosa. Corpus subtùs testaceum, pilis brevibus ad-
    pressis consitum. Femora clavata, sed vix dentata.

183. Cur. oblongo-ovatus tomentosus fuscus, tho- *limbatus.*
    racis marginibus striisque duabus elytrorumque
    marginibus obsoletè pallidis.
                                    Long.

Long. corp. 2½ lin.

Habitat ——————   Ex mus. *Miss Hill.*

DESCR. Fœmina marem corporis longitudine paulùm
superat, et adhuc magìs rotunditate abdominis. Totum
corpus tomentosum, ex cinereo-fuscum. Thorax duas
strias subundulatas, longitudinales, et latera pallidè
cinerea, habet. Elytra semper marginibus exterioribus
obsoletè pallentibus; nec non aliquando striis tribus,
aut quatuor, per discum, longitudinalibus, obsoletissimè pallidis. Sed hoc incertum, neque in omnibus
videtur Elytra striata, striis circiter septem concinnè
punctatis, punctulis impressis. Corpus subtùs fuscum,
tomentosum.

austriacus. 184. Cur. fuscus sub-griseus, thoracis lateribus
elytrorumque marginibus pallidis.

Schrank, 234.

Long. corp. 4 lin.

Habitat in sepibus.

DESCR. Corpus ovatum, ferè unicolor. Thorax fuscus,
lineolâ mediâ lateribusque pallidis. Elytra striata,
punctis impressis, rufescenti-fusca, punctis nigris aliquot sparsis ad suturam, tum etiam inter strias. Margines exteriores latiùs pallidi, sive sordidè testacei.

medius.   185. Cur. fuscus, elytris lineatis: punctis impressis;
marginibus pallidis.

Long. corp. 3½ lin.

Habitat ——————

DESCR. Totum corpus vellere fusco-cinerascenti obsitum. Elytra fusca, punctorum impressorum non excavatorum et quasi per paria ductorum seriebus novem.
Inter tria paria suturæ proxima lineæ totidem longitudinales, pallidiores, (sutura ipsa primam conficit) obsoletiusculæ; latera pallida. Thorax lineis tribus pallidis, obsoletioribus.

plumbeus. 186. Cur. plumbeus, oculis antennisque rufis.

Long.

Long. corp. 3 lin.

Habitat —————— Captus propter Haftingas Aug.

DESCR. Corpus nigrum, vellere cinerascenti, unde
quasi plumbi colorem refert. Abdomen pro magnitudine animalculi grossum, valdè ovatum. Elytra striata;
striæ punctis impressis ornantur. Oculi rufi, et pyro-
porum instar (post mortem scilicet) micantes. Antennæ rufæ. Pedes ex nigro picei ; at tibiæ plantæque
pallidiores, rufescentes.

187. Cur. cinereo fuscoque varius, elytrorum suturâ *Coryli.*
dimidiatâ atrâ.

Fab. Syst. Ent. 148. 110. *Sp. Ins.* i. 189. 154. *Mant.* i.
116. 205. *Ent. Syst.* i. b. 466. 301. *Vill.* i. 213.
164. *Gmel.* 1780. 339. *Payk. Monog.* 90. *Panz.*
Ent. Germ. 325. 149. *Payk. Faun. Suec.* iii. 287. 110.
Mart. Eng. Ent. t. 19. *f.* 20. *Panz. Faun. Germ.* 19.
t. 12. *Herbst. Jablonsk.* vi. 349. 322. *t.* 87. *f.* 8.
Curculio capitatus. *Bonsd.* 23. *f.* 24. *De Geer,* v. 245.
32 ?

Long. corp. 2¼ lin.

Habitat in *Corylo.*

DESCR. Affinis *Cur. cervino.* Rostrum brevissimum,
apice atrum. Thorax elytraque pilosa, hispidiuscula,
cinereo-fuscoque varia ; dimidia suturæ pars, basi
proxima, atra, glabra. *Fab. Syst. Ent.*

188. Cur. fuscus, elytris cinereis profundiusculè *exaratus.*
striatis : striis punctatis.

Long. corp. 2½ lin.

Habitat ——————

DESCR. Rostrum latiusculum, crassum, ferè longitudine
thoracis. Caput et thorax saturatè fusca. Elytra pallidè fusca, sive cinerea, striata, striis satìs profundis,
punctatis. Totum corpus subtùs pilis brevissimis obtectum, et inde cinereum.

189. Cur.

setosus. 189. Cur. fusco-cinereus hispidus, antennis pedibusque rufis.

Long. corp. 2½ lin.

Habitat ———

DESCR. Totum corpus suprà cinereum, sive fusco-
cinereum, porro setis sive pilis brevissimis rigidiusculis
erectis hispidum. Elytra striata, striis punctatis.
Antennæ et pedes rufescentes. Rostrum longitudine
thoracis.

subrotundus. 190. Cur. griseus, abdomine ovato subrotundo, antennis pedibusque rufescentibus.

Long. corp. 2½ lin.

Habitat ———

DESCR. Totum corpus suprà griseum, in juventute ferè
cupreum. Thorax ovatus. Abdomen ovale, teres,
atque rotundum. Elytra striata, striis punctatis. Antennæ et pedes rufescentes.
Variat colore cupreo, griseo, et ferè fusco.

obesus. 191. Cur. crassus fusco-cinereus, elytris obsoletè
punctato-striatis, pedibus rufescentibus.

Long. corp. 2 lin.

Habitat ———

DESCR. Totum animal crassum est, quasi robustum,
vellere cinereo brevissimo rigido obductum. Thorax
scabriusculus. Elytra obsoletè striata ; striæ ex punctis
minutis impressis. Pedes obscurè rufescentes. Antennæ piceæ.

scabriculus. 192. Cur. cinereus hispidus, elytris striatis.

Linn. Mant. 531. *Vill.* i. 211. 156. *Fab. Syst. Ent.*
149. 113. *Sp. Ins.* i. 189. 159. *Mant.* i. 117. 212.
Ent. Syst. i. b. 469. 313. *Payk. Monog.* 88.
Faun. Etrusc. 234. *Hellw.* 234. *Bonsd.* 20. *f.* 21.
Panz.

Panz. Ent. Germ. 327. 162. *Payk. Faun. Suec.* iii. 285.
  108.
Herbst. Jablonsk. vi. 351. 324. *t.* 87. *f.* 10.

Long. corp. 1¼ lin.

Habitat ――――――

Descr. Totum corpus unicolor, cinereum, squamis
  teretibus erectis, sive pilis brevibus crassis obsitum.
  Elytra sulcato-striata : pili elytrorum per porcos striis
  interjacentes siti sunt.

193. Cur. subcinercus, coleoptris globosis setis ri- *birsutulus.*
  gidis exasperatis, antennis pedibusque rufis.
Fab. Ent. Syst. i. b. 468. 312. *Panz. Ent. Germ.* 327.
  161. *Payk. Faun. Suec.* iii. 286. 109.
Panz. Faun. Germ. 7. *t.* 7.
Cur. echinatus. *Bonsd.* 21. *f.* 22. *Payk. Monog.* 89.―

Long. corp. 1⅔ lin.

Habitat ――――――

Descr. Medius inter *Cur. scabriculum* et *Cur. sca-
  brosum.* Rostrum brevissimum. Antennæ ferrugineo-
  rufæ. Thorax cinereo-squamosus, vittis duabus mediis
  fuscis. Elytra punctato-striata, squamulis cinerascentibus albida, setis rigidissimis, itidem thorax et
  caput, exasperata. Prona pars corporis squamulis sub-
  cinereis cana. Pedes rufi.

194. Cur. piceus nitidus, abdomine ovato, antennis *piceus.*
  pedibusque rufescentibus.

Long. corp. 1½ lin.

Habitat ――――――

Descr. Antennæ, femora, tibiæ, plantæque rufo-ferruginea. Cætera piceus est. Thorax subglobosus, punctis
  plurimis impressis. Abdomen ovatum. Elytra glabra,
  striata ; striæ ex punctis impressis. Corpus nitidum.

195. Cur. fuscus, elytris cinereis : striis sex dorsali- *sex-striatus.*
  bus fuscis.

Long. corp. 4 lin.

Habitat ————

DESCR. Rostrum, caput et thorax fusca, immaculata. Elytra pallidiora, cinerea, striis sex dorsalibus fuscis, et tribus aliis lateralibus, obsoletioribus. Pedes fusci. Abdomen ovatum, tumidum, thorace multoties majus.

retusus. 196. Cur. cupreo-cinereus nitidus, thorace brevi scabriusculo, antennis pedibusque rufescentibus.

Long. corp. 1½ lin.

Habitat ————

DESCR. Animalculum breve, compactum, utrinque obtusum. Superficies tota cinerea, cupreo quodam nitido, sublucente. Caput suprà planum. Thorax punctulis prominulis scabriusculus, rotundus, capite ferè brevior. Elytra striata. Abdomen ovatum, pingue. Antennæ et pedes rufescentes.

elevatus. 197. Cur. fusco-cinereus oblongus, elytris pilosis striatis acutiusculis : striis quatuor elevatis.

Long. corp. 4½ lin.

Habitat ————   In mus. *D. Kirby.*

DESCR. Antennæ ferrugineæ. Thorax scabriusculus. Elytra fusco-cinerea, pilosa: porci striis quatuor elevatis; inter porcos striæ ex punctis impressis. Corpus subtùs nigrum. Pedes rufi, pilis cinereis obtecti.

parapleurus. 198. Cur. niger hispidus, elytris striatis fuscis : maculis lateribusque albidis, antennis rufis.

Long. corp. 3 lin.

Habitat ————

DESCR. Antennæ rufæ. Rostrum, caput et thorax punctata, nigra, hispidula. Elytra fusca, striata, hispida, lateribus et maculis irregularibus albis, quæ ex pilis coloratis effictæ sunt. Corpus subtùs et pedes nigra, tomentosa.

199. Cur.

199. Cur. niger, thorace foveâ utrinque magnâ, *scrobicula-*
  elytris obsoletè striatis squamulis rufis obtectis.   *tus.*

Long. corp. 2 lin.

Habitat ————

DESCR. Antennæ rufæ. Totum corpus nigrum, squamulis rufis obtectum. Thorax punctatus, foveâ utrinque
  magnâ, laterali. Elytra obsoletè striata. Pedes nigri.

200. Cur. nigro-fuscus, elytris valdè striatis squa- *tessellatus.*
  mulis fuscis cinerascentibusque variis obtectis.

Long. corp. 2 lin.

Habitat ————

DESCR. Totum corpus suprà et antennæ nigro-fusca.
  Caput et thorax squamulis fuscis tecta, thoracis margine
  anteriori albido. Elytra valdè striata, squamulis fuscis
  et cinerascentibus variis tessellata. Corpus subtùs et
  pedes obscurè rufa.

201. Cur. squamosus obscurè auratus, coleoptris *Æcidii.*
  apices versùs lineis tribus elevatis.

Long. corp. 3 lin.

Habitat ———— Lectus mense Maio, *Æcidium*
  Serratulæ arvensis depascens. *D. Kirby.*

DESCR. Totus squamulis obscurè auratis tectus. Rostrum thorace brevius. Antennæ fuscæ. Oculi sub-
  immersi. Thorax lineâ elevatiusculâ, obsoletâ. Elytra
  substriata, colore obscuriori tessellata, versùs apices
  utrinque lineâ elevatiusculâ, et unâ communi; omnes
  apud anum convergentes.

202. Cur. globosus suprà fuscus subtùs cinereus, *maritimus.*
  elytrorum lateribus atomisque sparsis incanis,
  antennis fuscis.

Long. corp. 3¾ lin.

Habitat ———— Captus in littore juxta Landguard-
  Fort. *D. Kirby.*

                    DESCR.

Descr. Statura et summa affinitas *Cur. limbati,* sed major et alius. Subtùs totus squamulis cinerascentibus tectus, suprà fuscis. Rostrum brevissimum. Antennæ fuscæ. Thorax posticè lituris duabus incanis. Coleoptra globosa, lateribus intra margines, atomisque disci sparsis incanis; setis brevibus rigidis aspersa.

** *Corpore oblongo.*

nebulosus. 203. Cur. canus, elytris fasciis obliquis nigris, rostro carinato.

Linn. Syst. Nat. 617. 84. *Faun. Suec.* 635. *Vill.* i. 210. 152. *Gmel.* 1787. 84. *Fab. Syst. Ent.* 147. 104. *Sp. Ins.* i. 186. 142. *Mant.* i. 114. 184. *Ent. Syst.* i. b. 457. 265. *Payk. Monog.* 101. *Harr.* 266. *Bonsd.* 3. *Panz. Ent. Germ.* 321. 125. *Faun. Etrusc.* 324. *Hellw.* 324. *Faun. Ingr.* 341. *Payk. Faun. Suec.* iii. 298. 122.
Herbst. Jablonsk. vi. 76. 38. *t.* 64. *f.* 8. *Act. Acad. Suec.* 1785. 48. 18. *t.* 2. *f.* 18 ? *Schæff. Icon. t.* 25. *f.* 3.
Le Charanson à trompe sillonnée. *Geoff.* i. 278. *t.* 4. *f.* 8.
Curculio carinatus. *De Geer,* v. 241. 27.

Long. corp. 8 lin.

Habitat ———

Descr. Color ex niveo et nigro variè mixtus, quasi per fascias obliquas. Thorax sub-ferrugineus. *Faun. Suec.*

sulcirostris. 204. Cur. cinereus subnebulosus, rostro trisulcato.

Linn. Syst. Nat. 617. 85. *Vill.* i. 210. 153. *Gmel.* 1787. 85. *Fab. Sp. Ins.* i. 187. 143. *Mant.* i. 114. 185. *Ent. Syst.* i. b. 458. 268. *De Geer,* v. 240. 26. *Payk. Monog.* 100. *Bonsd.* 4. *f.* 5. *Harr.* 267. *Panz. Ent. Germ.* 321. 128. *Faun. Etrusc.* 325. *Hellw.* 325. *Faun. Ingr.* 342. *Laich.* i. 233. 24. *Payk. Faun. Suec.* iii. 297. 121.
Mart. Eng. Ent. t. 19. *f.* 23. *Act. Acad. Suec.* 1785. 49. 19. *t.* 2. *f.* 19. mala. *Schæff. Icon. t.* 25. *f.* 10. *Herbst. Jablonsk.* vi. 74. 37. *t.* 64. *f.* 7.

Long.

Long. corp. 8 lin.

Habitat ——————

DESCR. Simillimus *Cur. nebuloso,* at rostrum non dorso
carinatum, sed tribus sulcis parallelis excavatum. *Linn.
Syst. Nat.*

205. Cur. fusco-cinereus, elytris striatis tomen- *diffinis.*
tosis, pedibus concoloribus.

Long. corp. 5 lin.

Habitat ——————

DESCR. Simillimus *Cur. pilosulo;* adeo ut primo intuitu
eundem diceres; sed differt corpore oblongiori, elytris
satis profundè striatis, et pedibus concoloribus. Striæ
elytrorum punctis impressis ornantur. Elytra tomentosa, nec pilosa.

206. Cur. griseus, thorace striis tribus pallidio- *lineatus.*
ribus.

Linn. Syst. Nat. 616. 80. *Faun. Suec.* 630. *Vill.* i.
208. 148. *Gmel.* 1784. 80. *Fab. Syst. Ent.* 148. 111.
Sp. Ins. i. 189. 155. *Mant.* i. 116. 206. *Ent. Syst.*
i. b. 466. 302. *Payk. Monog.* 108. *Harr.* 271.
Bonsd. 16. *De Geer,* v. 247. 35. *Faun. Etrusc.*
331. *Hellw.* 331. *Payk. Faun. Suec.* iii. 307. 130.
Schæff. Icon. t. 103, *f,* 8. a. b. *Ent. Helv.* 80. 1. *t.* 6.
f. 1. *Herbst. Jablonsk.* vi. 497. 527. *t.* 95. *f.* 5. 6.
Le Charanson à corcelet rayé. *Geoff.* i. 283. 13.

Long. corp. 2½ lin.

Habitat in plantis diadelphicis.   *D. Curtis.*

DESCR. Corpus totum griseum. Antennarum infimus
articulus rufescens. Thorax lateribus et dorso niger,
intra quam nigredinem color griseus striarum instar
ducitur, unicâ lineâ in tergo, et dein unicâ in utroque
latere, hinc thorax quasi fuscus, lineis tribus longitudinalibus pallidis sive cinereis exaratus. Oculi nigri.
Elytra cinerea, singula striis quatuor exarata. Rostrum
breve, extra antennas brevissimum, et ferè nullum.
Faun. Suec.

X 3   207. Cur.

cloropus.   207. Cur. niger, antennis tibiisque ferrugineis.

Linn. Syst. Nat. 617. 82.   *Faun. Suec.* 633.   *Vill.* i.
209. 150. *Gmel.* 1786. 82. *Fab. Syst. Ent.* 149. 116.
Sp. Ins. i. 190. 163.   *Mant.* i. 117. 218.   *Ent. Syst.*
i. b. 471. 323. *P.nz. Ent. Germ.* 328. 168. *Faun.*
Fred. 11. 113.   *Payk. Monog.* 110. *Faun. Suec.* iii.
311. 134.

Panz. Faun. Germ. 19. *t.* 14.   *Herbst. Jablonsk.* vi.
56. 19. *t.* 62. *f.* 12.   *Bonsd.* 18. *f.* 19.

Long. corp. 2 lin.

Habitat in plantis. *Linn.* In ligno quercino. *Fab.*

DESCR. Thorax oblongus, opacus, sub lente punctulis
prominulis scabriusculus. Elytra striata, striæ punctis
impressis.

hispidulus.   208. Cur. fuscus, thorace cinereo-lineato, elytris
hispidis punctis obscurioribus striatis.

Fab. Gen. Ins. Mant. 226.   *Sp. Ins.* i. 189. 158. *Mant.*
i. 117. 211.   *Ent. Syst.* i. b. 468. 311.   *Vill.* i.
213. 167.   *Gmel.* 1784. 368.   *Payk. Monog.* 106.
Panz. Ent. Germ. 327. 160. *Faun. Etrusc.* 333.
Hellw. 333.   *Payk. Faun. Suec.* iii. 305. 128.
Herbst. Jablonsk. vi. 354. 328. *t.* 87. *f.* 14.

Long. corp. 2¼ lin.

Habitat in plantis aquaticis. *Fab.*

DESCR. Parvus, statura *Cur. lineati.* Antennæ clavatæ, articulo primo longiori. Thorax punctatus,
fuscus, lineis tribus longitudinalibus, cinereis, mediâ
tenuiori. Punctum utrinque laterale cinereum. Elytra fusca, pilis albis erectis hispida, punctisque obscurioribus striata, interjectis pilis albis, qui quasi lineas
e maculis nigris albisque constituunt. Pedes nigricantes. *Fab. Gen. Ins. Mant.*

rufipes.   209. Cur. cinereus, pedibus rufis.

Linn. Syst. Nat. 617. 83.   *Faun. Suec.* 634.   *Vill.* i.
209. 151.   *Gmel.* 1786. 83.   *Faun. Fred.* 12. 114.
Bonsd. 10. *f.* 10.

Long.

Long. corp. 1¼ lin.

Habitat ———   Ex mus. *D. Hill.*

DESCR. Oblongus, pilis cinereis undique adspersus. Femora et tibiæ testaceo-rubra, nuda ; ungulæ sive duæ squamæ, in omnibus pedibus ad exortum unguium, solæ nigræ sunt. Antennarum infimus articulus longissimus.

210. Cur. viridi-argentcus, antennis tibiis plan- *uniformis.* tisque rufescentibus.

Long. corp. 1¾ lin.

Habitat ———

DESCR. Facies *Cur. argentati*; sed planè differt, femoribus muticis, nec dentatis. Totum corpus, præter antennas, tibias et plantas rufescentes, viridissimum, sericeum.

211. Cur. viridis nitidus, antennis pedibusque *flavipes.* flavis.

De Geer, v. 245. 31. *Vill.* i. 215. 184. iv. 282. 184.
Curculio sericeus. *Herbst. Jablonsk.* vii. 37. 595.

Long. corp. 2 lin.

Habitat ———

DESCR. Corpus oblongum. Caput, thorax, elytra, abdomenque squamis aurato-viridibus obtectum, sub quibus insectum nigrum est. Antennæ pedesque nudi, dilutè lutei. *Vill.*

212. Cur. flavescens, oculis nigris, thorace punctis *flavescens.* albidis obsoletissimis.

Long. corp. 2½ lin.

Habitat ———

DESCR. Magnitudo, statura, habitus *Cur. lineati*, at totum corpus flavescens. Thorax punctis quatuor, sæpè sex, albidis, valdè obsoletis. Elytra flavescentia, atomis nigris rarioribus conspersa. Pedes corpore concolores.

x 4   213. Cur.

nigriclavis. 213. Cur. oblongo-ovatus niger obscurus, antennis tibiis plantisque rufis, antennarum clavâ nigrâ.

Long. corp. 2 lin.

Habitat ————

DESCR. Thorax ovatus, coleoptris ferè duplo angustior. Elytra striata. Tibiæ plantæque rufæ. Antennæ rufæ, sed quod in hoc singulare, clava nigra est.

ruficlavis. 214. Cur. niger nitidiusculus, antennis tibiis plantisque rufis.

Long. corp. 2¼ lin.

Habitat ————

DESCR. Corpus oblongum, nitidiusculum. Thorax ovatus, coleoptris, sed non duplo, angustior. Elytra striata, striis punctatis. Antennæ omninò ut et tibiæ plantæque rufæ. Satìs distinctus a præcedenti, præcipuè clavà antennarum rufâ, nec nigrâ.

macularius. 215. Cur. rufo-griseus: maculis minutis nigris, thorace striis tribus pallidis, tibiis rufis.

Long. corp. 2 lin.

Habitat ————

DESCR. Similis *Cur. atomario,* at satìs differt, thorace lineis tribus longitudinalibus (unâ mediâ et duabus lateralibus) pallidis: tum tibiis solummodò, nec pedibus omninò rufis.

atomarius. 216. Cur. griseus: atomis maculisque minutis fuscis, pedibus rufis.

Long. corp. 1¾ lin.

Habitat ————

DESCR. Totum corpus suprà rufo-griseum, maculis minutis nigris conspersum; hoc in thorace notabilius. Elytra tenuiter striata. Pedes rufi.

217. Cur.

217. Cur. suprà griseo-fuscus subtùs cinereus, *griseus.*
rostro canaliculato.

Fab. Syst. Ent. 148. 108.   *Sp. Ins.* i. 188. 152.   *Mant.*
    i. 116. 221.   *Ent. Syst.* i. b. 464. 292.   *Vill.* i.
    212. 162.

Long. corp. $2\frac{1}{2}$ lin.

Habitat ————

DESCR. Statura *Cur. lineati*, at paulò longior. Rostrum
    cylindricum, sulco longitudinali profundiore exaratum.
    Suprà totus obscurè griseus, subtùs cinereus, immaculatus.   Femora simplicia. *Fab. Syst. Ent.*

218. Cur. sordidè fuscus, rostro longitudinaliter *fuscus.*
sulcato, elytris obsoletè striatis.

Long. corp. 4 lin.

Habitat ————

DESCR.   Corpus totum fuscum, præter oculos qui nigri
    sunt.   Rostrum sulco tenui longitudinali exaratum.
    Coleoptra obsoletiùs striata, dorso longitudinaliter pallidiuscula.   Corpus subtùs colore parùm dilutiori.
    Femora antica cæteris crassiora.

   c. *Antennis fractis, femoribus dentatis.*

      * *Corpore ovato.*

219. Cur. cinereo-fuscus tomentosus, thoracis la- *subglobosus.*
teribus pallidis, abdomine subgloboso.

Long. corp. 5 lin.

Habitat ————

DESCR.   Totum corpus unicolor fuscum, præter caput
    et thoracis latera quæ pallidiora sunt.   Caput et thorax
    subsericea. Elytra tomentosa, striis óbsoletis punctatis.
    Thorax globosus.   Abdomen ex oblongo-ovato subglobosum.

220. Cur. fuscus elevato punctatus : punctis tho- *Ligustici.*
racis globosi majoribus elytrorumque minimis.

                         Linn.

Linn. Syst. Nat. 615. 68. *Faun. Suec.* 621. *Vill.* i.
202. 122. *Gmel.* 1774. 68. *Panz. Ent. Germ.* 331.
184. *Fab. Syst. Ent.* 155. 145. *Sp. Ins.* i. 197.
209. *Mant.* i. 122. 273. *Ent. Syst.* i. b. 484. 377.
Payk. Monog. 77. *Faun. Suec.* iii. 274. 97. *De Geer,*
v. 218. 10.
Herbst. Jablonsk. iii. 337. 310. *t.* 86. *f.* 8. *Bonsd. Cur.*
Suec. ii. 32. *f.* 33.

Long. corp. 6 lin.

Habitat ————   Ex mus. *D. Jones.*

DESCR. Totum corpus fuscum. Animal hoc ab omnibus differt punctis thoracis majoribus, et elytrorum
longè minoribus, omnibus numerosissimis prominulis.
Elytra obsoletissimè striata. Rostrum longitudine thoracis, valdè crassum, lineâ mediâ elevatâ, apice bifidum.

subclava- 221. Cur. nigro-cinerascens, rostro brevi crasso
tus.   subclavato, elytris obsoletè striatis.

Long. corp. 5 lin.

Habitat ————   Ex mus. *D. Hill.*

DESCR. Totum corpus nigrum, vellere cinerascenti
obtectum est. Ex tactu autem nimis aspero vellus facillimè detrahitur, præcipuè ab elytris; unde nigra
videntur. Rostrum breve, crassum, supernè sub-
carinatum, ad apicem majus, unde clavatum apparet.
Abdomen oblongum. Elytra sub-obsoletè striata;
striæ punctis majusculis impressis notantur. Femora
dente minori armantur.

floccosus. 222. Cur. fuscus, thorace lineis duabus lateralibus pallidis, elytris punctis nigris maculisque
albidis.

Long. corp. 5 lin.

Habitat ————

DESCR. Rostrum breve, crassum. Thorax ovatus,
lineis duabus latiusculis, lateralibus, pallidis. Elytra
fusca, punctis plurimis nigris conspersa; inter puncta
nigra

nigra puncta etiam albida; at apicem elytrorum versus
maculæ plurimæ confluentes, lanæ expansæ instar,
totum ferè occupant.   Pedes fusci concolores.

223. Cur. abdomine ovato nigro, pedibus anten- *ovatus.*
nisque rufis.

Linn. Syst. Nat. 615. 69.   *Faun. Suec.* 626.   *Vill.* i.
203. 123.   *Gmel.* 1775. 69.   *Fab. Syst. Ent.* 156. 151.
Sp. Ins. i. 199. 221.   *Mant.* i. 123. 287.   *Ent. Syst.*
i. b. 490. 402.   *Payk. Monog.* 79.   *Faun. Suec.* iii.
277. 100.   *Poda,* 30. 10.   *Faun. Etrusc.* 343.
Hellw. 343.   *Faun. Fred.* 11. 109.
Herbst. Jablonsk. vi. 357. 331. *t.* 88. *f.* 2.
Curculio Rosæ. *De Geer,* v. 219. 11.   *Bonsd.* 25. *f.* 26.

Long. corp. 2⅛ lin.

Habitat in *Fragariæ vescæ* fructibus.

DESCR.   Antennæ, tibiæ et plantæ obscurè ferrugineæ.
Cætera niger est.   Thorax subglobosus, punctis exca-
vatis striato-rugosus.   Abdomen ovatum, convexum.
Elytra striata; striæ ex punctis majusculis excavatis.
Corpus nitidiusculum.

224. Cur. niger, elytris excavato-striatis punctis *sulcatus.*
testaceis conspersis, thorace scabro.

Fab. Syst. Ent. 155. 146.   *Sp. Ins.* i. 197. 212.   *Mant.*
i. 122. 276.   *Fab. Ent. Syst.* i. b. 485. 282.   *Payk.*
Monog. 78.   *Faun. Suec.* iii. 275. 98.
Bonsd. 34. *f.* 35.   *Herbst. Jablonsk.* vi. 347. 319. *t.* 87.
f. 5.

Long. corp. 5 lin.

Habitat sub plantis maritimis, *Betâ, Atriplice,* prope
Hastingas.

DESCR. Totum corpus nigrum.   Thorax punctis prominulis scaber.   Elytra punctis profundè excavatis striata,
punctisque aliquot testaceis conspersa; hæc puncta
ex villis testaceis constant.   Femora omnia dentata.
Plantæ subtùs fulvæ.

225. Cur.

maurus. 225. Cur. niger, elytris punctato-striatis.

Long. corp. 5 lin.

Habitat ——————

DESCR. Totum corpus unicolor, nigrum. Antennæ clavatæ, clavâ ovatâ acutâ; articulus etiam infimus clavatus. Thorax scabriusculus. Abdomen ovatum, gibbum. Elytra striata; striæ ex punctis impressis constant.

**** *Corpore oblongo.***

oblongus. 226. Cur. niger, antennis elytris pedibusque ferrugineis.

Linn. Syst. Nat. 615. 71.   *Faun. Suec.* 625.   *Vill.* i. 203. 125. *Gmel.* 1775. 71. *Fab. Syst. Ent.* 156. 150. *Sp. Ins.* i. 199. 220.   *Mant.* i. 123. 286.   *Ent. Syst.* i. b. 489. 400.   *Payk. Monog.* 87.   *Bonsd.* 9. *Harr.* 282. *Panz. Ent. Germ.* 334. 204.   *Faun. Etrusc.* 342.   *Hellw.* 342.   *Faun. Ingr.* 348.   *Payk. Faun. Suec.* iii. 284. 107.
Mart. Eng. Ent. t. 20. *f.* 33.   *Schæff. Icon. t.* 163. *f.* 6. *Panz. Faun. Germ.* 19. *t.* 15.
Le Charanson à étuis fauves. *Geoff.* i. 294. 39.

Long. corp. 2¾ lin.

Habitat inter arbores. *Linn.*

DESCR. Corpus nigrum. Antennæ et pedes testacei. Femora omnia dentata. Elytra livido-ferruginea, margine laterali inflexo nigra. *Faun. Suec.*
Variat corpore toto testaceo, præter marginem lateralem inflexum nigrum, et corpore toto nigro, præter antennas pedesque testaceos.

rufescens. 227. Cur. rufo-ferrugineus totus.

Long. corp. 2¼ lin.

Habitat ——————

DESCR. Totum corpus brunneum, sive rufo-ferrugineum. Elytra striata; striæ ex punctis impressis. In altero sexû pedes pallidiores.

228. Cur.

228. Cur. cinereo-fuscus, antennis basi rufescen- *cervinus.*
tibus, pedibus fuscis.

Linn. Syst. Nat. 615. 70.   *Faun. Suec.* 627.

Long. corp. 2½ lin.

Habitat ————

DESCR. Sordidè cinereus, sive cinereo-fuscus. Antennæ ferrugineæ, capitulo nigro. Elytra adparent
quasi adspersa punctis nigris obsoletis. Pedes fusci.
Corpus subtùs squamulis aureis obsitum.

229. Cur. æneo-fuscus, pedibus rufescentibus.   *Pyri.*

Linn. Syst. Nat. 615. 72.   *Faun. Suec.* 623.   *Vill.* i.
204. 126.   *Gmel.* 1775. 72.   *Fab. Syst. Ent.* 155. 147.
Sp. Ins. i. 198. 217.   *Mant.* i. 122. 281.   *Ent. Syst.*
i. b. 487. 390.   *Payk. Monog.* 82.   *Bonsd.* 8.   *Poda,*
30. 8.   *Panz. Ent. Germ.* 333. 197.   *Faun. Fred.*
11. 107.   *Faun. Etrusc.* 341.   *Hellw.* 341.   *Faun.*
Ingr. 346.   *De Geer,* v. 246. 34.   *Payk. Faun. Suec.*
iii. 280. 103.   *Hoppe, Ins. Erl.* 66.
Donov. Brit. Ins. t. 121. *f.* 3. 4.   *Herbst. Jablonsk.* vi.
259. 226. *t.* 79. *f.* 2. a. b.   *Schæff. Icon. t.* 2. *f.* 11.
Le Charanson à écailles vertes et pattes fauves. *Geoff.* i.
282. 12.

Long. corp. 3—5 lin.

Habitat in *Pyri* foliis larva, in *Pruni* corollis de-
claratus. *Linn.*

DESCR. Rostrum depressum, capite ipso ferè brevius.
Caput et thorax punctis minutissimis inæqualia. Elytra oblonga, striis septem profundè excavata, interjectis striis (ferè elevatis) crenatis. Capiti, thoraci
et elytris (quæ omnia nigra) insidet pilus vix con-
spicuus aureo-igneus. Pedes et antennæ rufescentes,
infimo articulo longissimo. Fœmina marito duplo
major, minùs fusca, magis nitens. *Faun. Suec.*

230. Cur. cupreo-auratus, scutello niveo, pedibus *Mali.*
flavis.

Fab.

Fab. Ent. Syst. i. b. 487. 393.   *Payk. Monog.* 83.   *Faun.*
  Suec. iii. 281. 104.
Herbst. Jablonsk. vi. 261. 230. *t.* 79. *f.* 5.

Long. corp. 3 lin.

Habitat ————

DESCR. Suprà vestitus pilis aureo-igneis. Antennæ
  testaceæ, capitulo nigro. Scutellum niveum. Subtùs
  albido-villosus, minùs aureus. Pedes flavi.

Cnides.   231. Cur. viridis, pedibus nigrescentibus.

Curculio Urticæ. *De Geer*, v. 219. 12.
Curculio Pyri var. *Linn. Syst. Nat.* 615. 72.   *Payk.*
  Faun. Suec. iii. 280. 103. var. β.
An Curculio Alneti ? *Fab. Ent. Syst.* i. b. 487. 391.
Herbst. Jablonsk. vi. 260. 227. *t.* 79. *f.* 3?

Long. corp. 4 lin.

Habitat in *Urticâ.*

DESCR. ————

cæsius.   232. Cur. viridis, pedibus nudis rufis.

Curculio argentatus var. *a. Faun. Etrusc.* 344 ?   *Hellw.*
  344 ?

Long. corp. 4 lin.

Habitat ————

DESCR. ————

argentatus. 233. Cur. viridis, pedibus tomentosis rufescentibus.

Linn. Syst. Nat. 615. 73.   *Faun. Suec.* 624.   *Vill.* i.
  204. 127.   *Gmel.* 1776. 73.   *Fab. Syst. Ent.* 155. 148.
  Sp. Ins. i. 198. 218.   *Mant.* i. 123. 284.   *Ent. Syst.*
  i. b. 489. 398.   *Scop.* 91.   *Payk. Monog.* 86.   *Poda,*
  30. 9.   *Harr.* 280.   *Bonsd.* 12.   *Panz. Ent. Germ.*
  334. 203.   *Faun. Fred.* 11. 108.   *Faun. Ingr.* 347.
  Faun. Etrusc. 344.   *Hellw.* 344.   *Payk. Faun. Suec.*
  iii. 283. 106.   *Laich.* i. 209. 6.

                                              Donov.

ATTELABUS.

A. Betula

Donov. Brit. Ins. t. 97. *Mart. Eng. Ent. t.* 19.
f. 21. 22. *Schæff. Icon. t.* 170. *f.* 1. *Herbst.*
Jablonsk. vi. 260. 228. *t.* 79. *f.* 4.
Le Charanson à écailles vertes. *Geoff.* i. 293. 38.

Long. corp. $2\frac{1}{2}$ lin.

Habitat in *Quercû.*

DESCR. Hæ tres species, *Cur. Cnides, cæsius* et *argentatus,* ab Ill. Linnæo pro unâ eâdemque specie habitæ sunt. At ritè distinguas quòd *Cur. Cnides* viridis est, et pedes, si tactu vel levissimo depilentur, semper nigri sunt. *Cur. argentatus* viridis est, at longè minor *Curculione Cnides,* tum pedes, si depilentur, semper rufi sunt. *Cur. cæsius* viridis est, at pedes semper nudos rufos exhibet : magnitudine *Curculionem Cnides* æquat.

234. Cur. niger canescens, antennis tibiis plan- *amaurus.* tisque obscurè rufis.

Long. corp. $2\frac{1}{2}$ lin.

Habitat ————

DESCR. Caput et thorax sub lente punctulis prominulis scabriuscula, opaca. Elytra pilis incanis obsita, striata sunt; striæ punctis impressis. Abdomen subtùs nigrum, at etiam incanum. Femora nigra, basi rufa. Tibiæ et plantæ obscurè rufæ.

---

26. ATTELABUS.

Antennæ subclavatæ, rostro insidentes.
Caput rostratum, posticè attenuatum, inclinatum.
Thorax anticè angustatus.
Corpus ovatum, obtusum.

---

1. Att. niger, thorace elytris femoribus tibiisque *Avellanæ.* rubris.

Linn.

Linn. Syst. Nat. 619. 2.   *Gmel.* 1809. 2.
Attelabus Coryli, var. β.   *Fab. Syst. Ent.* 156. 1.   *Sp.*
 Ins. i. 199. 1.   *Mant.* i. 124. 1.   *Ent. Syst.* i. b.
 384. 1.   *Panz. Ent. Germ.* 294. 1.   *Payk. Faun.*
 Suec. iii. 168. 1.   *Faun. Etrusc.* 348.   *Hellw.* 348,
Ent. Helv. 118. 1. *t.* 15. *f.* 1. 2.   *Herbst. Jablonsk.* vii.
 243. 1. *t.* 105.*f.* 5.
Curculio collaris. *Scop.* 71.
Curculio excoriato-ruber. *De Geer*, v. 257. 45. *t.* 8. *f.* 3.
Rhinomacer. La tête écorchée? *Geoff.* i. 273. 11. *Harr.*
 307.   *Laich.* i. 241. 3.
Schæff. Icon. t. 56. *f.* 5. 6.

Long. corp. 3½ lin.

Habitat in foliis *Coryli Avellanæ.*

Descr. Antennæ nigræ. Caput nigrum, collo in-
 structum. Thorax ruber, lævis, lineâ dorsali impressâ, posticè circulatus, quasi filo constrictus. Scutellum nigrum, posticè rotundatum. Elytra rubra,
 punctis excavatis rugoso-striata. Corpus subtùs atrum.
 Pedes rubri, genubus tarsisque nigris.
Variat thorace anticè lineolâ dorsali nigrâ.
An distinctus ab *Att. Coryli* Linnæi ?

curculionoi- 2. Att. niger, thorace elytrisque rubris nitidis.
des.
 Linn. Syst. Nat. 619. 3.   *Vill.* i. 218. 3.   *Gmel.* 1809. 3.
  Scop. 72.   *Fab. Syst. Ent.* 157. 2.   *Sp. Ins.* i. 200. 3.
  Mant. i. 124. 6.   *Ent. Syst.* i. b. 386. 12.   *Faun.*
  Etrusc. 349.   *Hellw.* 349.   *Panz. Ent. Germ.* 295. 3.
  Payk. Faun. Suec. iii. 169. 2.
 Schæff. Icon. t. 56. *f.* 7.   *Sulz. Ins. t.* 4. *f.* 12.   *Donov.*
  Brit. Ins. t. 149.   *Herbst. Jablonsk.* vii. 145. 2. *t.* 105.
  f. 6.   *Mart. Eng. Ent. t.* 23. *f.* 6.
Curculio nitens. *Payk. Monog.* 122.
Rhinomacer curculionoides. *Harr.* 305.   *Laich.* i.
 242. 4.
Le Becmare laque. *Geoff.* i. 273. 10.

Long. corp. 2½ lin.

Habitat ———

Descr.

Descr. Similis *Att. Avellanæ*, sed minor. Elytra
leviter punctato-striata. Pedes nigri.

3. Att. pedibus saltatoriis, corpore toto atro. *Betulæ.*
Linn. Syst. Nat. 620. 7. *Faun. Suec.* 640. *Vill.* i.
219. 5. *Gmel.* 1810. 7. *Fab. Syst. Ent.* 157. 3.
Sp. Ins. i. 201. 6. *Mant.* i. 124. 10. *Ent. Syst.* i. b.
392. 37. *Faun. Fred.* 12. 120. *Faun. Ingr.* 321.
Panz. Ent. Germ. 298. 26. *Payk. Faun. Suec.* iii.
174. 7.
Panz. Faun. Germ. 20. *t.* 15.
Curculio Betulæ. *Pontop.* i. 672. 15. *Payk. Monog.* 120.
Curculio excoriato-niger. *De Geer*, v. 259. 47.
Rynchites Betulæ. *Herbst. Jablonsk.* vii. 133. 9. *t.* 104.
f. 9. c.

Long. corp. 2 lin.

Habitat in *Betulæ* foliis, quæ rodit ut crispa evadunt, eaque primo vere destruit.

Descr. Corpus oblongum, atrum. Elytra oblonga,
punctis excavatis striata. Caput ante oculos magis an-
gustatum. Femora crassa. Simillimus *Curculioni.*
Faun. Suec.

---

27. CLERUS.

Antennæ moniliformes, articulis tribus ultimis majoribus.

Caput declinatum.

Thorax convexus, posticè attenuatus.

Elytra flexilia.

Corpus oblongo-elongatum.

---

1. Cl. niger, thorace piloso rufo, elytris fasciâ *formicarius.*
duplici albâ basique rubris.

Fab. Syst. Ent. 157. 2.   *Sp. Ins.* i. 201. 4.   *Mant.* i.
125. 5.   *Ent. Syst.* i. a. 207. 5.   *Payk. Faun.* Suec.
i. 247. 1.   *Faun. Etrusc.* 351.   *Hellw.* 351.   *Panz.*
Ent. Germ. 85. 2.

Panz. Faun. Germ. 4. *t.* 8. *Herbst. Jablonsk.* vii. 208. 2.
t. 109. *f.* 2.

Attelabus formicarius. *Linn. Syst. Nat.* 620. 8.   *Faun.*
Suec. 641. *Vill.* i. 219. 6. *Gmel.* 1811. 8. *Scop.* 111.
Rai. 103. 29.   *Faun. Fred.* 12. 121.   *Poda,* 31. 1.
Harr. 392.   *Laich.* i. 245. 2.

Don. Brit. Ins. t. 231. *f.* 2.   *Mart. Eng. Ent. t.* 23. *f.* 8.
De Geer, v. 160. 3. *t.* 5. *f.* 8. *Schæff.* Icon. *t.* 186. *f.* 4.

Dermestes formicarius. *Schrank,* 35.

Cleroides. *Schæff. Elem. t.* 137.

Long. corp. 4 lin.

Habitat ————

Descr.   Caput nigrum est, thoraci immersum, depressum. Antennæ clavatæ, ori ferè insidentes, nigræ.   Thorax rufus est et scaber, margine caput spectante nigro.   Elytra oblonga, obtusa, planiuscula,
punctis elevatis scabra, nigra, basi rubra, fasciis duabus
transversalibus, linearibus, albis; quarum una thoraci
propior supra mediam longitudinem antrorsùm flexa;
altera vero fascia paulo supra apices elytrorum sita, etiam
alba, sed latior, ad suturam longitudinalem antrorsùm
flexa. *Faun. Suec.*

mollis.   2. Cl. griseus pubescens, elytris fasciis tribus pallidis.

De Geer, v. 159. 2. *t.* 5. *f.* 6.

Le Clairon porte-croix. *Geoff.* i. 305. 3.

Attelabus mollis. *Linn. Syst. Nat.* 621. 11.   *Faun.*
Suec. 642. *Vill.* i. 220. 8. *Poda,* 31. 3. *Harr.* 395.
Laich. i. 246. 3.

Mart. Eng. Ent. t. 23. *f.* 7.   *Herbst. Jablonsk.* vii.
210. 4. *t.* 109. *f.* 4.   *Schæff.* Icon. 60. *f.* 2.

Notoxus mollis. *Fab. Syst. Ent.* 158. 1.   *Sp. Ins.* i.
203. 1. *Mant.* i. 127. 3. *Ent. Syst.* i. a. 211. 5. *Gmel.*
1813. 3.   *Payk. Faun. Suec.* i. 248. 1. *Panz. Ent.*
Germ. 87. 3.

Panz.

Panz. Faun. Germ. 5. *t.* 5.
Curculio. *Udd. Diss.* 28. *t.* 1. *f.* 9.   -
Dermestes mollis. *Schrank,* 37.

Long. corp. 5 lin.

Habitat in sylvis.

DESCR.   Caput ferrugineum.   Thorax niger, villosus.
Elytra nigra, flexilia, fasciis tribus pallidis ; quarum
prima ad basin, tertia in apice.   Abdomen rubrum.
Pedes pallidi, geniculis nigris.   Totus subpilosus est.
Faun. Suec.

3. Cl. cæruleus nitidus, thorace villoso.   *violaceus.*

Clerus cæruleus. *De Geer,* v. 163. 4. *t.* 5. *f.* 13.
Le Clairon bleu.   *Geoff.* i. 304. 2.
Dermestes violaceus.   *Linn. Syst. Nat.* 563. 13.   *Faun.*
Suec. 422.   *Vill.* i. 48. 12.   *Gmel.* 1594. 13.   *Scop.*
51.   *Schrank,* 45.   *Panz. Ent. Germ.* 98. 18.   *Fab.*
Syst. Ent. 57. 10.   *Sp. Ins.* i. 65. 13.   *Mant.* i. 35.
15.   *Ent. Syst.* i. a. 230. 16.   *Poda,* 22. 2.   *Faun.*
Etrusc. 78.   *Hellw.* 78.
Panz. Faun. Germ. 5. *t.* 6. *Mart. Eng. Ent. t.* 6. *f.* 7.
Attelabus Geoffroyanus.   *Laich.* i. 247. 4.
Corynetes violaceus. *Payk. Faun. Suec.* i. 275. 1. *Herbst.*
Jablonsk. iv. 150. 1. *t.* 41. *f.* 8.

Long. corp. $2\frac{1}{3}$ lin.

Habitat ——————

DESCR.   Villosus suprà nitens, præsertim elytra ; antennæ stipite fusco, nitente, clavâ nigrâ, obscurâ, articulis tribus ferè æqualibus, ultimo obliquè truncato,
ferè in formam literæ S incurvæ.   Thorax rariùs punctulatus. Elytra amœnè cærulea, punctata, sed vix striata.
Subtùs atro-cærulescens.

4. Cl. atro-cærulescens, elytris cæruleis striatis, *Quadra.*
antennarum articulo ultimo maximo quadrato.

Long. corp. 2 lin.

Habitat ——————

                         DESCR.

Descr. Totus villosus. Antennæ incurvæ, stipite nitido, e nigro fuscescente, clavâ nigrâ, obscurâ, e tribus constante articulis, quorum inferior minor, extimus maximus, truncatus, ferè quadratus. Thorax punctulatissimus. Elytra striata, striis punctatis, atra, cum tincturâ æneâ, cæruleo maculata, sive nebulosa: oculo non armato cærulea tota apparent. Subtùs atro-cærulescens, sed valdè obscurus.

Variat thorace virescenti cæruleo.

ruficollis.　5. Cl. cyaneus villosus, thorace elytrorum basi pedibusque rufo-ferrugineis.

Dermestes ruficollis. *Fab. Syst. Ent. 57. 11. Sp. Ins. i. 65. 15. Mant. i. 35. 17. Ent. Syst. i. a. 230. 18.*

Anobium ruficolle. *Thunb. Nov. Ins. Spec. 8. f. 7.*

Corynetes ruficollis. *Herbst. Jablonsk. iv. 152. 3. t. 41. f. 9.*

Long. corp. 2¼ lin.

Habitat—In capite equino nuper interfecto cepi.

Descr. Faciem omninò *Carabi cyanocephali* refert. Antennæ nigræ, clavâ compressâ. Caput et thorax punctatissima. Oculi atri, cancellati. Elytra striata, punctis impressis.

---

28. CERAMBYX.

Antennæ setaceæ.
Oculi lunati, basin antennarum amplectentes.
Thorax caput recipiens.
Elytra sublinearia.
Corpus oblongum.

 * *Thorace marginato, dentibus lateralibus.*
 ** *Thorace rotundato, spinis fixis lateralibus mucronato.*
 *** *Thorace inermi, subcylindrico.*
 **** *Thorace inermi, subrotundo, sive ex globoso depresso.*
 ***** *Thorace inermi, subgloboso, nec depresso.*

* *Thorace*

CERAMBYX.

C. hispidus.

* *Thorace marginato, dentibus lateralibus.*

1. **Cer.** thorace tridentato, corpore piceo, elytris *coriarius.*
mucronatis, antennis brevioribus.

Linn. Syst. Nat. 622. 7. *Faun. Suec.* 647. *Gmel.* 1815. 7.
　Scop. 161. *Vill.* i. 224. 2. *Rai. Ins.* 95. *Poda,*
　Mus. Græc. 31. 1. *Harr.* 190.
Mart. Eng. Ent. t. 24. *f.* 4. *Roes.* ii. 2. *t.* 1. *f.* 1. 2.
　Schæff. Icon. t. 9. *f.* 1. mas. *t.* 67. *f.* 3. fem. *Schæff.*
　Elem. t. 103. *Frisch.* 13. *t.* 9. *Bergstraes. Nom.* i.
　13. 79. 5. 6. *t.* 13. *f.* 5. 6.
Prionus coriarius. *Fab. Syst. Ent.* 161. 7. *Sp. Ins.* i.
　206. 9. *Mant.* i. 129. 13. *Ent. Syst.* i. b. 246. 15.
　Hoppe, Ins. Erl. 58. *Panz. Ent. Germ.* 246. 5.
　Payk. Faun. Suec. iii. 51. 2. *Laich.* ii. 3. 2.
Oliv. iv. 66. 29. 37. *t.* 1. *f.* 1. b—d. *Panz. Faun.*
　Germ. 9. *t.* 8.
Le Prione. *Geoff.* 198. 1. *t.* 3. *f.* 5.
Cerambyx Prionus. *De Geer,* v. 59. 1. *t.* 3. *f.* 5.
Scarabæus tridentatus? *Linn. Faun. Suec.* 406.
Lucanus tridentatus? *Linn. Syst. Nat.* 560. 3. *Gmel.*
　1589. 3.

Long. corp. maris 1 unc. 1 lin.
　　　　　fœm. 1 unc. 7 lin.

Habitat in truncis arborum.

Descr. Antennæ crassæ, serratæ, piceæ. Corpus
　subdepressum, totum suprà nigro-piceum. Thorax
　subrugosus, utrinque tridentatus, dente intermedio
　majore, acutiore, anticè et posticè flavo-ciliatus. Ely-
　tra subrugosa, lineis tribus obsoletis, elevatis, apice
　mucronata. Corpus subtùs rufo-piceum, pectore pi-
　loso, pilis flavescentibus. Pedes picei.

** *Thorace rotundato, spinis fixis lateralibus mucronato.*

2. **Cer.** elytris fastigiatis: punctis fasciisque nigris, *nebulosus.*
antennis longioribus.

Linn. Syst. Nat. 627. 29. *Faun. Suec.* 650. *Vill.* i.
　225. 5. *Schrank,* 246. *Scop.* 173. *Fab. Syst. Ent.*
　168. 20. *Sp. Ins.* i. 215. 26. *Mant.* i. 134. 36.

Ent. Syst. i. b. 261. 35.   *Gmel.* 1821. 29.   *De Geer,*
v. 71. 8.   *Faun. Fred.* 13. 124.   *Harr.* 321.   *Panz.*
Ent. Germ. 248. 7.   *Faun. Ingr.* 265.   *Payk. Faun.*
Suec. iii. 56. 4.
Mart. Eng. Ent. t. 24. f. 6.   *Schæff. Icon.* t. 192. f. 6.
Voet. ii. 12. 4. t. iv. f. 4.   *Panz. Faun. Germ.* 14. t. 13.
Oliv. iv. 67. 54. 72. t. 7. f. 47. a—c.
Le Capricorne noir marbré de gris. *Geoff.* i. 204. 7.

Long. corp. 3—4 lin.

Habitat ———

DESCR. Caput nigricans. Antennæ corpore sesquilon-
   giores, apice tenuissimæ, articulis singulis supernè nigris, infernè pallidis. Thorax utrinque denticulo notatus,
   supernè cinereus, punctis nigris maculatus. Elytra
   cinerea, punctis minimis excavata, non striata, præterea punctis inæqualibus nigris irrorata, densiùs versus
   basin; fascia dein nigra transversalis latiuscula in medio elytrorum. *Faun. Suec.*

hispidus.   3. Cer. elytris subpræmorsis : punctis tribus hispidis, antennis hirtis longioribus.

Linn. Syst. Nat. 627. 30.   *Faun. Suec.* 651.   *Vill.* i.
   225. 6.   *Schrank,* 248.   *Faun. Ingr.* 267.   *Fab.*
   Syst. Ent. 169. 21.   *Sp. Ins.* i. 215. 27.   *Mant.* i.
   134. 38.   *Ent. Syst.* i. b. 262. 40.   *Gmel.* 1821. 30.
   Rai. 97. 4.   *Panz. Ent. Germ.* 249. 11.   *Harr.* 322.
   Payk. Faun. Suec. iii. 59. 8.
Schæff. Icon. t. 14. f. 9. t. 176. f. 5. 6.   *Panz. Faun.*
   Germ. 14. t. 16.   *Frisch.* 13. 22. t. 16.   *Donov. Brit.*
   Ins. t. 64. f. 2. 3.   *Mart. Eng. Ent.* t. 24. f. 10.
   Oliv. iv. 66. 53. 71. t. 11. f. 77. a. b.
Cerambyx fasciculatus. *De Geer,* v. 71. 9. t. 3. f. 17.
Le Capricorne à étuis dentelés. *Geoff.* i. 206. 9.

Long. corp. 2—3 lin.

Habitat ———

DESCR. Totus cinereus est, punctisque nigris irroratus;
   striæ aliquot elevatæ in elytris, et fascia alba transversalis latiuscula in medio elytrorum, basi tamen paulo
   propior. Thorax aculeis prominulis, præsertim la-
                                             teralibus,

teralibus. . Antennarum articuli supernè nigri, infernè cinerei.

Varietas in aliis fascia albida cordata in parte anteriore coleoptrorum : postica pars elytrorum retusa, acutè præmorsa, sive dentata. *Faun. Suec.*

4. Cer. elytris griscis apice unidentatis, antennis *pilosus.* mediocribus hirtis.

Fab. Mant. i. 134. 39. *Ent. Syst.* i. b. 262. 41. *Gmel.* 1822. 107. *Panz. Ent. Germ.* 249. 12.
Cerambyx hispidus var. β. *Payk. Faun. Suec.* iii. 59. 8.

Long. corp. 2½—3 lin.

Habitat ——————

Descr. Statura omninò *Cer. hispidi* at distinctus. Minor. Antennæ longitudine corporis, hirtæ. Thorax utrinque bispinosus, griseus. Elytra punctis tribus elevatis, hispidis, grisea, basi parùm pallidiora, apice unidentata. *Fab. Mant.*

5. Cer. viridis nitens, elytris obtusis, antennis me- *moschatus.* diocribus cyaneis.

Linn. Syst. Nat. 627. 34. *Faun. Suec.* 652. *Vill.* i. 226. 7. *Gmel.* 1824. 34. *Schrank,* 249. *Fab. Syst. Ent.* 165. 7. *Sp. Ins.* i, 210. 9. *Mant.* i. 131. 11. *Ent. Syst.* i. b. 251. 1. *Faun. Ingr.* 264. *Scop.* 165. *Rai.* 81. 17. *Poda,* 32. 2. *Harr.* 317. *Pontop.* i. 673. 5. *Panz. Ent. Germ.* 247. 1. *Laich.* ii. 10. 3. *Payk. Faun. Suec.* iii. 53. 1.
Don. Brit. Ins. t. 94. *f.* 2. *Mart. Eng. Ent. t.* 24. *f.* 7. *Schæff. Icon. t.* 11. *f.* 7. *Frisch.* 13. *t.* 11. *Voet.* ii. 14. *t.* 6. *f.* 14. *Oliv.* iv. 67. 23. 25. *t.* 2. *f.* 7. *Bergstraes. Nom.* ii. 1. 2. *t.* 2. *f.* 2.
Cerambyx odoratus. *De Geer,* v. 63. 2.
Le Capricorne vert à odeur de rose. *Geoff.* i. 203. 5.

Long. corp. 1 unc. 3 lin.

Habitat in *Salice,* odorem spargens gratum et fragrantissimum.

Descr. Totus cæruleo-viridis, aureo-nitens. Abdomen suprà cæruleum. Alæ nigræ. Pedes colore cum
 reliquo

reliquo corpore conveniunt; pedum tarsi subtùs villosi,
glauci; tibia terminatur spinâ. Thorax utrinque mucrone gaudet; intra hos mucrones tria tubercula paulo
minora, elytris propiora, et nonnulla alia, tubercula
adhuc minora anteriùs. Elytra minutissimis rugis,
fibrisque tribus longitudinalibus parùm elevatis notata,
oblongo-lanceolata, flexilia. Antennæ vix longitudinem corporis adtingunt; harum articuli per gradus
versus extremitatem breviores sunt, contrario ac in reliquis modo. *Faun. Suec.*

ædilis. **6.** Cer. thorace cinereo: punctis quatuor luteis,
elytris obtusis nebulosis, antennis longissimis.

Linn. Syst. Nat. 628. 37.   *Faun. Suec.* 653.   *Vill.* i.
228. 9.   *Schrank,* 254.   *Gmel.* 1825. 37.   *Fab. Syst.*
Ent. 164. 1.   *Sp. Ins.* i. 209. 1.   *Mant.* i. 130. 1.
Faun. Fred. 13. 125.   *Poda,* 32. 4.   *Pontop.* i. 673. 6.
Harr. 316.

Don. Brit. Ins. t. 72.   *Mart. Eng. Ent. t.* 26. *f.* 4.
Oliv. iv. 67. 81. 106. *t.* 9. *f.* 59. a—d.   *De Geer,* v.
66. 5. *t.* 4. *f.* 1. 2.   *Schæff. Icon. t.* 14. *f.* 7. fem.
Voet. ii. *t.* 4. *f.* 1, 2. 3.   *Act. Nidros.* iv. 323. 16. *t.* 16.
f. 8.   *Frisch.* 13. *t.* 12.   *Bergstraes. Nom.* i. 3. 5.
t. 1. *f.* 5. 6. *t.* 2. *f.* 1.

Lamia ædilis. *Payk. Faun. Suec.* iii. 62. 3.   *Laich.* ii.
23. 5.   *Fab. Ent. Syst.* i, b. 270. 16.   *Faun. Ingr.*
269.   *Panz. Ent. Germ.* 250. 2.

Long. corp. 8—10 lin.

Habitat in truncis arborum. Captus *D. Lathbury.*

Descr. Corpus totum cinereum. Elytra obtusa, pilis
minutissimis adspersa; inter quos pilos tubercula seu
puncta minutissima prominent confertissima; umbra
nigricans coleoptra transversim ambit versus posteriora,
in medio curvata. Thorax etiam cinereus, mucrone
utrinque prominulo, et punctis quatuor luteis transversalibus a tergo. Oculi nigri. Antennæ ipso corpore
quintuplo longiores, ex 10 articulis cinereis, versus
apicem nigris, quo capite propiores, eo breviores.
Alæ nigricantes, venis fuscis. Fœmina ano prominet;
huic antennæ ipso corpore triplo longiores: maris
autem

autem cornua quintuplo vel sextuplo corpore longiora.
Faun. Suec.

7. Cer. elytris obtusis atris ferrugineo-subnebu- *Sutor.*
losis, scutello luteo, antennis longissimis.

Linn. Syst. Nat. 628. 38.   *Faun. Suec.* 655.   *Vill.* i.
229. 10.   *Gmel.* 1839. 38.   *Scop.* 162.   *Poda,* 33. 6.
Harr. 326.
Oliv. iv. 67. 111. 149. *t.* 3. *f.* 20. a—c.
Lamia Sutor. *Fab. Syst. Ent.* 172. 10.   *Sp. Ins.* i.
218. 15.   *Mant.* i. 137. 17.   *Ent. Syst.* i. b. 277. 41.
Panz. Ent. Germ. 251. 6.   *Payk. Faun. Suec.* iii.
62. 2.   *Laich.* ii. 17. 2.   *Faun. Ingr.* 270.
Panz. Faun. Germ. 19. *t.* 2.   *Schæff. Icon. t.* 65. *f.* 1.
Voet. t. 5. *f.* 7.
Cerambyx atomarius. *De Geer,* v. 65. 4.

Long. corp. 9 lin.

Habitat in sylvis.

DESCR. Magnus et ater est. Oculi nigri. Thorax
utrinque angulo majori armatur; maculâ ferrugineâ
ad basin elytrorum introrsùm. Thorax et elytra atra,
punctis sparsis, ferè contiguis, excavatis, nudo oculo
manifestis. Puncta flava, sparsa super thoracem et
elytra. Mas antennis nigris, triplo aut quadruplo corpore longioribus: Fœmina antennis corpore sesquilon-
gioribus, nigris, articulis singulis versus basin cinereis.
Faun. Suec.

*** *Thorace inermi, subcylindrico.*

8. Cer. niger, coleoptris lineâ suturali dentatâ *scalaris.*
punctisque flavis, antennis mediocribus.

Linn. Syst. Nat. 632. 55.   *Scop.* 175.   *Vill.* i. 240. 43.
Schrank, 268.   *Gmel.* 1837. 55.   *De Geer,* v. 77. 14.
Hoeff. Ins. t. 7.   *Frisch.* 12. *t.* 3. *f.* 3.   *Bergstraes.*
Nom. ii. 14. 4. *t.* 2. *f.* 4.   *Voet. Col. t.* 17. *f.* 78.
Leptura scalaris. *Linn. Faun. Suec.* 697.   *Poda,* 34. 10.
Harr. 342.
Saperda scalaris. *Fab. Syst. Ent.* 184. 2.   *Sp. Ins.* i.
231.

*231. 2.	Mant.* i. *147. 2.	Ent. Syst.* i. b. *307. 2.
Panz. Ent. Germ.* 256. 2.	*Laich.* ii. 35. 4.	*Payk.
Faun. Suec.* iii. 75. 6.	*Faun. Ingr.* 278.

Long. corp. 7 lin.

Habitat ————	In mus. *D. Swainson.*

DESCR. Totus niger est, oblongus, lævis. Thorax
vellere flavo indutus, maculâ nigrâ, quadratâ in dorso;
utrinque ad latera gibbus. Elytra nigra, glabra,
punctis minutissimis excavatis, suturâ longitudinali
flavâ, dentibus variis oppositis, quorum par primum
incurvum, secundum transversum, tertium adscendens,
quartum deorsùm gibbum, quintum minimum, sex-
tum ultimum adscendens per marginem exteriorem;
puncta aliquot difformia, flava, in medio elytrorum.
Antennæ corpore paulo longiores. Flavedo omnis e
villis minutissimis constat. *Faun. Suec.*

populneus.	9. Cer. villosus viridescens, thorace flavo-lineato,
elytris punctis quatuor flavis, antennis mediocribus.

Linn. Syst. Nat. 632. 57.	*Faun. Sueo.* 661.	*Vill.* i.
241. 45.	*Schrank,* 266.	*Gmel.* 1838. 57.
Mart. Eng. Ent. t. 24. *f.* 8. 9.
Cerambyx 10-punctatus. *De Geer,* v. 78. 15.
Leptura populnea. *Harr.* 347.	*Schæff. Icon.* 48. *f.* 5.
La Lepture à corcelet cylindrique et à taches jaunes.
Geoff. i. 208. 3.
Saperda populnea. *Fab. Syst. Ent.* 186. 12.	*Sp. Ins.* i.
234. 18.	*Mant.* i. 149. 27.	*Ent. Syst.* i. b. 315. 37.
Panz. Ent. Germ. 258. 11.	*Payk. Faun. Suec.* iii.
77. 9.	*Laich.* ii. 38. 6.	*Faun. Ingr.* 281.
Oliv. iv. 68. 16. 16. *t.* 1. *f.* 1. b. c.

Long. corp. 6 lin.

Habitat in *Populo tremulâ. Linn.*

DESCR. Antennæ setaceæ, articulis supernè nigris,
infernè albis. Thorax viridescens, lineis tribus flavis,
longitudinalibus, pubescentibus. Elytra fusco-virides-
centia, rugoso-punctata, punctis quatuor flavis.

10. Cer.

10. **Cer. viridescens,** thorace flavo trilineato, *lineato-* elytris nigris: atomis villosis flavescentibus, an- *collis.* tennis longioribus.

Don. Brit. Ins. t. 209.
An Cerambyx villoso-viridescens? *De Geer,* v. 76. 13.
Long. corp. 7 lin.
Habitat in *Heracleo.*

DESCR. Valdè affinis *Cer. populneo,* sed maculis flavis omninò caret. Elytra enim nigro-viridia, villis flavescentibus, variè constipatis ornantur, et exinde videntur atomis flavescentibus couspergi. Antennæ ut in *Cer. populneo,* at crassiores, et corpore dimidio longiores. Thoracis lineæ latiores, saturatiores, rectæ, distinctæ, neque ut in *Cer. populneo,* intra antennas incurvatæ, ad caput coeunt. Scutellum didymum flavum ut in *Cer. populneo.*

11. **Cer. niger,** thorace albido-lineato, elytris fa- *cylindricus.* stigiatis, pedibus anticis pallidis, antennis brevioribus.

Linn. Syst. Nat. 633. 59.　　*Faun. Suec.* 662.　　*Vill.* i.
　242. 47.　*Gmel.* 1839. 59.
Roes. ii. 2. *t.* 3.
Cerambyx cinereus. *De Geer,* v. 75. 12.
Leptura cylindrica. *Scop.* 157.　*Harr.* 346.
La Lepture ardoisée. *Geoff.* i. 208. 2.
Saperda cylindrica. *Fab. Syst. Ent.* 185. 6.　*Sp. Ins.* i.
　232. 7.　*Mant.* i. 148. 10.　*Ent. Syst.* i. b. 310. 14.
　Payk. Faun. Suec. iii. 74. 5.　*Laich.* ii. 49. 12.　*Faun.*
　Ingr. 280.
Oliv. iv. 68. 23. 26. *t.* ii. *f.* 11.

Long. corp. 4 lin.

Habitat intra *Coryli* lignum. *Linn.* Ex mus. *D. Hill.*

DESCR. Corpus minus, atrum, opacum, punctis minimis sparsis, cavis. Thorax cylindricus, lineâ longitudinali albidâ. Antennæ longitudine corporis. Pedum tibiæ et dimidia pars femorum anterioris paris ferruginea. *Faun. Suec.*
Antennæ vix corpore longiores. *Syst. Nat.*

　　　　　　　　　　12. Cer.

oculatus. 12. **Cer.** thorace luteo : punctis duobus nigris, elytris fastigiatis linearibus nigris, antennis mediocribus.

Linn. Syst. Nat. 633. 60.   *Faun. Suec.* 664.   *Vill.* i. 242. 48.   *Schrank,* 269.   *Gmel.* 1841. 60.
Mart. Eng. Ent. t. 26. *f.* 26.   *De Geer,* v. 74. 11. *t.* 3. *f.* 20.   *Hofn. Ins.* t. 13.   *Voet.* ii. *t.* 18. *f.* 81. *Schæff. Icon.* t. 128. *f.* 4.
Leptura oculata. *Scop.* 152.   *Harr.* 344.
Saperda oculata. *Fab. Syst. Ent.* 184. 3.   *Sp. Ins.* i. 231. 4.   *Mant.* i. 147. 6.   *Ent. Syst.* i. b. 308. 8.   *Panz. Ent. Germ.* 257. 3.   *Payk. Faun. Suec.* iii. 72. 2.   *Laich.* ii. 42. 8.   *Faun. Ingr.* 279.
Oliv. iv. 68. 19. 20. *t.* 1. *f.* 4.   *Panz. Faun. Germ.* 1. *t.* 18.

Long. corp. 8 lin.

Habitat in sylvis. *Linn.* Captus in Insulâ Eliensi, mense Augusto. *D. Curtis.*

D*escr.* Corpus testaceum uti abdomen et pedes. Thorax cylindricus, a dorso punctis duobus nigris. Antennæ longitudine corporis. *Faun. Suec.*

nubilus. 13. **Cer.** nigro-ferrugineoque varius, elytris punctatis : maculâ marginali cinereâ, antennis mediocribus.

Gmel. 1832. 72.
Oliv. iv. 67. 109. 146. *t.* 3. *f.* 15.   *Schæff. Icon.* t. 55. *f.* 4.
Lamia nebulosa. *Fab. Sp. Ins.* i. 218. 13.   *Mant.* i. 137. 15.   *Ent. Syst.* i. b. 277. 38.   *Faun. Etrusc.* 367.   *Hellw.* 367.   *Panz. Ent. Germ.* 250. 5.

Long. corp. 6 lin.

Habitat ——————

D*escr.* Totum corpus nigro ferrugineoque lineato varium. Antennæ longitudine corporis, nigræ, articulis basi cinereis. Thorax rotundatus, inermis, ferrugineus, nigro-lineatus. Elytra punctata, ferrugineo fuscoque

fuscoque varia, maculâ magnâ cinereâ in medio marginis exterioris.

14. Cer. thorace fusco, elytris flavis apice nigris, *præustus*.
    antennis mediocribus.

Schrank, 275.   *Gmel.* 1842. 223.
Leptura præusta. *Linn. Syst. Nat.* 641. 24.   *Faun. Suec.*
    698.   *Vill.* i. 271. 27.   *Harr.* 350.
Mart. Eng. Ent. t. 28. *f.* 12.   *Schæff. Icon. t.* 52. *f.* 8.
La Lepture noire à étuis jaunes. *Geoff.* i. 209. 4.
Saperda præusta. *Fab. Syst. Ent.* 187. 16.   *Sp. Ins.* i.
    235. 25.   *Mant.* i. 150. 37.   *Ent. Syst.* i. b. 317. 48.
    Panz. Ent. Germ. 259. 19.   *Payk. Faun. Suec.* iii.
    79. 12.   *Laich.* ii. 54. 14.   *Oliv.* iv. 68. 33. 43.

Long. corp. 2 lin.

Habitat ▬▬▬

DESCR.   Totum corpus pubescens.   Antennæ ferè cor-
    poris longitudine, nigræ.   Caput et thorax atra, nitida.
    Elytra obtusa, et ferè truncata, punctulatissima, flava,
    apicibus nigris.   Pedes duo antici flavescentes; quatuor
    postici femoribus nigris, tibiis tarsisque flavescentibus.

**** *Thorace inermi, subrotundo, sive exgloboso depresso.*

15. Cer. thorace pubescente, corpore violaceo, *violaceus*.
    antennis mediocribus.

Linn. Syst. Nat. 635. 70.   *Faun. Suec.* 667.   *Vill.* i.
    247. 71.   *Schrank*, 277.   *De Geer;* v. 88. 24.   *Poda*,
    36. 18.   *Faun. Fred.* 13. 130.   *Gmel.* 1848. 70.
Donov. Brit. Ins. t. 64. *f.* 1.   *Mart. Eng. Ent. t.* 25.
    f. 15.   *Frisch.* 12. *t.* 3.   *Trans. Linn. Soc.* v. 257.
    t. 12.   *Roem. Gen. Ins. tab. front. f.* 2.
Leptura violacea. *Harr.* 382.
Leptura. *Schæff. Icon. t.* 4. *f.* 13.
Callidium violaceum. *Fab. Syst. Ent.* 188. 4.   *Sp. Ins.*
    i. 237. 5,   *Mant.* i. 152. 8.   *Ent. Syst.* i. b. 320. 9.
    Panz. Ent. Germ. 261. 5.   *Laich.* ii. 72. 7.   *Payk.*
    Faun. Suec. iii. 90. 11.
                                            Oliv.

Oliv. iv. 70. 16. 18. *t.* 1. *f.* 2. *Panz. Faun. Germ.*
70. *t.* 4. *Faun. Ingr.* 285.

Long. corp. 6—8 lin.

Habitat in lignis exsiccatis.

DESCR. Totum corpus suprà subpilosum, e violaceo
nitens, colore aureo et sericeo superbit. Antennæ
corpore fermè breviores, atro-violaceæ, apice nigræ,
subtomentosæ. Thorax elytris obscurior, planiusculus, punctis contiguis excavatus. Scutellum medio
depressum. Elytra planiuscula, vix marginata, excavato-punctata, apice rotundata, humeris gibbis.
Sternum violaceum. Abdomen nigrum. Pedes atri,
interdum atro-violacei, femoribus clavatis.
Variat totus suprà virescens.

testaceus. 16. Cer. thorace glabro, corpore testaceo, antennis mediocribus.

Linn. Syst. Nat. 635. 75. *Faun. Suec.* 670. *Vill.* i.
249. 74. *Gmel.* 1850. 75. *De Geer,* v. 93. 30.
Mart. Eng. Ent. t. 26. *f.* 23.
La Lepture livide à corcelet lisse. *Geoff.* i. 218. 18.
Schæff. Icon. t. 64. *f.* 6.
Callidium testaceum. *Fab. Syst. Ent.* 190. 13. *Sp. Ins.*
i. 239. 17. *Mant.* i. 153. 26. *Ent. Syst.* i. b. 326. 36.
Panz. Ent. Germ. 262. 12.
Oliv. iv. 70. 15. 17. *t.* 1. *f.* 11.

Long. corp. 5⅔ lin.

Habitat in sylvis.

DESCR. Antennæ breviores, rufæ. Thorax testaceus,
glaber, punctis quatuor elevatis, quadratìm positis.
Elytra testacea, punctulata, lineâ elevatâ unicâ. Pedes
rufi, femorum clavâ fuscâ.

bajulus. 17. Cer. niger, thorace villoso: tuberculis duobus, antennis brevibus.

Linn. Syst. Nat. 636. 76. *Faun. Suec.* 672. *Vill.* i.
249. 75. *Schrank,* 281. *Gmel.* 1851. 76. *Faun.*
Fred. 13. 131. *Poda,* 36. 15.

Mart.

Mart. Eng. Ent. t. 24. *f.* 1—5.
Cerambyx caudatus. *De Geer*, v. 86. 22.
Leptura bajula. *Scop.* 156. *Harr.* 381.
Schæff. Icon. t. 64. *f.* 4. 5. *t.* 68. *f.* 1.   *Elem. t.* 76. *f.* 4.
Callidium bajulum. *Fab. Syst. Ent.* 187. 1.   *Sp. Ins.* i.
    236. 1.   *Mant.* i. 151. 2.   *Ent. Syst.* i. b. 318. 2.
    Panz. Ent. Germ. 260. 1.   *Payk. Faun. Suec.* iii.
    85. 6.   *Laich.* ii. 65. 5.   *Faun. Ingr.* 283.
Oliv. iv. 70. 7. 5. *t.* 3. *f.* 30. a. b.   *Panz. Faun. Germ.*
    70. *t.* 1.

Long. corp. 5—7 lin.

Habitat in lignorum acervis.

DESCR. Totus niger est, cum cineritiei mixturâ. Cor-
    pus totum scabrum, vel inæquale, punctis prominulis
    inordinatis, et pilis cinereis vagis. Thorax verò totus
    hirsutus, cinereus, sive niger, pilis albis, et duobus a
    tergo punctis prominulis glabris, quibus ab omnibus
    differt. Antennæ nigræ, parvæ, corpore dimidio bre-
    viores. Oculi in quibusdam deaurati. Pedes nigri :
    tibiæ duplici spinâ terminatæ. In dorso elytrorum
    fascia alba, undulata, sed obsoleta, ut vix visibilis sit.
    Elytra flexilia. Femora clavata. *Faun. Suec.*

18. Cer. thorace nigro villoso-cinereo : lineolis *similis.*
    duabus glabris, elytris testaceis, antennis bre-
    vibus.

Cerambyx bajulus var. β. *Linn. Faun. Suec.* 672.
Schæff. Icon. t. 64. *f.* 5. *Voet.* ii. *t.* 22. *f.* 112.
La Lepture brune à corcelet rhomboidale. *Geoff.* i.
    218. 17.
Callidium Linnæanum. *Laich.* ii. 69. 6.

Long. corp. 6—10 lin.

Habitat ———

DESCR. Facies antecedentis. Antennæ corpore bre-
    viores, testaceæ. Thorax villosus, cinereus, sive niger
    pilis albis, a tergo punctis duobus, oblongis, glabris.
    Elytra testacea, antennis pallidiora, punctis excavata,
    non tamen striata. Femora nigra. Oculi aurati.
                                                Antennæ

Antennæ pilis adspersæ, tertio articulo longissimo.
Sæpè fasciâ albâ obsoletâ in dorso; hinc adfinitas cum
praecedente summa. *Faun. Suec.*

sanguineus. 19. Cer. niger, thoracis dorso elytrisque sanguineis, antennis mediocribus.

Linn. Syst. Nat. 636. 80.   *Faun. Suec.* 673.   *Vill.* i.
252. 79.   *De Geer,* v. 92. 29.   *Schrank,* 284.   *Poda,*
36.   *Gmel.* 1855. 80.
La Lepture veloutée couleur de feu. *Geoff.* i. 220. 21.
Callidium sanguineum. *Fab. Syst. Ent.* 190. 2.   *Sp.*
Ins. i. 238. 16.   *Mant.* i. 153. 25.   *Ent. Syst.* i. b.
326. 35.   *Laich.* ii. 59. 3.   *Panz. Ent. Germ.* 262. 11.
Payk. Faun. Suec. iii. 89. 10.   *Faun. Ingr.* 288.
Oliv. iv. 70. 14. 15. *t.* 1. *f.* 1. 6.
Long. corp. 5 lin.

Habitat ————   In mus. *D. Donovan.*

DESCR. Simillimus *Cer. bajulo,* sed thorax magìs depressus, ater, et thorax suprà, scutellum, elytra et anus
sanguinea, holosericea, tomento vix conspicuo. *Syst.*
Nat.

fennicus. 20. Cer. thorace subferrugineo: tuberculis obsoletis, elytris violaceis, antennis longiusculis.

Linn. Syst. Nat. 636. 77.   *Faun. Suec.* 674.   *Vill.* i.
250. 76. *Schrank,* 282. *Udd. Diss.* 33. *Gmel.* 1851. 77.
Mart. Eng. Ent. t 25. *f.* 16.
Leptura fennica. *Harr.* 383.
Leptura. *Schæff. Icon. t.* 4. *f.* 12. *t.* 69. *f.* 1. mas.
t. 64. *f.* 6. fem.
La Lepture noire à corcelet rougeâtre. *Geoff.* i. 219. 19.
Callidium fennicum. *Fab. Syst. Ent.* 188. 2.   *Sp. Ins.*
i. 236. 2.   *Mant.* i. 151. 3.   *Ent. Syst.* i. b. 319. 3.
Panz. Ent. Germ. 260. 2.   *Faun. Ingr.* 284.
Panz. Faun. Germ. 70. *t.* 12.   *Oliv.* iv. 70. 20. 25.
t. 1. *f.* 9.
Long. corp. 6 lin.

Habitat ————

DESCR.

Descr. Antennæ rufæ, articulis primoribus apice
  fuscis.   Caput violaceum.   Palpi rufi.   Thorax rufus,
  vel ferrugineus, tuberculis duobus obsoletis.   Elytra
  violacea.   Pectus rufum.   Abdomen nigrum, apice
  rufo.   Pedes rufi, femoribus clavatis, clavis fuscis.

21. Cer. rufo-fuscus, antennis longitudine cor- *minutus.*
  poris.

Gmel. 1842. 225.
An Cerambyx pygmæus. *De Geer,* v. 80. 17. *t.* 4. *f.* 5 ?
Saperda minuta. *Fab. Sp. Ins.* i. 235. 27. *Mant.* i.
  150. 39.
Oliv. iv. 68. 41. 53. *t.* 3. *f.* 31. a. b.
Callidium pygmæum. *Fab. Ent. Syst.* i. b. 323. 24.

Long. corp. 2½ lin.

Habitat ———

Descr. Media inter cylindricos et subrotundos. Totum
  corpus suprà unicolor, rufo-fuscum.   Abdomen subtùs
  nigrum, nitidum.   Elytra medio longitudinaliter an-
  gulatim elevata.   Femoribus clavatis.

  ***** *Thorace inermi, subgloboso, nec depresso.*

22. Cer. thorace tomentoso, elytris fusco-cinereis *mysticus.*
  anticè rufis : fasciis linearibus arcuatis latèque
  canis.

Gmel. 1855. 290.
Cerambyx albo-fasciatus. *De Geer,* v. 82. 19.
Cerambyx quadricolor. *Scop.* 177.
Leptura mystica. *Linn. Syst. Nat.* 639. 18. *Faun. Suec.*
  693. *Vill.* i. 267. 21. *Harr.* 358.
Don. Brit. Ins. t. 84. *f.* 2.   *Schæff. Icon. t.* 2. *f.* 9.
La Lepture à raies blanche. *Geoff.* i. 215. 12.
Callidium mysticum. *Fab. Syst. Ent.* 194. 34. *Sp. Ins.*
  i. 244. 45. *Mant.* i. 56. 61. *Ent. Syst.* i. b. 337.
  81. *Panz. Ent. Germ.* 267. 36. *Payk. Faun. Suec.*
  iii. 98. 20.
Oliv. iv. 70. 50. 68. *t.* 1. *f.* 14.
Clytus mysticus. *Laich.* ii. 107. 7.

Long. corp. 7½ lin.

Habitat ————

DESCR. Corpus nigrum. Elytra basi ferè ad medium
ferruginea; lineæ aliquot niveæ concurrunt in angulum
acutum, ad suturam dorsalem; ante apicem fascia albida. *Faun. Suec.*

Alni.   23. Cer. niger, elytris fasciis duabus albis, elytrorum
basi antennis tibiisque ferrugincis.

Gmel. 1855. 293.
Leptura Alni. *Linn. Syst. Nat.* 639. 19. *Vill.* i. 268. 22.
Mart. Eng. Ent. t. 28. *f.* 14.
Callidium Alni. *Fab. Syst. Ent.* 195. 35. *Sp. Ins.* i. 245.
46. *Mant.* i. 157. 64. *Ent. Syst.* i. b. 338. 86. *Panz.*
Ent. Germ. 267. 33. *Payk. Faun. Suec.* iii. 100. 22.
Oliv. iv. 70. 53. 72. *t.* 2. *f.* 16. b.

Long. corp. 3 lin.

Habitat ————

DESCR. Affinis *Cer. mystico*, sed octies minor. Elytra
basi ferruginea, medio fasciâ lineari arcuatâ, albâ;
posticè lineâ albâ obliquè transversâ. *Syst. Nat.*

arcuatus.   24. Cer. niger, elytris fasciis linearibus flavis;
tribus retrorsùm arcuatis, antennis ferrugineis.

Gmel. 1853. 279.
Leptura arcuata. *Linn. Syst. Nat.* 640. 21. *Faun. Suec.*
696. *Vill.* i. 269. 24. *Harr.* 352. *Schrank,* 308.
Don. Brit. Ins. t. 84. *f.* 1. *Mart. Eng. Ent. t.* 27.
f. 2. 3. *Schæff. Icon. t.* 38. *f.* 6. *t.* 107. *f.* 3. *Voet.*
ii. *t.* 19. *f.* 89 et 92.
La Lepture à croissans dorés. *Geoff.* i. 212. 10.
Callidium arcuatum. *Fab. Syst. Ent.* 192. 26. *Sp. Ins.*
i. 241. 35. *Mant.* i. 155. 50. *Ent. Syst.* i. b. 333. 64.
Panz. Ent. Germ. 265. 25. *Payk. Faun. Suec.* iii.
95. 17. *Faun. Ingr.* 289.
Panz. Faun. Germ. 4. *t.* 14. *Oliv.* iv. 70. 35. 48. *t.* 3.
f. 37. a. b.
Clytus arcuatus. *Laich.* ii. 95. 3.

Long.

Long. corp. 8—9 lin.

Habitat in ligno quercino.

DESCR. Antennæ et pedes postici ferruginei. Corpus
atrum. Caput lineâ flavâ anticè, et inter antennas et
ad basin. Thorax anticè lineâ flavâ, et duabus in
medio ad latera. Puncta lutea ; unum elytris commune
ad basin ; dein unum utrinque ; tum unum commune
majus ; demum punctum cum lineolâ ; tandem arcus
in singulo elytro et dein arcus communis ; ultimo
apices elytrorum lunulâ luteâ terminati. *Faun. Suec.*
Fascia thoracis lutea interrupta. Femora anteriora fusca.
Punctum scutellare flavum. *Syst. Nat.*

25. Cer. niger, elytris fasciis flavis ; secundâ an- *Arietis.*
trorsùm arcuatâ, pedibus ferrugineis.

Gmel. 1853. 280. *
Cerambyx 4-fasciatus. *De Geer,* v. 81. 4.
Leptura Arietis. *Linn. Syst. Nat.* 640. 23. *Faun. Suec.*
695. *Vill.* i. 270. 26. *Harr.* 353. *Schrank,* 307.
Poda, 39. 11.
Schæff. Icon. t. 38. *f.* 7. 8. *t.* 107. *f.* 3. *Don. Brit. Ins.*
t. 27. *Mart. Eng. Ent. t.* 27. *f.* 4.
La Lepture à trois bandes dorées. *Geoff.* i. 214. 11.
Callidium Arietis. *Fab. Syst. Ent.* 193. 27. *Sp. Ins.* i.
242. 36. *Mant.* i. 155. 51. *Ent. Syst.* i. b. 333. 65.
Panz. Ent. Germ. 265. 26. *Payk. Faun. Suec.* iii.
96. 18. *Faun. Ingr.* 290.
Panz. Faun. Germ. 4. *t.* 15. *Oliv.* iv. 70. 36. 49. *t.* 2.
f. 20.

Long. corp. 7 lin.

Habitat in pratis inter arbores, et in hortis.

DESCR. Totus fusco-niger, oblongus, angustus. Thorax
margine superiore flavus est. Scutellum ubi elytra
conjunguntur puncto flavo notatur. Ad angulos elytrorum macula oblonga, transversa, in utroque elytro,
quæ ambæ non coëunt: in medio elytri utriusque
est linea flava, arcuata, flexurâ deorsum spectante, pede
interiore versus suturam cum oppositâ ferè coëunte,
hinc figura arietis ; intra hanc et apicem linea transversa flava cum oppositâ connexa ; apex elytrorum fla-

vus,

vus, ut et anus.   Caput, thorax et elytra villis tenuissimis tecta sunt.   Elytra apice truncata, licet extùs
præ pilis vix conspicuè.   Pedes rufescentes ; tibiæ spinâ
terminatæ.   Antennæ rufescentes, supernè fuscæ.
Alæ, dum parùm dehiscunt elytra, aurato-purpurea
lucent.   Lineæ 4 flavæ sub abdomine.   *Faun. Suec.*

---

29. LEPTURA.

Antennæ setaceæ.

Caput exsertum.

Oculi rotundi, sive ovales, nec antennas am-
    plectentes.

Thorax teretiusculus, anticè attenuatus.

Elytra apicem versus attenuata.

Corpus oblongum.

> * *Thorace spinoso, vel dentato.*
> ** *Thorace inermi.*

═══════

* *Thorace spinoso, vel dentato.*

meridiana. 1. Lep. nigra, elytris subfastigiatis abdomineque
    apice testaceis, pectore nitenti.

De Geer, v. 130. 5.   *Fab. Ent. Syst.* i. b. 341. 11.
    Panz. Ent. Germ. 269. 7.   *Payk. Faun. Suec.* iii.
    104. 4.
Panz. Faun. Germ. 45. t. 20.
Cerambyx meridianus. *Linn. Syst. Nat.* 630. 47. *Faun.*
    Suec. 648.   *Gmel.* 1861. 47.   *Vill.* i. 233. 17.
    Harr. 330. *Schrank,* 257.
Mart. Eng. Ent. t. 25. *f.* 11. 12.   *Schæff. Icon.* t. 3.
    f. 13. *t.* 79. *f.* 7. *t.* 82. *f.* 4 ? *t.* 83. *f.* 2. *t.* 279. *f.* 3.
Stenocorus merdianus. *Fab. Syst. Ent.* 178. 1. *Sp. Ins.*
    i. 225. 1.   *Mant.* i. 143. 1.   *Laich.* ii. 133. 2.
Oliv. iv. 69. 18. 11. *t.* 1. *f.* 2. b. *t.* 3. *f.* 2. c.

Long.

LEPTURA.

L. merdiana.

Long. corp. 1 unc.

Habitat ———— .

DESCR. Antennæ nigræ, basi rufæ. Frons apice palpique rufi. Thorax niger, fulvo-subvillosus, utrinque
dente obtuso armatus, lineâ intermediâ longitudinali
exaratus. Scutellum nigrum, fulvo-villosum. Elytra
rufo-testacea, versus apicem attenuata, obliquè trancata, lineis tribus obsoletis elevatis. Corpus subtùs
nigrum, aureo tomento villosum, abdominis tribus ultimis segmentis rufo-maculatis. Pedes rufo-testacei,
geniculis nigris.

Fœmina tota nigra, tomento aureo suprà rariùs, subtùs
præsertìm pectore confertiùs conspersa.

An Cerambyx Chrysogaster. *Schrank*, 252 ?

2. Lep. nigra, elytris pedibus abdomineque toto *rufiventris.*
testaceis, pectore nitenti.

Long. corp. 8 lin.

Habitat ————

DESCR. Præcedenti simillima, sed longè minor. Antennæ testaceæ, articulis intermediis apice nigris.
Caput et thorax obscurè nigra, aureo-villosa, lineâ intermediâ longitudinali exarata; thorax tuberculo utrinque armatur. Elytra rufo-testacea, lineis elevatis tribus
obsoletis. Pectus tomento aureo-virens. Pedes rufotestacei, geniculis nigris.

Sexus alter elytris fuscis, et omninò obscurior.

3. Lep. elytris nebulosis fusco subfasciatis, an- *inquisitor.*
tennis brevioribus.

De Geer, v. 126. 1. *t.* 4. *f.* 7.
Cerambyx inquisitor. *Linn. Syst. Nat.* 630. 49. *Faun.*
Suec. 659. *Gmel.* 1845. 49. *Poda*, 33. 8. *Harr.* 331.
Act. Nidros. iii. 392. 11. *Faun. Fred.* 13. 128. *Vill.*
i. 234. 19. *Schrank*, 258.
Schæff. Icon. t. 83. *f.* 3.
Rhagium inquisitor. *Fab. Syst. Ent.* 182. 1. *Sp. Ins.*
i. 229. 1. *Mant.* i. 145. 2. *Ent. Syst.* i. b. 304. 2.
Panz. Ent. Germ. 254. 2. *Payk. Faun. Suec.* iii.
66. 1. *Laich.* ii. 125. 5. *Faun. Ingr.* 274.

Mart. Eng. Ent. t. 25. *f.* 19.
Stenocorus inquisitor. *Oliv.* iv. 69. 9. 2. *t.* 2. *f.* 11.
Le Stencore noir velouté de jaune. *Geoff.* i. 223. 2.

Long. corp. 9 lin.

Habitat passim in sylvis. *Faun. Suec.*

DESCR. Caput vellere cinereo punctisque vix conspicuis
   nigris sub vellere; pone oculos versus pectus nigrum;
   punctum pone antennas nigrum. Antennæ cinereæ,
   undecim articulis corpore dimidio breviores, antrorsùm
   protensæ: tibiæ ad apicem duabus spinis armantur.
   Thorax cinereus, margine laterali nigro, in cujus medio
   mucro niger. Linea nigricans longitudinalis thoracis
   in medio tergi. Elytra oblonga, arcta, striis tribus
   longitudinalibus, elevatis, nitidiusculis: cæteroquin nebulosa sunt elytra ob maculas nigricantes temerè spar-
   sas; (et in quibusdam fascia duplex transversa nigra
   lateribus testacea.) Totum corpus alias cinereum, nigro
   nebulosum, qui cinereus color a pilis minutissimis, ad
   cervinum colorem accedentibus, oritur. *Faun. Suec.*

bifasciata. 4. **Lep.** elytris fuscis, fasciis duabus obliquis abbreviatis flavis.

Cerambyx inquisitor, var. β. *Linn. Syst. Nat.* 631. 49.
   Faun. Suec. 659. *Harr.* 332.
Schæff. Icon. t. 2. *f.* 10. ? *t.* 8. *f.* 3. *Elem. t.* 118. *f.* 1.
Cerambyx anglicus. *Gmel.* 1844. 237.
Rhagium bifasciatum. *Fab. Syst. Ent.* 183. 3. *Sp. Ins.*
   i. 230. 4. *Mant.* i. 146. 7. *Ent. Syst.* i. b. 305. 7.
   Panz. Ent. Germ. 255. 7. *Faun. Ingr.* 276.
Donov. Brit. Ins. t. 94. *f.* 1. *Mart. Eng. Ent. t.* 25.
   f. 18.
Rhagium Linnei. *Laich.* ii. 122. 4.
Stenocorus bifasciatus. *Oliv.* iv. 69. 11. 4. *t.* 1. *f.* 6. *t.* 2.
   f. 14.

Long. corp. 8—10 lin.

Habitat in sylvis.

DESCR. Statura *Lep. inquisitoris.* Antennæ ferrugineæ,
   primo articulo nigræ, corpore breviores. Càput atrum,
   canaliculatum, posticè gibbum. Thorax rotundatus
                                        niger,

niger, subcanaliculatus, spinâ validâ utrinque armatus.
Elytra fasciis duabus obliquis flavis, quæ tamen margines haud attingunt. Pedes nigri, femorum basi tibiisque rufis. *Syst. Ent.*

5. Lep. nigro-ænea, elytris flavis : basi lineisque *nigro-*
tribus longitudinalibus interruptis nigris.   *lineata.*

Don. Brit. Ins. t. 353. *f.* 1.

Long. corp. 10 lin.

Habitat ————   In mus. *D. Francis.*

DESCR. Antennæ nigræ. Caput et thorax nigro-ænea.
Scutellum griseum. Elytra flava, maculâ magnâ scutellari, suturâ et lineis elevatis tribus longitudinalibus
interruptis nigris. Corpus subtùs nigrum, argenteo-
villosum. Pedes picei.

6. Lep. nigra, elytris flavis basi atro-cæruleis : *bimaculata.*
maculâ lunatâ marginali ferrugineâ nigro-cinctâ.

Long. corp. 9 lin.

Habitat ————   In mus. *D. Francis.*

DESCR. Antennæ ferrugineæ. Caput et thorax nigra.
Scutellum flavum. Elytra flava, maculâ scutellari et
suturâ nigris ; in medio ad marginem macula lunaris
ferruginea cincta lineolâ undulatâ nigrâ, et macula altera
oblonga prope suturam juxta apicem. Corpus subtùs
nigro-ferrugineum. Pedes ferruginei, femoribus apice
nigris.

7. Lep. nigra, clytris flavo-fasciatis : apice ma- *dorsalis.*
culisque duabus marginalibus ferrugineis.

Long. corp. maris 8 lin.

———————— fœm. 10 lin.

Habitat ————   Capta prope Manchester.
     D. Phillips.

DESCR. Antennæ breves, subferrugineæ. Caput nigro-æneum, oculis ferrugineis. Thorax rotundatus,
nigro-æneus, utrinque spinâ acutâ recurvâ. Scutellum

                    ferrugineum.

ferrugineum. Elytra punctato-rugosa, basi et apicem
versus nigro-ænea; apex autem ipse ferrugineus.
Margines etiam maculis duabus ferrugineis confluentibus inficiuntur, quarum altera humerorum locum occupat, altera vero media est: hæc posticè punctum
nigrum gerit. Pedes ferruginei, femoribus apice nigris.

**** *Thorace inermi*.**

micans.   **8. Lep.** elytris violaceo-micantibus, femoribus
posticis bidentatis, tibiis omnibus simplicibus.

Leptura aquatica, var. β. *Linn. Syst. Nat.* 637. 1. *Faun.*
Suec. 677.

Mart. Eng. Ent. t. 28. *f.* 16. 17.

Leptura aquatica spinosa. *De Geer,* v. 140. 18. *t.* 4.
f. 14. 15.

Donacia micans. *Hoppe Ins. Erlang.* 39. 1. *f.* 1.

Donacia crassipes. *Fab. Ent. Syst.* i. b. 115. 1. *Payk.*
Faun. Suec. ii. 191. 4.

Le Stencore doré, var. δ. *Geoff.* i. 229. 12.

Long. corp. 4 lin.

Habitat in plantis aquaticis æstate.

DESCR. Antennæ nigrescentes; articulorum apices subtestacei. Caput læve, lineâ longitudinali in medio.
Thorax viridis, impunctatus, canaliculatus, lateribus
anticis prominulis. Elytra plana, punctato-striata, vi-
ridi-violacea, apice subtruncata: Corpus subtùs cinereo-
villosum. Pedes testacei: femora postica clavata, bidentata; dentes æquales recti: tibiæ posticæ simplices.
Hoppe.

fasciata.   **9. Lep.** elytris viridibus; lineâ longitudinali mediâ coccineâ, abdomine pedibusque aureis.

Gmel. 1866. 18.

Leptura aquatica fasciata. *De Geer,* v. 142. 20.

Donacia fasciata. *Hoppe Ins. Erl.* 42. 3. *f.* 3.

Donacia dentipes. *Fab. Ent. Syst.* i. b. 116. 3. *Panz.*
Ent. Germ. 214. 3. *Payk. Faun. Suec.* ii. 195. 8.

Panz. Faun. Germ. 29. *t.* 5.

Long.

Long. corp. 5 lin.

Habitat in plantis aquaticis, vere.

DESCR. Antennæ nigrescentes. Caput subtilissimé
punctatum; lineâ longitudinali in medio. Thorax
cylindricus, canaliculatus, punctatus, lateribus anticis
tuberculatus. Elytra lacunosa, viridia, fasciâ mediâ
longitudinali coccineâ, cum maculâ impressâ aureâ
juxta marginem interiorem versus basin, apice rotundata. Corpus subtùs cum pedibus aureo-villosum.
Femora postica unidentata. *Hoppe.*

10. Lep. elytris inauratis: margine laterali vit- *vittata.*
tâque baseos abbreviatâ atro-violaceis.

Donacia vittata. *Panz. Faun. Germ.* 29. *t.* 11.
Donacia marginata. *Hoppe Ins. Erlang.* 42. *f.* 4.

Long. corp. 4½ lin.

Habitat in *Nymphæâ, Potamogetone.*

DESCR. Caput aureum, nitidulum, inter oculos lineâ
impressâ. Antennæ fuscæ, articulo primo maximo.
Thorax punctatus, subæqualis, medio lineâ impressâ.
Elytra inaurata, opaca, punctato-striata, margine laterali
vittaque baseos abbreviatâ atro-violaceis. Corpus subtùs
argenteum. Pedes aurei, femoribus posticis clavatis.
Panz.

11. Lep. elytris viridi-aureis lacunosis apice trun- *Sagittariæ.*
catis, abdomine pedibusque aureis.

Donacia Sagittariæ. *Fab. Ent. Syst.* i. b. 117. 5. *Panz.*
Ent. Germ. 215. 6. *Payk. Faun. Suec.* ii. 192. 5.
Panz. Faun. Germ. 29. *t.* 7.
Donacia aurea. *Hoppe Ins. Erl.* 43. *f.* 5.

Long. corp. 5 lin.

Habitat in *Sagittariâ.*

DESCR. Antennæ nigricantes. Caput æneum, canaliculatum. Thorax rugosus, canaliculatus, lateribus anticis prominulis. Elytra lacunosa, punctato-striata,
viridi-aurea, apice attenuata, truncata. Corpus subtùs

pedesque

pedesque aureo-villosa.   Femora postica unidentata;
tarsi nigri.   *Hoppe.*

ænea.   12. Lep. elytris æneis æqualibus apice rotundatis,
abdomine pedibusque æneis.

Leptura aquatica ænea. *De Geer,* v. 143. 21.
Donacia ænea. *Hoppe Ins. Erlang.* 44. *f.* 6.
Donacia impressa. *Payk. Faun. Suec.* ii. 193. 6.

Long. corp. 4 lin.

Habitat ———

DESCR. Tota ænea.   Caput lineatum, læve.   Thorax
cylindricus, canaliculatus, lævis, lateribus anticis tuberculatus.   Elytra æqualia, argutè punctato-striata, apice
rotundata.   Femora postica unidentata; tarsi nigri.
Hoppe.

Festucæ.   13. Lep. elytris violaceis apice rotundatis, abdomine argenteo-villoso.

An Leptura sericea? *Linn. Syst. Nat.* 638. 8. *Faun.
Suec.* 683.
Donacia Festucæ. *Fab. Ent. Syst.* i. b. 116. 2.   *Panz.
Ent. Germ.* 214. 2.
Panz. Faun. Germ. 29. *t.* 2.
Donacia violacea. *Hoppe Ins Erl.* 44. *f.* 7.
Donacia Nymphææ, var. β. *Payk. Faun. Suec.* ii. 195. 9.

Long. corp. $3\frac{1}{2}$—4 lin.

Habitat in *Festucâ aquaticâ.*

DESCR. Antennæ nigræ.   Caput et thorax violacea,
canaliculata.   Elytra violacea, æqualia, linearia, apice
rotundata.   Pedes nigri: femora postica unidentata.
Hoppe.

discolor.   14. Lep. elytris æneis nigrisve apice rotundatis,
abdomine cincreo-villoso, pedibus rufo-testaceis.

Donacia discolor. *Panz. Ent. Germ.* 216. 12.
Hoppe Ins. Erl. 45. mas. *f.* 9.   *Panz. Faun. Germ.* 29.
t. 3. 4.

Long.

Long. corp. 4 lin.

Habitat in *Calthæ palustris* floribus. Maio.

DESCR. Antennæ pedesque rubro-testacei. Thorax
   obsoletè punctatus, tuberculatus. Elytra obsoletè
   punctato-striata, apice rotundata. Femora incrassata :
   postica clavata unidentata. *Hoppe.*

15. Lep. elytris cupreis apice rotundatis, abdomine *Nymphææ.*
   cinereo-villoso, pedibus argenteis.

Donacia Nymphææ. *Fab. Ent. Syst.* i. b. 116. 4. *Panz.*
   Ent. Germ. 215. 5. *Payk. Faun. Suec.* ii. 196. 9.

Long. corp. $4\frac{1}{2}$ lin.

Habitat in *Nymphææ* foliis frequens.

DESCR. Reliquis paullo minor. Caput cupreum, antennis oreque nigris. Thorax cylindricus, canaliculatus, anticè utrinque puncto gibbo, prominulo, cupreus,
   immaculatus. Elytra crenato-striata, cuprea. Corpus
   totum subtùs cum pedibus villis argenteis nitidulum.
   Femora postica vix incrassata, at unidentata. *Ent. Syst.*

16. Lep. elytris linearibus apice truncatis æneo- *linearis.*
   nitidulis, pedibus subtestaceis.

Donacia linearis. *Hoppe Ins. Erl.* 46. *f.* 10.

Long. corp. 5 lin.

Habitat ad piscinas in plantis aquaticis. Maio.

DESCR. Antennæ nigricantes. Caput punctatum, lineatum. Thorax rugosus, canaliculatus. Elytra argutè
   punctato-striata, linearia, apice truncata. Abdomen
   cinereo-nitidulum. Pedes subtestacei ; femora omnia
   simplicia.

17. Lep. elytris cinereo-nitidulis apice rotundatis, *Hydrocharis.*
   corpore pedibusque cinereis.

Donacia Hydrocharis. *Fab. Ent. Syst.* i. b. 118. 10.
   Panz. Ent. Germ. 216. 10. *Payk. Faun. Suec.* ii.
   189. 1.
                                          Panz.

Panz. Faun. Germ. 29. *t.* 17.
Donacia cinerea. *Hoppe Ins. Erl.* 46. *f.* 11.

Long. corp. 4½—5 lin.

Habitat in plantis aquaticis, præsertim *Typhis.*
 Maio.

DESCR. Antennæ cinereæ. Caput lineatum. Thorax
 rugosus, tuberculatus. Elytra cinereo-nitidula, obsoletè
 punctato-striata, apice rotundata. Corpus subtùs pedesque cinerei : femora omnia simplicia. *Hoppe.*

melano-
cephala.

18. Lep. deaurata ænea, capite nigro, elytris liturâ
 dorsali obscurè cupreâ, femoribus rufo-piceis
 simplicibus.

Long. corp. 3 lin.

Habitat ———

DESCR. Caput nigrum. Antennæ fuscæ. Thorax
 æneus, canaliculatus. Elytra aureo-nitentia, punctato-
 striata, liturâ dorsali versus apicem cupreâ, apice rotundata. Corpus subtùs nigro-æneum. Femora rufa,
 apice tibiisque nigro-piceis.

simplex.

19. Lep. deaurata ænea, antennis pedibusque
 rufis, femoribus posticis longissimis muticis.

Gmel. 1866. 17.
Leptura aquatica mutica. *De Geer,* v. 142. 19.
Donacia simplex. *Fab. Ent. Syst.* i. b. 118. 9. *Payk.*
 Faun. Suec. ii. 189. 2. *Panz. Ent. Germ.* 216. 9.
Mart. Eng. Ent. t. 28. *f.* 15. *Panz. Faun. Germ.* 29,
 t. 15.

Long. corp. 6 lin.

Habitat ———

DESCR. Totum corpus suprà æneum, concolor. Antennæ rufæ. Elytra punctato-striata, nec lacunosa,
 Corpus subtùs argenteo-villosum. Pedes rufi, femoribus
 posticis longioribus absque ullo dente.

20, Lep.

20. Lep. fusca, elytris punctato-striatis, ore an- *fusca.*
tennis pedibusque rufis, femoribus posterioribus
dente valido armatis.

Gmel. 1867. 86.

Long. corp. 3 lin.

Habitat ———

DESCR.   Corpus totum fuscum.   Elytra punctato-
striata.   Antennæ rufæ.   Pedes rufi, femoribus posticis
dentatis.

21. Lep. abdomine pedibus antennisque rufis, *palustris.*
elytris atro-æneis punctato-substriatis.

Gmel. 1866. 20.
Donacia palustris. *Panz. Ent. Germ.* 217. 13.
Panz. Faun. Germ. 29. *t.* 10.

Long. corp. 6 lin.

Habitat in plantis aquaticis.

DESCR.   Caput atro-æneum, subviolaceum, medio fossulâ impressâ.   Antennæ rufæ, articulo primo clavato,
maximo.   Thorax obscurè æneus, anticè margine laterali gibbo, medio lineâ exaratâ.   Elytra obtusa, atro-
ænea, punctato-substriata.   Pedes rufi, femoribus posticis clavatis, in omni sexu dentatis.   Corpus subtùs
rufum.   *Panz. Faun. Germ.*

22. Lep. thorace abdomineque rubris, elytris ni- *collaris.*
gris.

Linn. Syst. Nat. 639. 16.   *Faun. Suec.* 691.   *Vill.* i.
267. 19.   *Scop.* 159.   *Poda,* 39. 10.   *Harr.* 360.
Fab. Syst. Ent. 198. 16.   *Sp. Ins.* i. 249. 23.   *Mant.* i.
160. 33.   *Ent. Syst.* i. b. 349. 51.   *Panz. Ent. Germ.*
275. 42.   *Payk. Faun. Suec.* iii. 126. 28.   *Gmel.*
1875. 16.
Mart. Eng. Ent. t. 27. *f.* 5.   *Schæff. Icon. t.* 58. *f.* 9.
Oliv. iv. 73. 27. 36. *t.* 4. *f.* 44.
Leptura ruficollis. *De Geer,* v. 143. 22.

Le

Le Stencore noir à corcelet rouge. *Geoff.* i. 228. 11.

Long. corp. 4 lin.

Habitat ————

DESCR. Corpus totum atrum, glaberrimum, sed thorax globosus ferrugineus, ut et abdomen post pedes, a tergo flavum. *Faun. Suec.*

melanura. 23. Lep. nigra, elytris rubescentibus lividisve, suturâ apiceque nigris.

Linn. Syst. Nat. 637. 2. *Faun. Suec.* 678. *Vill.* i. 260.
5. *Gmel.* 1868. 2. *Fab. Syst. Ent.* 196. 1. *Sp. Ins.*
i. 245. 2. *Mant.* i. 158. 4. *Ent. Syst.* i. b. 340. 5.
Payk. Faun. Suec. iii. 110. 11. *Faun. Fred.* 14. 136.
Poda, 37. 2. *Harr.* 362. *Rai.* 499. *Act. Nidros.* iii.
394. 13. *Faun. Etrusc.* 398. *Hellw.* 398. *Panz.*
Ent. Germ. 268. 3.
Schæff. Icon. t. 39. *f.* 8. 9. *Frisch.* 12. *t.* 3. *ic.* 6. *f.* 6.
Panz. Faun. Germ. 69. *t.* 19. *Oliv.* iv. 73. 6. 3. *t.* 1.
f. 6. *Mart. Eng. Ent.* t. 27. *f.* 7.
Le Stencore noir à étuis rougeâtres. *Geoff.* i. 226. 7.
t. 4. *f.* 1.
Leptura suturâ nigrâ. *De Geer,* v. 138. 15.

Long. corp. 4 lin.

Habitat in floribus frequens.

DESCR. Antennæ nigræ, maris corporis longitudine, fœminæ paulo breviores. Caput et thorax nigra, subtilissimè punctulata. Thorax posticè angulis prominulis acutis. Elytra punctulata, attenuato-præmorsa, maris testacea suturâ apiceque tenuissimè nigris, fœminæ rubescentia apice suturâque post basin latè nigris. Corpus subtùs et pedes nigra, pube brevissimâ grisescenti, holosericeâ, vix nisi certo respectu ad lumen conspiciendâ. Pedes postici corpore longiores.

revestita. 24. Lep. testacea, elytris pectore antennisque atris.

Linn. Syst. Nat. 638. 6. *Laich.* ii. 153. 10. *Vill.* i.
262. 9. *Gmel.* 1870. 6.

Leptura

Leptura villica. *Fab. Syst. Ent.* 196. 3.   *Sp. Ins.* i.
246. 5.   *Mant.* i. 158. 8.   *Ent. Syst.* i. b. 341. 12.
Payk. Faun. Suec. iii. 113. 14.   *Panz. Ent. Germ.*
269. 8.   *Vill.* i. 274. 48.   *Faun. Etrusc.* 400.
Hellw. 400.   *Gmel.* 1869. 28.

Panz. Faun. Germ. 22. *t.* 13.   *Oliv.* iv. 73. 13. 15. *t.* 2.
f. 25. *t.* 1. *f.* 10.   *Mart. Eng. Ent. t.* 27. *f.* 1.

Long. corp. 5 lin.

Habitat ————   In mus. *D. Beckwith.*

DESCR. Caput, thorax, abdomen pedesque ferruginea.
Elytra glabra, atra, apice bidentata. Pectus atrum.
Antennæ atræ, sed primo articulo testaceo. Thorax
ad latera utrinque mucrone planè obsoleto, et postico
margine laterali acuto. *Linn. Syst. Nat.*

25. Lep. elytris fastigiatis, corpore nigro nitido, *nigra.*
abdomine rufo.

Linn. Syst. Nat. 639. 14.   *Faun. Suec.* 689.   *Vill.* i.
266. 17.   *Fab. Syst. Ent.* 197. 8.   *Sp. Ins.* i. 247.
13. *Mant.* i. 159. 40.   *Ent. Syst.* i. b. 344. 27.
De Geer, v. 144. 24.   *Payk. Faun. Suec.* iii. 120.
22.   *Faun. Etrusc.* 406.   *Hellw.* 406.   *Panz. Ent.*
Germ. 271. 19.

Mart. Eng. Ent. t. 27. *f.* 8.   *Schæff. Icon. t.* 39. *f.* 7.
Panz. Faun. Germ. 69. *t.* 18.   *Oliv.* iv. 73. 21. 26.
t. 3. *f.* 36. a. b.

Long. corp. 4½ lin.

Habitat ————

DESCR. Tota nigra, abdomine excepto: Thorax nitidus, utrinque posticè mucronatus, ut in *Lepturâ mela-*
nurâ. Elytra punctulata, fastigiata, apice obliquè
truncata, præmorsa. Corpus subtùs pube brevissimâ
grisescenti adspersum. Abdomen maris apice rufum,
fœminæ totum rufum. Pedes postici corpore longiores.

26. Lep. nigra, elytris rufescentibus : suturâ apice- *lævis.*
que nigris, pedibus rufis.

Fab.

Fab Ent. Syst. i. b. 340. 6. *Payk. Faun. Suec.* iii. 128.
 31. *Panz. Ent. Germ.* 269. 4.
Panz. Faun. Germ. 34. t. 16. *Schæff. Icon.* t. 39. f. 5.
 Oliv. iv. 73. 34. 50. t. 4. f. 51.
Leptura tabacicolor. *De Geer,* v. 139. 17. *Vill.* i.
 274. 46.
An Leptura Chrysomeloides. *Schrank,* 297 ?

Long. corp. 4 lin.

Habitat ————

Descr. Maximè affinis *L. melanuræ* quàm profectò
diceres, nisi pedes rufi aliter suaderent. Antennæ
nigræ, articulo primo apice rufo. Caput et thorax
nigra, pube grisescenti. Elytra fastigiata, rufescentia,
suturâ tenuiter summoque apice nigris. Corpus subtùs
nigrum, pubescens, pube grisescenti.

livida. 27. Lep. nigra, elytris rufescentibus immaculatis.

Fab. Gen. Ins. Mant. 233. *Sp. Ins.* i. 246. 3. *Mant.* i.
 158. 5. *Ent. Syst.* i. b. 340. 7. *Panz. Ent. Germ.*
 269. 5. *Faun. Etrusc.* 399. *Hellw.* 399. *Gmel.*
 1869. 26.
Oliv. iv. 73. 33. 49. t. 4. f. 50. *Mart. Eng. Ent.*
 t. 28. f. 13. *Herbst. Arch.* t. 26. f. 23.
Leptura nigripes. *De Geer,* v. 136. 12. *Payk. Faun.*
 Suec. iii. 121. 23. *Vill.* i. 274. 45. *Gmel.* 1874. 60.

Long. corp. 3¼ lin.

Habitat ————

Descr. Totum corpus villosum, nigrum. Antennæ
filiformes, extrorsùm potiùs crassiores. Thorax ut in
Lep. melanurâ punctis impressis numerosis. Elytra
rubescentia, immaculata, obtusa, vix attenuata, apice
rotundata. Pedes nigri.

femorata. 28. Lep. nigro-viridis tomentosa, antennis rubro
 nigroque variis.

Fab. Mant. i. 159. 17. *Ent. Syst.* i. b. 343. 24. *Payk.*
 Faun. Suec. iii. 127. 29. *Panz. Ent. Germ.* 271. 17.
 Gmel. 1870. 34.

             Oliv.

Oliv. iv. 73. 31. 44. *t.* 2. *f.* 15. a. b. *t.* 4. *f.* 15. c.
Le Stencore noir à cuisses rouges.   *Geoff.* i. 227. 10.

Long. corp. 3¼ lin.

Habitat ———

DESCR. Antennæ ⅔ corporis æquant, rufæ, articulis
    nigris. Totum corpus atro-virens, sericeum. Elytra
    punctatissima. Pedes duo antici rufi, femoribus api-
    cem versus extùs nigris; duo intermedii rufi, geniculis
    nigris; postici nigri, femoribus basi rufis; in omnibus
    tarsi nigri.

29. Lep. atra, elytris luteis apice nigris.   *affinis.*

Long. corp. 6 lin.

Habitat ———

DESCR. Maximè affinis *Lep. melanuræ*, sed abundè
    differt, magnitudine triplo majori, tum suturâ elytro-
    rum immaculatâ, nec nigrâ. Præter elytra, quæ
    apice nigra sunt, totum corpus aterrimum. Animal
    hoc omninò pilis nigris, vel luteis, pro colore artuum
    obvestitur.

30. Lep. nigra, coleoptris testaceis: maculis octo 6-*maculata.*
    nigris.

Linn. Syst. Nat. 638. 11.   *Faun. Suec.* 686.   *Vill.* i.
    264. 14.   *Gmel.* 1871. 11.   *Fab. Syst. Ent.* 197. 11.
    Sp. Ins. i. 248. 16.   *Mant.* i. 160. 26.   *Ent. Syst.*
    i. b. 346. 37.   *Panz. Ent. Germ.* 272. 26.   *Payk.*
    Faun. Suec. iii. 123. 25.   *De Geer*, v. 133. 9.
Panz. Faun. Germ. 69. *t.* 21.   *Oliv.* iv. 73. 26. 35.
    t. 4. *f.* 43.   *Mart. Eng. Ent. t.* 28. *f.* 22.   *Don. Brit.*
    Ins. t. 353. *f.* 2.

Long. corp. 5 lin.

Habitat ——— Capta prope Barnstaple. *Miss Hill.*

DESCR. Nigra, thorax autem vellere subfulvo obtegi-
    tur. Coleoptra testacea maculis octo notantur. Utrum-
    que scilicet elytrum quatuor exhibet; duas ad basin,
    quarum una ovata ad suturam minor, altera hinc pa-

rallela ad marginem major sublunata; tertiam margi-
nalem magnam ad medium elytri; quartam ad apicem.
Macula, apicis marginem ipsum inficit, caetera non
item. In quibusdam maculæ ovatæ ad basin elytrorum suturæ adnexæ, simul coeunt in unam, hinc coleoptra clausa sex-maculata videntur. Abdomen subtùs vellere fulvo sive cinereo. Pedes nigri.

4-*fasciata.* 31. Lep. nigra, elytris testaceis: fasciis quatuor
dentatis nigris, pedibus atris.

> *Linn. Syst. Nat.* 639. 12. *Faun. Suec.* 687. *Vill.* i.
> 265. 15. *Gmel.* 1871. 12. *Fab. Syst. Ent.* 198. 13.
> *Sp. Ins.* i. 248. 19. *Mant.* i. 160. 29. *Ent. Syst.*
> i. b. 348. 44. *Panz. Ent. Germ.* 273. 31. *Poda,*
> 28. 4. *Harr.* 374. *Payk. Faun. Suec.* iii. 114. 15.
> *Laich.* ii. 143. 6. *Faun. Etrusc.* 401. *Hellw.* 401.
> *Schæff. Icon. t.* 59. *f.* 6. *Mart. Eng. Ent. t.* 27. *f.* 9.
> Leptura octo-maculata. *De Geer,* v. 132. 8. *t.* 4. *f.* 11.

Long. corp. 6½ lin.

Habitat ————

DESCR. Corpus totum nigrum, ut et elytra quæ maculis ferrugineis quatuor parium insigniuntur, quarum
intermediæ undulatæ sunt. Thorax posticè compli-
catus quasi est: vel, si mavis, elytra testacea, fasciis
quatuor nigris undulatis transversis, ultimâ termina-
trice. *Faun. Suec.*
Fœminam sequentis esse monet. *D. Scopoli.*

attenuata. 32. Lep. elytris fastigiatis attenuatis fulvis: fasciis
quatuor nigris, pedibus testaceis.

> *Linn. Syst. Nat.* 639. 13. *Faun. Suec.* 688. *Vill.* i.
> 266. 16. *Gmel.* 1871. 13. *Fab. Syst. Ent.* 198. 12.
> *Sp. Ins.* i. 248. 18. *Mant.* i. 160. 28. *Ent. Syst.*
> i. b. 346. 40. *Panz. Ent. Germ.* 273. 27. *Poda,*
> 28. 5. *Harr.* 373. *Payk. Faun. Suec.* iii. 116. 18.
> *Laich.* ii. 150. 9. *Faun. Etrusc.* 407. *Hellw.* 407.
> *Oliv.* iv. 70. 17. 20. *t.* 1. *f.* 8. *Schæff. Icon. t.* 39. *f.* 6.
> *t.* 65. *f.* 11.

Long.

Long. corp.   lin.

Habitat ——————

Descr. Corpus posticè valdè attenuatum. Caput, thorax, pectus nigra. Abdomen ferrugineum, apice nigro. Elytris fasciis quatuor flavis, totidemque nigris.
Faun. Suec.

Femora postica apice nigra. *Syst. Nat.*
An præcedentis mas?

33. Lep. nigra, thorace subdentato, coleoptris *elongata.*
flavis: .fasciis quatuor nigris; anteriore punctatâ, secundâ interruptâ.

De Geer, v. 134. 10. *Faun. Etrusc. Mant.* 133. *Hellw.*
Mant. 133. *Linn. Faun. Suec.* 2275.
Donov. Brit. Ins. t. 81. *f.* 4. *Mart. Eng. Ent.* t. 27.
f. 10. *Schæff. Icon.* t. 58. *f.* 10.
Leptura armata. *Gmel.* 1872. 44.
Fues. Arch. 140. 5. t. 26. *f.* 24. mala.
Le Stencore noir à bandes noires. *Geoff.* i. 224. 5.
Mas. Leptura calcarata. *Fab. Ent. Syst.* i. b. 347. 41.
Payk. Faun. Suec. iii. 114. 16. *Panz. Ent. Germ.*
273. 28.
Oliv. iv. 73. 14. 17. t. 1. *f.* 1. b.
Fœmina. Lept. subspinosa. *Fab. Ent. Syst.* i. b. 347. 42.
Payk. Faun. Suec. iii. 115. 17. *Panz. Ent. Germ.*
273. 29.
Oliv. iv. 73. 15. 18. t. 3. *f.* 30. a. b.

Long. corp. 7 lin.

Habitat in sylvis frequens.

Descr. Corpus valdè attenuatum, præsertim in mare.
Antennæ corpore sub-breviores, maris nigræ articulis
basi parùm testaceis, fœminæ flavæ articulis ad apicem
dimidiato nigris. Caput nigrum, in quibusdam fasciâ frontali fulvâ. Thorax niger, in medio utrinque
denticulo obsoleto, laterali, angulis posticis acutis.
Coleoptra præmorsa, flava, fasciis quatuor nigris;
primâ e punctis quinque quorum intermedium commune est, secundâ in medio interruptâ, tertiâ posticâ
latâ integrâ, et ultimâ integrâ in apice. Corpus subtùs

                                    nigrum,

nigrum, sub-pubescens, abdominis foeminæ segmentis
tribus flavis. Pedes flavi, femoribus posticis apice
nigris, tarsisque omnibus nigris fuscisve: tibiæ posticæ
maris post medium internè erosæ; scilicet medio crassiores sunt, dente mutico, inde tenuiores evadunt, quasi
interior pars recisa fuerit; ante apicem crassescunt
dente interiore; apex ipse bispinosus ut in cæteris.
Variat fasciâ anteriore integrâ undatâ, et ultimis tribus
per marginem exteriorem connexis.
An Leptura sinuata? *Fab. Ent. Syst.* i. b. 347. 43.
Panz. Ent. Germ. 273. 30.

aurulenta. 34. Lep. nigra, antennis pedibusque ferrugineis,
elytris ferrugincis : fascïs quatuor nigris.

Fab. Ent. Syst. i. b. 348. 45. *Panz. Ent. Germ.* 274. 33.
Oliv. iv. 73. 18. 21. *t.* 3. *f.* 31.

Long. corp. 10 lin.

Habitat ———— Capta prope Barnstaple. *D. Hill.*

Descr. Antennæ ferrugineæ. Caput ex piceo nigrum.
Os labio ferrugineo, maxillis nigris. Thorax villis
aureis nitidis splendidus, villis autem detractis niger.
Elytra apice erosa, punctulata, punctulis numerosissimis confertis, quadrifasciata; fascia ad basin minùs
saturata; basis ipsa elytrorum suturam versus nigra;
fasciæ omnes obliquæ; ultima apicem occupat. Pectus
et sternum nigra. Abdomen nigrum, marginibus incisurarum villis aureis splendidis. Pedes ferruginei,
villosi, femoribus basi sordidè nigris. Differt a *Lep.*
4-*fasciatâ*, antennis pedibusque ferrugineis, nec nigris; a *Lep. elongatâ* articulis antennarum unicolo-
ribus, nec minimè quidem apice nigris.

exclamatio- 35. Lep. nigra, elytris puncto bascos lineâque
nis.   mediâ flavis.

Fab. Ent. Syst. i. b. 343. 20.
Oliv. iv. 73. 29. 39. *t.* 2. *f.* 19.

Long. corp. 5 lin.

Habitat ———— Capta in sylvâ Clarendon dictâ,
prope Salisburiam. *D. Lambert.*

Descr.

NECYDALIS.

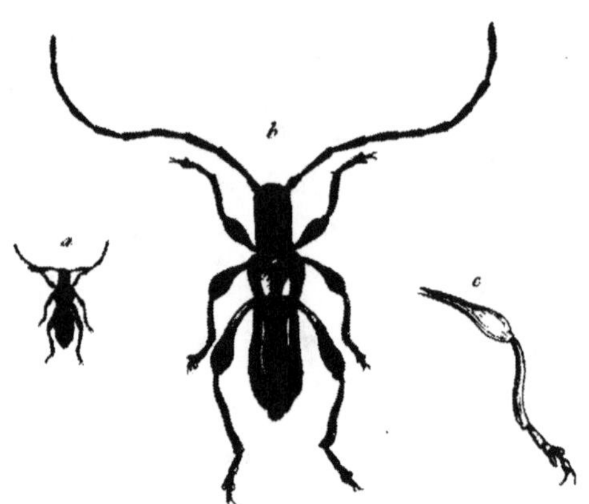

N. minor.

Descr. Caput et thorax atra, nitida, immaculata.
Elytra truncata, nigra, puncto baseos lineolâque mediâ lunatâ flavis.   Abdomen argenteo-villosum. Pedes nigri. *Ent. Syst.*

36. Lep. ferruginea glabra, antennis extrorsùm *fuscicornis.*
   oculis sternoque nigris.

Long. corp. 6 lin.

Habitat ————   In mus. *D. Lewin.*

Descr. Antennæ nigræ, basi ferrugineæ.   Oculi atri.
Sternum atrum.   Plantæ quatuor anticæ nigricantes.
Per cætera ferruginea est.   Caput, thorax et pedes
rubescunt.

37. Lep. nigra tomentosa, elytris puncto macu- *puncto-*
   lâque reniformi flavis.   *maculata.*

Long. corp. 5 lin.

Habitat ————   In mus. *D. Lewin.*

Descr. Tota nigra, præter elytra, quæ basi punctum
et medio maculam elongatam subreniformem exhibent.

---

30. NECYDALIS.

Antennæ setaceæ, vix filiformes.

Thorax angustus, rotundatus.

Elytra alis minora (breviora sive angustiora).

Corpus oblongum, immarginatum.

Cauda simplex.

    * *Elytris alis abdomineque multo brevioribus.*
   ** *Elytris subulatis longitudine abdominis.*

** Elytris alis abdomineque multo brevioribus.*

minor.

1. Nec. elytris testaceis apice lineolâ albâ, antennis longioribus.

Linn. Syst. Nat. 641. 2.   *Faun. Suec.* 837.   *Vill.* i. 278. 2.   *Scop.* 179.   *Faun. Fred.* 22. 220.   *Gmel.* 1878. 2.

Oliv. iv. 74. 6. 2. *t.* 1. *f.* 2. a. b.   *Mart. Eng. Ent. t.* 23. *f.* 1.

Necydalis Ceramboides. *De Geer,* v. 151. 2.

Leptura dimidiata. *Fab. Syst. Ent.* 199. 20.   *Sp. Ins.* i. 250. 27.   *Mant.* i. 160. 37.

Molorchus dimidiata. *Fab. Ent. Syst.* i. b. 357. 3.   *Panz. Ent. Germ.* 281. 2.   *Payk. Faun. Suec.* iii. 130. 2.

Panz. Faun. Germ. 41. *t.* 21.

Long. corp. 3 lin.

Habitat in sepibus. *Linn.*

DESCR. Caput nigrum. Thorax oblongus, ater, punctis duobus nitidis, dorsalibus. Elytra grisea, basi angulata, abdomine dimidio breviora, apice dehiscentia inter se, et singula maculâ lineari albâ apice notata. Alæ seminudæ, ut in hemipteris, cruciatæ, nec intra elytra retractæ. Antennæ griseæ, corpore duplo longiores, setaceæ, articulo infimo crasso; secundo minimo; tertio et reliquis oblongis. Pedes grisei. Femora versus apicem valdè crassa, clavata, et in eodem loco ferè globosa. Ex antennis esset *Cerambyx!* ex pedibus *Leptura!* ex elytris *Forficula!* cum *Cerambyce* tamen maximè adfinis, licet externa facie dissimilis. *Faun. Suec.*

Umbellata-
rum.

2. Nec. elytris testaceis immaculatis, antennis longis.

Linn. Syst. Nat. 641. 3.   *Vill.* i. 279. 3.   *Gmel.* 1878. 3.

Necydalis minima. *Scop.* 180.

Oliv. iv. 74. 7. 3. *t.* 1. *f.* 3. a. b.   *Schæff. Icon. t.* 95. *f.* 4.   *Mart. Eng. Ent. t.* 23. *f.* 2.

Leptura Umbellatarum. *Fab. Syst. Ent.* 199. 21.   *Sp. Ins.* i. 250. 28.   *Mant.* i. 160. 38.

Molorchus

Molorchus Umbellatarum. *Fab. Ent. Syst.* i. b. 357. 4.
  Panz. Ent. Germ. 281. 3.   *Payk. Faun. Suec.* iii.
  131. 3.
Long. corp. 3 lin.
Habitat ———

DESCR. Simillima *Nec. minori*, sed dimidio minor, et
  absque lineolâ albâ ad apicem. *Syst. Nat.*
Obs. Specimen nostrum *Nec. minorem* magnitudine ex-
  æquat.

3. Nec. elytris subulatis nigris ba i flavis.   *humeralis.*

Fab. Syst. Ent. 209. 4.   *Sp. Ins.* i. 263. 5.   *Mant.* i.
  170. 7.   *Ent. Syst.* i. b. 352. 12.   *Panz. Ent. Germ.*
  277. 11.   *Vill.* i. 283. 14.   *Gmel.* 1880. 18.   *Faun.*
  Etrusc. 434.   *Hellw.* 434.
Mart. Eng. Ent. t. 23. *f.* 7.   *Don. Brit. Ins. t.* 358.
  f. 1.
Necydalis muralis. *Forst. Cent.* 48.
Cantharis humeralis. *Oliv.* iii. 46. 19. 22. *t.* 2. *f.* 22.
La Cantharide à bande jaune. *Geoff.* i. 342. 2.

Long. corp. 6 lin.

Habitat ———

DESCR. Corpus nigrum. Elytra subulata, nigra, basi
  flavescentia, absque lineis aut margine elevatis. Pedes
  simplices nigri. *Syst. Ent.*

   ** *Elytris subulatis longitudine abdominis.*

4. Nec. cærulea, femoribus posticis clavatis ar- *cærulea.*
  cuatis.

Linn. Syst. Nat. 642. 4.   *Vill.* i. 279. 4.   *Gmel.* 1879. 4.
  Fab. Syst. Ent. 209. 6.   *Sp. Ins.* i. 264. 7.   *Mant.* i.
  170. 2.   *Ent. Syst.* i. b. 354. 19.   *Panz. Ent. Germ.*
  279. 21.   *Faun. Etrusc.* 433.   *Hellw.* 433.
Mart. Eng. Ent. t. 23. *f.* 6.   *Schæff. Icon. t.* 94. *f.* 7.
Telephorus cæruleus. *De Geer,* iv. 76. 8.
Cantharis nobilis. *Scop.* 146.
La Cantharide verte à grosses cuisses. *Geoff.* i. 342. 3.
                    2 A 4   Ædemera

Ædemera cærulea. *Oliv.* iii. 50. 13. 16. *t. 2. f.* 16. a. b.

Long. corp. 5 lin.

Habitat ————

Descr. Tota cærulea, nitidissima. Femora tantùm postica incrassata, magna, curva. Tibiæ plantæque omnes nigræ. *Syst. Nat.*

Obs. Color apud nos cæruleo-viridis, sive aureo-viridis, potiùs quam cæruleus. Elytra lineis duabus elevatis.

ceramboi-   5. Nec. cæruleo-viridis, femoribus simplicibus.
des.

Forst. Cent. 47.

Mart. Eng. Ent. t. 23. *f.* 5.

La Cantharide verte à grosses cuisses, var. N. B. *Geoff.* i. 342. 3.

Long. corp. 4¼ lin.

Habitat in floribus umbellatis.

Descr. Præcedenti simillima, ut ovum ovo, sed femora postica non clavata, aut arcuata. An species distincta ? An sexûs differentia ?

lurida.   6. Nec. cæruleo-lurida, femoribus posticis simplicibus.

Long. corp. 3¼ lin.

Habitat ———— Capta prope Dubrem. *D. Lyon.*

Descr. Maximè affinis *Nec. cæruleæ* et *ceramboidi,* sed differt a priori femoribus simplicibus, nec clavatis, et a posteriori magnitudine quæ minor est, et colore, qui obscurus, et cæruleo-luridus, nec nitens viridisque. Fatendum autem est, quod mas aurato-viridis, sed nitore quo *Nec. ceramboides* gaudet omninò caret.

Podagra-   7. Nec. flava, oculis thoracisque lateribus ni-
riæ.   gris, elytris fusco-testaceis, femoribus posticis globosis.

Linn. Syst. Nat. 642. 9. *Vill.* i. 281. 8. *Gmel.* 1880. 9. *Fab. Ent. Syst.* i. b. 354. 20. *Panz. Ent. Germ.* 279. 22.
                                         Payk.

LAMPYRIS.

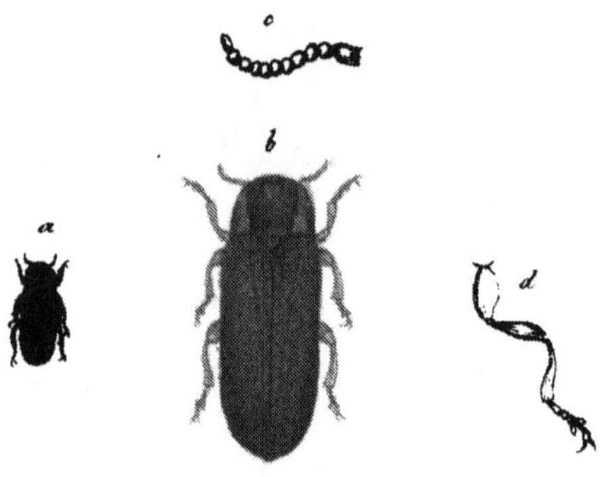

L. . Noctiluca.

Payk. Faun. Suec. iii. 134. 4.   *Faun. Etrusc.* 432.
Hellw. 432.

Long. corp. 7 lin.

Habitat ———

DESCR. Antennæ flavescentes. Caput flavum, maculâ nigrâ inter oculos. Thorax flavus, marginibus nigris, lineisque tribus abbreviatis, elevatis; quarum media longior, a basi thoracis tendit, duæ laterales breviores, ad apicem sitæ. Elytra fusca, lineis duabus elevatis ut in *Nec. cæruleâ.* Pedes flavi, apice tibiarum nigro, femoribus posticis globosis. Abdomen subtùs fuscum (exceptis tribus ultimis segmentis flavis) et elytris brevius.

8. Nec. flava, oculis thoracisque lateribus nigris, *simplex.* elytris fusco-testaceis, femoribus simplicibus.

Linn. Syst. Nat. 643. 10. *Vill.* i. 281. 9. *Gmel.* 881. 10.
  Fab. Sp. Ins. i. 264. 9.   *Mant.* i. 171. 14.   *Ent.*
  Syst. i. b. 355. 25.   *Panz. Ent. Germ.* 280. 26.
Don. Brit. Ins. t. 358. f. 2.
Necydalis flavescens ? *Payk. Faun. Suec.* iii. 135. 5.

Long. corp.

Habitat ———

DESCR. Staturâ, habitu et colore simillima *Nec. Podagrariæ,* sed femoribus posticis simplicibus differt.
An sexûs differentia ? An species distincta ?

31. LAMPYRIS.

Antennæ filiformes.
Thorax planus, semiorbiculatus, caput subtùs occultans, cingensque.
Elytra flexilia.
Abdomen lateribus plicato-papillosis.
Fæmina aptera plerisque.

1. Lam. oblonga fusca, clypeo cinereo.   *noctiluca.*
                                                                  Linn.

Linn. Syst. Nat. 643. 1. *Vill.* i. 284. 7. *Gmel.* 1882. 1.
  Fab. Syst. Ent. 200. 1. *Sp. Ins.* i. 251. 1. *Mant.* i.
  161. 1. *Ent. Syst.* i. b. 98. 1. *Ent. Germ.* 209. 1.
  Lech. Nov. Spec. 23. 47. *Payk. Faun. Suec.* ii. 170. 1.
  Rai. 78. 15. mas. 79. fem.
Oliv. ii. 28. 12. 2. *t.* 1. *f.* 2. *De Geer,* i. 31. 1. *t.* 1.
  f. 19. 20. *Panz. Faun. Germ.* 41. *t.* 7.
Cantharis noctiluca. *Faun. Suec.* 699. *Poda,* 39. 1.
  Pontop. i. 674. 1.

Long. corp. maris 6 lin.
                      fœm. 8 lin.

Habitat in graminosis æstate.

.Descr. Fœmina elytris et alis caret ; constat incisuris
  undecim ; quarum prima est thoracis clypeus incum-
  bens, planus, marginatus, semiovatus, ponè truncatus, sub quo caput minimum. Larva et pupa et insectum perfectum similia ; sed larva puncto albo ad
  latus cujusvis segmenti, quibus caret perfecta. In
  omni statu puncta duo lucentia sub caudâ ; quamdiu
  vivit, nocte lucet ; mortua lumen amittit. In cespite
  gramineo viridi et succulento diutiùs viva servari potest.
  Faun. Suec.

Antennæ fuscæ. Caput et thorax maris ut in fœminâ.
  Elytra depressa, abdomine longiora, fusca, oculo armato punctis confluentibus subrugosa, lineis tribus
  longitudinalibus, obsoletè elevatis, pube brevissima adspersa. Corpus subtùs dilutè fuscescens. Pedes breves lividi.

splendidula. 2. Lam. oblongiuscula fusca, clypeo supra oculos
  fenestrato.

Linn. Syst. Nat. 644. 3. *Vill.* i. 285. 3. *Gmel.* 1882. 3.
  Fab. Syst. Ent. 200. 2. *Sp. Ins.* i. 251. 2. *Mant.* i.
  161. 2. *Ent. Syst.* i. b. 98. 2. *Panz. Ent. Germ.*
  209. 2. *Rai.* 58. 15. *Harr.* 138. *Payk. Faun.*
  Suec. ii. 171. 2.
De Geer, iv. 31. 1. *t.* 1. *f.* 19—21. *Panz. Faun. Germ.*
  41. *t.* 8. *Schæff. Elem. t.* 74. *f.* 1. 2. *Oliv.* ii. 28.
  11. 1. *t.* 1. *f.* 1. a—d.
Cantharis noctiluca. *Scop.* 118.

Le

Le Ver luisant à femelle sans ailes. *Geoff.* i. 166. 1. *t.* 2. *f.* 7.

Long. corp. 6 lin.

Habitat ————

DESCR. Similis *Lam. noctilucæ,* sed thoracis clypeus suprà utrumque oculum hyalinus, et pellucidus, quo facilè distinguitur. Pedes lurido-ferruginei. Abdominis segmenta duo postrema lucentia. *Syst. Nat.*

3. Lam. atra, antennarum apicibus elytrisque san- *pusilla.* guineis.

Gmel. 1886. 32.
Lampyris nigro-rubra. *De Geer,* iv. 46. 3.
Pyrochroa minuta. *Fab. Mant.* i. 163. 6.
Lycus minutus. *Fab. Ent. Syst.* i. b. 108. 13. *Panz. Ent. Germ.* 211. 3.
Oliv. ii. 29. 11. 13. *t.* 1. *f.* 13. *Panz. Faun. Germ.* 41. *t.* 11.

Long. corp. 2½ lin.

Habitat ————

DESCR. Antennæ nigræ, apicibus sanguineis, sive rufo-flavis. Totum corpus pedesque atra. Thorax valdè rugosus. Elytra sanguinea, striis longitudinalibus sex elevatis. Inter strias venæ reticulatæ, elegantissimæ.

---

32. PYROCHROA.

Antennæ filiformes, dentato-pectinatæ.
Caput exsertum.
Thorax planus, orbiculatus, immarginatus.
Elytra flexilia.
Corpus oblongum, posticè incrassatum.

1. Pyr. aterrima, capite thorace elytrisque san- *rubens.* guineis immaculatis.

Fab.

Fab. Ent. Syst. i. b. 105. 2.   *Gmel.* 1886. 35.   *Panz.*
  Ent. Germ. 210. 2.
Pyrochroa satrapa. *Schrank,* 324.   *Vill.* i. 289. 2.
Pyrochroa coccinea. *Don. Brit. Ins. t.* 56. *f.* 1.
La Cardinale. *Geoff.* i. 338. 1. *t.* 6. *f.* 4.

Long. corp. 6 lin.

Habitat ————

DESCR.   Antennæ dentato-pectinatæ, dentibus longis,
  crassis.   Caput suprà infràque rubrum.   Thorax,
  scutellum et elytra lævia, sanguinea.   Corpus subtùs
  aterrimum èst.

coccinea.   2. Pyr. aterrima, thorace elytrisque sanguineis
  immaculatis.

Fab. Syst. Ent. 202. 1.   *Sp. Ins.* i. 254. 1.   *Mant.* i.
  163. 1.   *Ent. Syst.* i. b. 104. 1.   *Payk. Faun. Suec.* ii.
  172. 1.   *Gmel.* 1886. 18.   *Panz. Ent. Germ.* 210. 1.
Panz. Faun. Germ. 13. *t.* 11.
Pyrochroa rubra. *De Geer,* v. 20. 1. *t.* 1. *f.* 14.

Long. corp. 7 lin.

Habitat ————

DESCR.   Magnitudo, statura et habitus omninò præcedentis; at caput et scutellum aterrima alienum esse
  vehementiùs suadent.

33. CANTHARIS.

Antennæ filiformes.
Thorax marginatus, capite brevior.
Elytra flexilia.
Corpus oblongum.
Abdomen lateribus plicato-papillosis.

  * *Capite declinato, thorace depresso.*
 ** *Capite declinato, thorace teretiusculo.*
*** *Capite prominente, posticè attenuato, thorace subro-*
  tundo.

* *Capite*

CANTHERIS.

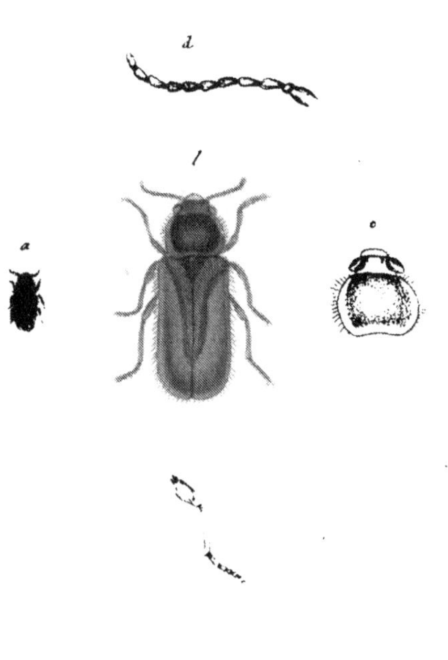

C. aenea.

* *Capite declinato, thorace depresso.*

1. Can. thorace rubro : maculâ nigrâ, elytris *fusca.*
   fuscis.

Linn. Syst. Nat. 647. 2. *Faun. Suec.* 700. *Vill.* i.
289. 1. *Gmel.* 1890. 2. *Fab. Syst. Ent.* 205. 1.
Sp. Ins. i. 257. 1. *Mant.* i. 167. 1. *Ent. Syst.* i. a.
213. 1. *Faun. Ingr.* 109. *Payk. Faun. Suec.* i. 258. 1.
Panz. Ent. Germ. 88. 1. *Schrank,* 325. *Scop.* 120.
Preys. Boh. Ins. 59. 61. *Faun. Fred.* 15. 144. *Poda,*
40. 2. *Rai.* 84. 29. et 101. 2. *Goez.* i. 328. 2.
Faun. Etrusc. 414. *Hellw.* 414. *Illiger. Kugel.*
Kaf. Preus. 295. 2.
Mart. Eng. Ent. t. 29. *f.* 13. 14.
Telephorus fuscus. *De Geer,* iv. 60. 1. *t.* 2. *f.* 12.
Oliv. ii. 26. 6. 1. *t.* 1. *f.* 1. a. b. c. *Schæff. Elem.*
t. 123. *f.* 1. *Schæff. Icon. t.* 16. *f.* 10. 11.
Donacia nigra. *Panz. Voet.* ii. *tb.* 126. 3. *t.* 46. *f.* 3.
La Cicindele noire à corcelet maculé. *Geoff.* i. 170. 1.

Long. corp. 5—6 lin.

Habitat ubique frequens æstate. Sævit sæpè in
   propriam speciem.

DESCR. Caput nigrum, planiusculum, infra oculos
   rufescens. Os minimum, forcipatum, maxillis arcuatis, simplicibus, quibus frusta mordet. Palpi ad
   maxillas minimi. Antennæ communes, corpore dimidio breviores, filiformes, articulis undecim, fuscæ,
   sed capiti propiùs rufescentes. Thorax a tergo planus,
   cordatus, marginibus eminentibus, rufescens, exceptâ
   maculâ magnâ nigrâ, capite contiguâ. Elytra plana,
   oblongo-linearia, mollissima, flexilia, sericea, fusco-
   nigra. Alæ diaphano-fuscæ. Abdomen fuscum, excepto ultimo seu septimo articulo rubicundo, ut et
   marginibus lateralibus rubris. Hi margines laterales
   compressi, singulâ incisurâ plicatìm incumbente, mol-
   lissimi, apicibus incisurarum lateralium mamillaribus.
   Faun. Suec.

2. Can. thorace nigro-piceo : marginibus rubris, *obscura.*
   clytris nigris.

Linn.

Linn. Syst. Nat. 648. 5. *Faun. Suec.* 706. *Vill.* i. 291. 4.
  Gmel. 1892. 5. *Fab. Syst. Ent.* 205. 3. *Sp. Ins.*
  i. 258. 3. *Mant.* i. 167. 4. *Ent. Syst.* i. a. 214. 6.
  Faun. Ingr. 113. *Scop.* 121. *Schrank,* 335. *Faun.*
  Fred. 15. 147. *Payk. Faun. Suec.* i. 262. 7. *Panz.*
  Ent. Germ. 89. 4. *Faun. Etrusc.* 416. *Hellw.* 416.
  Illiger. Kugel. Kaf. Preus. 295. 1.
Act. Nidros. iii. 396. 15. *t.* 6. *f.* 5.
Telephorus obscurus. *Harr.* 124.
Schæff. Icon. t. 16. *f.* 8. *Oliv.* ii. 26. 8. 3. *t.* 2. *f.* 10. a—d.

Long. corp. 3 lin.

Habitat ——————

DESCR. Os incarnatum. Antennæ pallidæ. Thorax
  incarnatus, disco atro. Elytra obscurè nigricantia.
  Abdominis segmenta margine flavescentia. Pedes et
  femora suprà nigra, subtùs ferruginea. *Faun. Suec.*
Similis *Can. fuscæ,* sed duplo minor; abdominis ultima
  segmenta subtùs non rubra, sed nigra, quamvis latera segmentorum rufa. Thorax non rufus maculâ mediâ fuscâ,
  sed niger solis marginibus lateralibus rubris. *Syst. Nat.*

ruficollis.   3. Can. atra, thorace abdomineque rufis.

Fab. Syst. Ent. 206. 7. *Sp. Ins.* i. 259. 11. *Mant.* i.
  168. 13. *Ent. Syst.* i. a. 217. 17. *Panz. Ent. Germ.*
  90. 11. *Vill.* i. 297. 25. *Faun. Etrusc.* 419. *Hellw.*
  419. *Gmel.* 1894. 30.
De Geer, iv. 72. 5. *t.* 2. *f.* 1. ? *Mart. Eng. Ent. t.* 29.
  f. 11.
La petite Cicindele noire. *Geoff.* i. 172. 3.

Long. corp. 3 lin.

Habitat ——————

DESCR. Summa affinitas *Can. fuscæ,* at duplo minor.
  Caput cum antennis serratis atrum. Thorax margi-
  natus, rufus, immaculatus. Elytra, alæ et pectus atra.
  Abdomen rufum, pedes nigri. *Syst. Ent.*

livida.   4. Can. livido-testacea, elytris obscurioribus.

Linn. Syst. Nat. 647. 3. *Faun. Suec.* 701. *Vill.* i.
  250.

250. 2. *Gmel.* 1892. 3. *Fab. Syst. Ent.* 205. 2.
Sp. Ins. i. 258. 2. *Mant.* i. 167. 2. *Ent. Syst.*
i. a. 213. 2. *Ent. Germ.* 89. 2. *Scop.* 122. *Schrank,*
326. *Poda,* 40. 2. *Goeze,* i. 529. 3. *Faun.*
Fred. 15. 145. *Faun. Etrusc.* 415. *Hellw.* 414.
var. γ. 415. *Illiger. Kugel. Kaf. Preus.* 296. 3.
Faun. Ingr. 110.
Mart. Eng. Ent. t. 29. *f.* 7. *Panz. Faun. Germ.* 57. *t.* 3.
Telephorus flavus. *De Geer,* iv. 70. 2. *Harr.* 127.
Oliv. ii. 26. 7. 2. *t.* 2. *f.* 8. *Schæff. Icon. t.* 16. *f.* 15?
Donacia lutea. *Panz. Voet.* ii. *th.* 125. 1. *t.* 46. *f.* 1.
La Cicindele à corcelet rouge. *Geoff.* i. 171. 2. var. a.

Long. corp. 6 lin.

Habitat passim.

DESCR. Magnitudo, figura et omnia omninò ut in
Can. fuscâ, excepto solo colore elytrorum luteo-pallido,
et thorace immaculato. Oculi nigri sunt. *Faun. Suec.*

5. Can. thorace flavo : maculâ nigrâ, corpore ni- *testacea.*
gro, elytris pedibusque testaceis.

Linn. Syst. Nat. 649. 15. *Faun. Suec.* 714. *Vill.* i. 295.
14. *Gmel.* 1893. 15. *Fab. Syst. Ent.* 207. 11. *Sp.*
Ins. i. 261. 19. *Mant.* i. 168. 23. *Ent. Syst.* i. a.
220. 33. *Scop.* 123. *Faun. Fred.* 15. 149. *Act.*
Nidros. iv. 325. 20. *Payk. Faun. Suec.* i. 265. 11.
Panz. Ent. Germ. 92. 20. *Illiger. Kugel. Kaf.*
Preus. 300. 8. *Faun. Ingr.* 118.
Mart. Eng. Ent. t. 29. *f.* 6.
Telephorus testaceus. *De Geer,* iv. 71. 4.
Oliv. ii. 26. 12. 11. *t.* 3. *f.* 19. a. b.
La Cicindele noire à étuis jaunes. *Geoff.* i. 173. 6.
var. b.

Long. corp. 2¾ lin.

Habitat in plantis. *Linn.*

DESCR. Antennæ pallidæ. Similis *Can. lividæ,* sed
quadruplo minor. *Faun. Suec.*
Femora nigra. Tibiæ flavæ. *Linn. Mss.*

6. Can.

pallida.   6. Can. nigra, elytris pedibusque pallido-testaceis.

Fab. Mant. i. 167. 12.   *Ent. Syst.* i. a. 217. 16.   *Panz. Ent. Germ.* 90. 10.   *Gmel.* 1893. 29.   *Payk. Faun. Suec.* i. 264. 10.   *Illiger. Kugel. Kaf. Preus.* 301. 9. *Faun. Ingr.* 114.

Telephorus pallidus. *Oliv.* ii. 26. 14. 14. *t.* 2. *f.* 9. a. b.

La Cicindele noire à etuis jaunes. *Geoff.* i. 173. 6. var. a.

Long. corp. 3¼ lin.

Habitat in floribus *Cratægi Oxyacanthæ*, Maio et Junio.

DESCR.   Affinis *Can. testaceæ*, a quâ differt thorace toto nigro. Antennarum basis flavicans. Corpus atrum, elongatum, teretiusculum. Elytra pallidè testacea, immaculata. Pedes pallido-testacei.

melanura.   7. Can. rufo-ferruginea, elytris testaceis apice nigris.

Linn. Syst. Nat. 651. 27.   *Faun. Suec.* 719.   *Vill.* i. 300. 35.   *Gmel.* 1897. 27.   *Fab. Syst. Ent.* 206. 9. *Sp. Ins.* i. 260. 16.   *Mant.* i. 168. 19.   *Ent. Syst.* i. a. 219. 26.   *Panz. Ent. Germ.* 91. 14.   *Payk. Faun. Suec.* i. 263. 8.   *Faun. Fred.* 16. 153.   *Pontop.* i. 675. 14.   *Faun. Etrusc.* 420.   *Hellw.* 420.   *Faun. Ingr.* 115.

Schæff. Icon. t. 16. *f.* 14.

Telephorus bimaculatus. *De Geer,* iv. 71. 3.

Telephorus melanurus. *Oliv.* ii. 26. 8. 4. *t.* 3. *f.* 21.

Donacia lutea ano nigro. *Panz. Voet.* ii. *th.* 126. 2. *t.* 46. *f.* 2.

La Cicindele à étuis tachés de noir. *Geoff.* i. 173. 5.

Long. corp. 4 lin.

Habitat ————

DESCR.   Simillima *Can. lividæ*, a quâ differt præcipuè apicibus elytrorum nigris. Antennæ nigræ. Pedes lutei.

8. Can.

8. Can. viridi ænea, elytris extrorsùm undique *ænea.*
rubris

Linn. Syst. Nat. 648. 7.   *Faun. Suec.* 708.   *Scop.* 126.
  Schrank, 329.   *Vill.* i. 292. 6.   *Gmel.* 1897. 7.
  Poda. 40.
Don. Brit. Ins. t. 96. *f.* 2.   *Mart. Eng. Ent. t.* 29. *f.* 4.
Malachius æneus *Fab. Syst. Ent.* 207. 1.   *Sp. Ins.* i.
  261. 1.   *Mant.* i. 169. 1.   *Ent. Syst.* i. a. 221. 1.   *Payk.*
  Faun. Suec. i. 269. 1.   *Faun. Fred.* 16. 154.   *Panz.*
  · *Ent. Germ.* 92. 1.   *Faun. Etrusc.* 423.   *Hellw.* 423.
  Illiger. Kugel. Kaf. Preus. 302. 36.   *Faun. Ingr.* 120.
Oliv. ii. 27. 4. 2. *t.* 2. *f.* 6. a—d.   *Panz. Faun. Germ.*
  10. *t.* 2.
Telephorus æneus. *De Geer,* iv. 73. 6.   *Harr.* 129.
Schæff. Icon. t. 18. *f.* 12. 13.
Donacia Ranunculorum. *Panz. Voet.* ii. *tb.* 129. 7.
  t. 46. *f.* 7.
La Cicindele bedeau. *Geoff.* i. 174. 7.

Long. corp. 4½ lin.

Habitat ————

Descr. Caput, thorax, antennæ, abdominis annuli
  suprà et infrà, elytra versus basin et marginem interiorem viridi-ænea, at elytrorum pars postica versus
  apicem et etiam versus marginem exteriorem sive lateralem rubra, ita ut elytra maxima ex parte rubra sint,
  et a basi versus suturam longitudinalem viridi-ænea.
  Ad latera thoracis, ut et abdominis, utrinque vesicula
  coccinea bicornis.   Alæ fuscæ. *Faun. Suec.*

9. Can. æneo-viridis, fronte flavicante, elytris *bipustulata.*
apice rubris.

Linn. Syst. Nat. 648. 8.   *Faun. Suec.* 709.   *Faun.*
  Fred. 15. 148.   *Poda,* 40. 5.   *Scop.* 127.   *Schrank,*
  330.   *Vill.* i. 292. 7.   *Gmel.* 1898. 8.
Mart. Eng. Ent. t. 29. *f.* 1.
Malachius bipustulatus. *Fab. Syst. Ent.* 208. 2.   *Sp.*
  Ins. i. 262. 2.   *Mant.* i. 169. 2.   *Ent. Syst.* i. a.
  222. 2.   *Payk. Faun. Suec.* i. 270. 2.   *Panz. Ent.*

Germ. 92. 2.   *Faun. Etrusc.* 424.   *Hellw.* 424.
Illiger. Kugel. Kaf. Preus. 303. 2.   *Faun. Ingr.* 121.
Panz. Faun. Germ. 10. *t.* 3.   *Oliv.* ii. 27. 5. 3. *t.* 1.
   f. 1. a. b. c.
Telephorus bipustulatus. *De Geer,* iv. 75. 7.   *Harr.*
   130.
Schæff. Icon. t. 18. *f.* 10.
Donacia Asparagorum. *Panz. Voet.* ii. *th.* 128. 6. *t.* 46.
   f. 6.
La Cicindele verte à points rouges. *Geoff.* i. 175. 8.
Long. corp. 3 lin.
Habitat frequens in graminibus, præsertim in
   Caricibus.   Larva rapax vorat minima insecta.
   Linn.

Descr. Præcedenti, cui facie simillima est, omninò
   minor.   Ad latera thoracis et abdominis etiam utrinque gerit vesiculam coccineam tricuspidatam.   Alæ
   nigro-fuscæ.   Antennæ nigræ.   Caput, thorax et
   elytra æneo saturatè viridia, extimis apicibus elytrorum
   rubris, seu coccineis.   Abdomen elytris longius, subtùs æneum, sub alis rubrum.
Variat elytrorum colore cæruleo, vel magìs viridi. *Faun.*
   Suec.

sanguino-   10. Can. nigro-ænea, thoracis margine elytrisque
lenta.   sanguineis, antennis serratis.

Malachius sanguinolentus. *Fab. Mant.* i. 169. 4.   *Ent.*
   Syst. i. a. 223. 6.   *Panz. Ent. Germ.* 93. 3.   *Faun.*
   Etrusc. 425.   *Hellw.* 425.   *Illiger. Kugel. Kaf.*
   Preus. 304. 3.   *Gmel.* 1898. 58.
Oliv. ii. 27. 7. 7. *t.* 3. *f.* 13.

Long. corp. 2½ lin.
Habitat in spiculis *Festucæ fluitantis.*

Descr. Antennæ serratæ.   Caput, thoracis discus,
   scutellum et pedes concolores, atro-virescentes.   Elytra et margo thoracis amœnissimè sanguinea.   Tibiæ
   posticæ arcuatæ.   Pectus et abdomen subtùs nitida.
   Abdomen subtùs atrum, marginibus segmentorum
                                    rubicundis.

rubicundis. Elytra ne minimè quidem striata, ceram
rubram sigillatoriam omninò referunt.

11. Can. thorace virescente, elytris nigris : fasciis *fasciata.*
duabus rubris.

Linn. Syst. Nat. 648. 10.   *Faun. Suec.* 711.   *Vill.* i.
292. 9.   *Gmel.* 1899. 10.   *Scop.* 129.
Mart. Eng. Ent. t. 29. *f.* 8.
Malachius fasciatus. *Fab. Syst. Ent.* 208. 4.   *Sp. Ins.* i.
262. 5.   *Mant.* i. 169. 8.   *Ent. Syst.* i. a. 224. 13.
Panz. Ent. Germ. 93. 9.   *Payk. Faun. Suec.* i. 273. 6.
Illiger. Kugel. Kaf. Preus. 304. 4.   *Faun. Ingr.* 123.
Panz. Faun. Germ. 10. *t.* 5.   *Oliv.* ii. 27. 10. 12. *t.* 1.
f. 2. a. b.
Telephorus fasciatus. *De Geer,* iv. 76. 9.   *Harr.* 131.
Schæff. Icon. t. 189. *f.* 3. a. b.
La Cicindele à bandes rouges. *Geoff.* i. 177. 12.

Long. corp. $1\frac{1}{2}$ lin.

Habitat ————

DESCR. Antennæ et pedes nigri. Caput et thorax vi-
rescentia. Elytra atra, fasciâ duplici rubrâ transversâ, alterâ paulò supra basin, in medio ad suturam
interruptâ; alterâ in ipsis apicibus elytrorum, vel paulò
intra apices in quibusdam; hæc in medio contigua.
Abdominis latera rubra. *Faun. Suec.*

12. Can. nigra, thorace elytrorumque apicibus *rubricollis.*
rufis.

Cantharis hæmorrhoidalis. *Gmel.* 1898. 86.
Malachius ruficollis. *Fab. Ent. Syst.* i. a. 223. 7.
Oliv. ii. 27. 9. 10. *t.* 2. *f.* 9.

Long. corp. $1\frac{1}{3}$ lin.

Habitat ———— Capta in spicis *Hordei murini* prope
Ealing. *D. Hill.*

DESCR. Antennæ nigræ, basi subtùs rufæ. Caput
nigrum. Thorax omninò rufus. Elytra ex cæruleo
nigra, apicibus rufis. Pectus et pedes nigra. Abdomen subtùs ferè omninò rufum.

*** Capite declinato, thorace teretiusculo.*

viridissima. 13. Can. tota viridis.

Linn. Syst. Nat. 650. 23.　*Faun. Suec.* 717.　*Vill.* i.
　298. 1.　*Faun. Fred.* 15. 151.
Cantharis viridis. *De Geer,* v. 15. 3. *t.* 1. *f.* 13.
Necydalis viridissima. *Fab. Syst. Ent.* 208. 1.　*Sp.*
　Ins. i. 263. 1.　*Mant.* i. 170. 1.　*Ent. Syst.* i. b.
　350. 2.　*Panz. Ent. Germ.* 276. 2.　*Payk. Faun.*
　Suec. iii. 133. 3.　*Faun. Etrusc.* 427.　*Hellw.* 427.
　Gmel. 1879. 13.
Ædemera viridissima. *Oliv.* iii. 50. 13. 15. *t.* 2. *f.* 15.
　a—c.
La Cicindele verdâtre. *Geoff.* i. 177. 14.

Long. corp. 4 lin.

Habitat ―――――

DESCR. Antennæ filiformes, nigricantes, corpore paulò
　breviores.　Thorax non marginatus, sed teres *Lepturæ.*
　Corpus viridi-sericeum, nitens, solo capite viridi-aureo.
　Faun. Suec.

acuta. 14. Can. lutea, elytris acutis apice nigris.

Long. corp. 4 lin.

Habitat ―――――

DESCR.　Maximè affinis *Can. melanuræ,* sed abundè
　differt, antennis omninò luteis, nec nigris; femoribus
　nigris, nec luteis; thorace teretiusculo, nec depresso;
　elytris apice acutis, nec obtusissimis.

　**** Capite prominente, postice attenuato, thorace sub-*
　　rotundo.

biguttata. 15. Can. thorace marginato: medio atro, elytris
　abbreviatis nigris apice flavis.

Linn. Syst. Nat. 648. 11.　*Faun. Suec.* 712.　*Vill.* i.
　294. 10.　*Gmel.* 1892. 11.　*Schrank,* 332.　*Fab.*
　Syst. Ent. 207. 12.　*Sp. Ins.* i. 261. 20.　*Mant.* i.
　168. 24.　*Ent. Syst.* i. a. 221. 34.　*Panz. Ent. Germ.*
　　　　　　　　　　　　　　　　　　　　　92.

92. 21.　*Faun. Etrusc.* 421.　*Hellw.* 421.　*Faun.
Ingr.* 119.
Mart. Eng. Ent. t. 29. *f.* 5.　*Panz. Faun. Germ.* 11.
t. 15.
Telephorus biguttatus. *Oliv.* ii. 26. 16. 18. *t.* 2. *f.* 12.
La Cicindele noire à points jaunes et corcelet noir.
　Geoff. i. 176. 11.

Long. corp. 2 lin.

Habitat ⸺

DESCR.　Caput et thorax omninò atra.　Elytra apicibus
　summis flava, seu sulphurea.　Abdominis latera flava.
　Faun. Suec.
Obs. Pedes fusci.

16. Can. thorace marginato rufo : maculâ nigrâ, *minima.*
　corpore fusco, elytris apice flavis.

Linn. Syst. Nat. 649. 12.　*Faun. Suec.* 713.　*Vill.* i.
　292. 11.　*Gmel.* 1892. 12.　*Fab. Syst. Ent.* 207. 10.
　Sp. Ins. i. 260. 18.　*Mant.* i. 168. 22.　*Ent. Syst.*
　i. a. 220. 32.　*Panz. Ent. Germ.* 91. 19.　*Payk.
　Faun. Suec.* i. 268. 15. β.　*Faun. Etrusc.* 422.
　Hellw. 422.
Telephorus minimus. *Oliv.* ii. 26. 17. 19. *t.* 1. *f.* 6. a⸺d.

Long. corp. 2 lin.

Habitat ⸺

DESCR.　Caput nigrum, maxillis flavis.　Thorax flavus,
　marginatus.　Elytra nigricantia, in medio fusca, apice
　puncto flavo terminata.　Alæ nigræ, elytris duplo
　longiores, cruciatìm incumbentes.　Antennæ corpore
　breviores, filiformes, nigricantes, versus basin flaves-
　centes.　Femora nigra, tibiis flavis.　Abdomen fus-
　cum, lateribus flavis. *Faun. Suec.*

17. Can. nigro-ænea, fronte flavâ, pedibus an-*frontalis.*
　tennarumque basi sordidè testaceis.

Long. corp. 1½ lin.

Habitat in sepibus, Aug.

DESCR.　Caput nigro-æneum, sive nigrum.　Oculi
2 B 3 valdè

valdè prominuli. Quasi media est, inter *Can. bi-guttatam* et *minimam*, alterutram diceres nisi elytra puncto essent immunia. Thorax vix ac ne vix quidem marginatus, unicolor.

melano-cephala.

18. Can. thorace flavo: puncto atro, elytris nigris apice flavis.

Long. corp. 1¾ lin.

Habitat ————

DESCR. In omnibus simillima *Can. minimæ* præterquam capite, quod atrum et nitidum est, nec fronte flavâ.

humeralis.

19. Can. thorace flavo medio atro, elytris fuscis: fasciâ apiceque flavis.

Long. corp. 2 lin.

Habitat ————

DESCR. Antennæ flavæ. Caput flavum, posticè nigrum. Thorax medio niger, lateribus flavis. Elytra fusca, fasciâ latâ ad basin apiceque flavis. Abdomen nigrum. Pedes flavi.

immunis.

20. Can. thorace flavo immaculato, elytris fuscis apice flavis, antennis longitudine corporis.

Long. corp. 2 lin.

Habitat ————

DESCR. Simillima præcedentibus, at differt thorace flavo, immaculato, et antennis extrorsùm nigricantibus, longitudine corporis. Occiput atrum, nitidum. Abdomen et pedes flavi.

serrati-cornis.

21. Can. atra subvillosa, elytris testaceis, antennis pectinatis.

Drilus flavescens. *Oliv.* ii. 23. 4. 1. *t.* 1. *f.* 1. a—e.
Ptilinus flavescens. *Fab. Ent. Syst.* i. a. 243. 3.
Hispa? flavescens. *Faun. Etrusc.* 127. *Hellw.* 127.

Long.

ELATER.

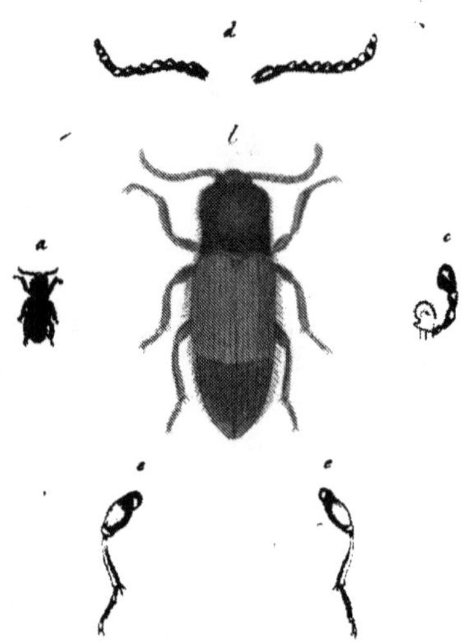

E. balteatus.

Long. corp. 3 lin.

Habitat in floribus. In mus. *D. Lewin.*

Descr. Antennæ nigræ, hinc serrato-pectinatæ. Caput et thorax atra, nitida, tomentosa. Elytra testacea,
sive lutescentia. Abdomen nigrum. Pedes nigri, tibiis plantisque piceis.

22. Can. niger, thorace flavo, elytris fusco-testa- *flavicollis.*
ceis apice nigris.

Long. corp. 3 lin.

Habitat ——— In mus. *D. Kirby.*

Descr. Antennæ fuscæ, basi rufæ. Caput nigrum.
Thorax et sternum flava. Scutellum nigrum. Elytra
fusco-testacea, margine exteriori ad basin apiceque
nigris. Abdomen nigrum. Pedes testacei.

34. ELATER.

Antennæ filiformes, plerisque serratæ.

Caput parvum, insertum.

Thorax oblongus, convexiusculus, anticè attenuatus, posticè angulo utrinque prominulo.

Corpus elongatum, dorso impositum exsiliens,
mucrone pectoris e foramine abdominis
resiliente.

1. El. niger nitidus, elytris utrisque puncto baseos *bipustula-*
rubro. *tus.*

Linn. Syst. Nat. 652. 9. *Vill.* i. 302. 1. *Gmel.* 1904. 9.
Fab. Syst. Ent. 215. 36. *Sp. Ins.* i. 273. 47. *Mant.*
i. 175. 59. *Ent. Syst.* i. b. 235. 88. *Panz. Ent.*
Germ. 243. 57. *Harr.* 120. *Payk. Faun. Suec.* iii.
30. 34. *Faun. Etrusc.* 455. *Hellw.* 455.
  Oliv.

Oliv. ii. 31. 49. 69. *t.* 2. *f.* 13. a. b.   *Schæff. Icon.*
t. 104. *f.* 6. a. b.   *Fues. Arch.* 147. 11. *t.* 27. *f.* 8.
Elater punctatus. *Panz. Voet.* ii. 118. 22. *t.* 44. *f.* 22.
Le Taupin noir à taches rouges. *Geoff.* i. 136. 15.

Long. corp. 4 lin.

Habitat ━━━

DESCR. Caput, antennæ, thorax, elytra, abdomenque
atra, nitida. Thorax glaber. Elytra striata, ad basin
puncto sanguineo. Pedes picei. *Linn. Syst. Nat.*

ruficollis.   2. El. thorace rubro nitido anticè nigro, elytris
corporeque nigris.

Linn. Syst. Nat. 653. 14.   *Faun. Suec.* 724.   *Schrank,*
351. *Vill.* i. 304. 5.   *Gmel* 1905. 14.   *Fab. Syst.*
Ent. 214. 27.   *Sp. Ins.* i. 270. 33.   *Mant.* i. 173. 37.
Ent. Syst. i. b. 227. 52.   *Panz. Ent. Germ.* 240. 30.
Payk. Faun. Suec. iii. 38. 43.   *Faun. Etrusc.* 445.
Hellw. 445.   *De Geer,* iv. 153. 16.
Mart. Eng. Ent. t. 30. *f.* 3.   *Oliv.* ii. 31. 44. 60. *t.* 6.
f. 61. a. b.

Long. corp. 3½ lin.

Habitat ━━━

DESCR. Totus ater, sed elytra, quæ etiam striata,
parùm ad cæruleum vergunt colorem. Thorax
maximâ ex parte ruber, sed anticè niger, in medio
tamen magìs; posticè lævissimo margine elytra spectante etiam niger, hinc thorax quasi fasciâ transversali
latâ, rubrâ, lunulatâ, cavitate lunulæ caput spectante.
Antennæ nigræ, non pectinatæ, sed articulis parùm
anticè gibbis. *Faun. Suec.*

thoracicus.   3. El. niger, thorace toto rufo.

Fab. Syst. Ent. 214. 76.   *Sp. Ins.* i. 270. 32.   *Mant.* i.
173. 36.   *Ent. Syst.* i. b. 227. 51.   *Panz. Ent.*
Germ. 239. 28.   *Harr.* 109.   *Gmel.* 1905. 47.
Mart. Eng. Ent. t. 31. *f.* 12.   *Oliv.* ii. 31. 44. 59. *t.* 3.
f. 24. *Panz. Faun. Germ.* 6. *t.* 12.   *Schæff. Icon.*
t. 31. *f.* 3.
Le Taupin noir à corcelet rouge. *Geoff.* i. 132. 5.

Erythrotus

Erythrotus niger nitens. *Panz. Voet.* ii. 109. 6. *t.* 42.
f. 6.

Long. corp. 5 lin.

Habitat ————

DESCR. Nimis affinis videtur *El. ruficolli,* at paulo
major. Caput atrum, antennis nigris, serratis. Thorax pubescens, totus rufus, nec uti in *ruficolli* posticè
niger, solâ lineâ intermediâ pectoris nigrâ. Elytra
subpubescentia, striata, atra. Pedes nigri, plantis
piceis. An mera varietas *El. ruficollis ? Fab. Syst.
Ent.*

Nobis planè species distincta esse videtur.

4. El. thorace fusco. obscuro, elytris æneo-testa- *obscurus.*
ceis striatis.

Linn. Syst. Nat. 655. 25. *Faun. Suec.* 735. *Vill.* i.
309. 16. *Payk. Faun. Suec.* iii. 2. 2. *Gmel.* 1908. 25.
Faun. Fred. 17. 165.
Mart. Eng. Ent. t. 30. *f.* 1.

Long. corp. 4½ lin.

Habitat ————

DESCR. Simillimus *El. sputatori,* sed latior, antennis-
que brevioribus. *Syst. Nat.*
Elytra striata sunt, et microscopii ope hirsutie cana.
Pedes ferruginei magis et minùs. *Linn. Mss.*

5. El. niger, elytris obscurè lividis fusco sub-li- *lineatus.*
neatis.

Linn. Syst. Nat. 653. 15. *Vill.* i. 304. 6. *Gmel.*
1905. 15.
Oliv. ii. 31. 46. 63. *t.* 3. *f.* 32.
Elater striatus. *Fab. Syst. Ent.* 215. 32. *Sp. Ins.* i.
272. 40. *Mant.* i. 174. 47. *Ent. Syst.* i. b. 231. 69.
Payk. Faun. Suec. iii. 27. 31.

Long. corp. 4½ lin.

Habitat ———— Captus sub muscis latitans mense
Januario.

DESCR.

Dsscr. Corpus mediocre, fuscum. Antennæ subferrugineæ. Elytra obscurè livida, lineis duabus nigricantibus, versus suturam dorsalem positis. *Syst. Nat.*
An var. *El. obscuri?* similem vidi in copulâ cum fœminâ *El. obscuri. Linn. Mss.*

mesomelus. **6.** El. thorace margineque elytrorum ferrugineis, corpore elytrisque nigris.

Linn. Syst. Nat. 653. 16. *Faun. Suec.* 725. *Vill.* i. 305. 7. *Gmel.* 1905. 16. *Fab. Syst. Ent.* 214. 25. *Sp. Ins.* i. 270. 31. *Mant.* i. 173. 35. *Ent. Syst.* i. b. 226. 42. *Panz. Ent. Germ.* 238. 19. *Hoppe Ins. Erl.* 57. *Faun. Ingr.* 252.
Oliv. ii. 31. 34. 44. *t.* 5. *f.* 54. *Panz. Faun. Germ.* 7. *t.* 6.
Elater dispar. *Payk. Faun. Suec.* iii. 37. 42.

Long. corp. 6 lin.

Habitat ———— Captus in sylvâ Coombe-Wood dictâ, sub foliis virgultorum latitans.

Dsscr. Corpus nigrum mediæ magnitudinis, angustius. Os ferrugineum. Thorax ferrugineus, lineâ longitudinali excavatâ. Elytra nigra, punctis excavatis striata, margine exteriore testacea, unde insolita facies. Scutellum nigrum, glaberrimum. *Faun. Suec.* Antecedenti paulo major. Pectus in medio nigrum. Anus flavus. Thorax rugis aliquot impressis. *Syst. Nat.*

bicolor. **7.** El. niger, thorace rufo, elytris testaceis punctato-striatis.

Panz. Ent. Germ. 238. 21.
Panz. Faun. Germ. 8. *t.* 11.

Long. corp. 6 lin.

Habitat ———— Captus in foliis virgultorum hornorum cum præcedenti.

Dsscr. Statura et magnitudo *El. mesomeli,* adeo ut forsan varietas ex sexu? Elytra parili more striatopunctata. Corpus subtùs nigrum, ano ferrugineo.
Color

Color pedum, thoracis et antennarum idem. Differt solummodò colore elytrorum testaceo, nec nigro, margine testaceo.
Variat thorace maculâ mediâ nigrâ.

8. El. totus rufo-testaceus, oculis nigris, thorace elongato: lineâ intermediâ impressâ.   *unicolor.*

Long. corp. 4¼ lin.
Habitat ————

Descr. Colore satis distinguitur. Oculi solùm nigri. Per cætera rufo-testaceus. Thorax paulò saturatior.

9. El. thorace sub-fusco, elytris testaceis margine undique nigris.   *marginatus.*

Linn. Syst. Nat. 654. 23.   *Faun. Suec.* 733.   *Vill.* i. 308. 14.   *Gmel.* 1907. 23.   *Schrank,* 352.   *Fab. Syst. Ent.* 213. 24.   *Sp. Ins.* i. 270. 30.   *Mant.* i. 173. 34. *Ent. Syst.* i. b. 227. 50.   *Panz. Ent. Germ.* 239. 25. *Harr.* 108.   *Act. Nidros.* iii. 397. 17.   *Payk. Faun. Suec.* iii. 5. 6.   *Faun. Ingr.* 255.   *Faun. Etrusc.* 450. *Hellw.* 450.
Schæff. Icon. t. 194. *f.* 1.   *Mart. Eng. Ent. t.* 31. *f.* 15. *Oliv.* ii. 31. 34. 43. *t.* 3. *f.* 29. *t.* 8. *f.* 29. b.

Long. corp. 5 lin.
Habitat ————

Descr. Corpus subtùs fuscum. Caput nigrum. Thorax fuscus, lateribus ferrugineis. Elytra pallidè testacea, margine omni nigro. Pedes pallidè testacei. Antennæ fusco-testaceæ. *Faun. Suec.*

10. El. totus ferrugineus, oculis nigris.   *fulvus.*

Long. corp. 3¼ lin.
Habitat ————

Descr. Totum corpus unicolor fulvum, sive ferrugineum. Oculi solummodò nigri. Elytra striata.

11. El. niger, thorace nitidiusculo, elytris sordidè testaceis: suturâ nigrâ.   *suturalis.*

Aa

An Elater lineatus? *De Geer*, iv. 158. 20.

Long. corp. *3* lin.

Habitat ————

DESCR. Thorax niger; sed variat spinis posticis, et marginibus ferrugineis. Pedes et elytra ferruginea, sive sordidè testacea; sutura semper nigra.

nitidulus. 12. El. nitidus, thorace nigro, elytris testaceis striatis: margine apicem versus suturâque nigris.

Long. corp. 2 lin.

Habitat ————

DESCR. Minutus, tomentosus, linearis. Abdomen nigrum. Antennæ et pedes testacei. Thorax valdè convexus.

lateralis. 13. El. thorace nigro-ferrugineo, elytris æneo-testaceis: margine suturâque fuscescentibus.

Long. corp. 4 lin.

Habitat ————

DESCR. Sublinearis, affinis præcedenti, sed quadruplo major; minimè nitens, et thorax planiusculus, obscurus, nigro-ferrugineus, nec ater nitidus valdè convexus. Abdomen rufescens. Antennæ et pedes rufescentes, anteriores obscuriores.

Affinis maximè etiam *El. lineato,* sed differt, elytris punctato-striatis, nec striis impressis.

aterrimus. 14. El. ater, thorace opaco punctato, elytris striatis.

Linn. Syst. Nat. 653. 17. *Faun. Suec.* 726. *Vill.* i. 305. 8. *Schrank,* 344. *Gmel.* 1905. 17. *Fab. Syst. Ent.* 211. 9. *Sp. Ins.* i. 267. 14. *Mant.* i. 172. 18. *Ent. Syst.* i. b. 221. 24. *Panz. Ent. Germ.* 235. 3. *Payk. Faun. Suec.* iii. 6. 8. *Faun. Ingr.* 245. *Faun. Etrusc.* 435. *Hellw.* 435. *Faun. Fred.* 16. 160. *Mart. Eng. Ent. t.* 31. *f.* 19. *Oliv.* ii. 31. 28. 33. *t.* 5. *f.* 53.

Le Taupin en deuil. *Geoff.* i. 136. 13.

Long. corp. 6·lin.

Habitat ————

DESCR. Corpus totum carbonis instar aterrimum. Thorax scabriusculus. Elytra profundiùs striata, cavitatibus quasi crenulatis. *Faun. Suec.*

15. El. ater, thorace punctato, elytris striatis, pe- *castanipes.* dibus castaneis.

Fab. Ent. Syst. i. b. 226. 46. *Payk. Faun. Suec.* iii. 23. 27.

Elater fuscus major. *De Geer,* iv. 146. 3.

Long. corp. 8½ lin.

Habitat ————

DESCR. Affinis *El. aterrimo,* sed pedes castanei, nec fusci. Porrò ferè dimidio major, et corpus undique cinereo-villosum.

16. El. ater obscurus, thorace rugoso, antennis *rugosus.* pedibusque rufis.

Long. corp. 8 lin.

Habitat ————

DESCR. Maximè affinis *El. castanipedi,* magnitudine et staturâ, sed differt thorace obscuro, ex punctis valdè confluentibus rugoso, nec nitidiusculo punctato. Pili thoracis si qui adsint adpressi. Elytra obsoletiùs striata.

17. El. thorace nigro nitido, elytris nigris ob- *minutus.* scuris.

Linn. Syst. Nat. 656. 34. *Faun. Suec.* 744. *Vill.* i. 313. 26. *Gmel.* 1907. 34. *Fab. Syst. Ent.* 215. 33. *Sp. Ins.* i. 272. 41. *Mant.* i. 174. 48. *Ent. Syst.* i. b. 231. 71. *Panz. Ent. Germ.* 242. 50. *Payk. Faun. Suec.* iii. 40. 46. *Faun. Etrusc.* 450. *Faun. Ingr.* 262. *Hellw.* 449.

Oliv.

Oliv. ii. 31. 53. 76. *t.* 6. *f.* 62. a—d.
Elater æneo-niger. *De Geer,* iv. 159. 21.

Long. corp. 3 lin.

Habitat ——————

DESCR. Corpus totum nigrum. Thorax glaber. Elytra
obscurè striata. *Faun. Suec.*

nigro-æneus. 18. El. linearis subtùs ater, suprà nigro-æneus,
thorace nitido.

Long. corp. 3 lin.

Habitat ——————

DESCR. Præcedentis staturâ et magnitudine, cui simillimus, sed paulò angustior, et suprà nigro-æneus.
An satis distinctus ?

ferrugineus. 19. El. thorace elytrisque ferrugineis, corpore
thoracisque margine postico nigris.

Linn. Syst. Nat. 654. 20. *Faun. Suec.* 729. *Vill.* i.
306. 11. *Gmel.* 1906. 20. *Fab. Syst. Ent.* 211. 7.
Sp. Ins. i. 266. 11. *Mant.* i. 172. 14. *Ent. Syst.*
i. b. 220. 18. *Panz. Ent. Germ.* 235. 2. *Harr.* 101.
Payk. Faun. Suec. iii. 23. 26. *Faun. Etrusc.* 446.
Hellw. 446.
Don. Brit. Ins. t. 356. *f.* 1. *Panz. Faun. Germ.* 10. *t.* 10.
Mart. Eng. Ent. t. 31. *f.* 21. *Oliv.* ii. 31. 21. 22.
t. 3. *f.* 35. *Schæff. Icon. t.* 19. *f.* 1.
Elater rufus. *De Geer,* iv. 144. 1. *t.* 5. *f.* 18.
Le Taupin rouge. *Geoff.* i. 130. 1. *t.* 2. *f.* 4.

Long. corp. 10 lin.

Habitat ——————

DESCR. Totus niger, exceptis thorace et elytris ferrugineis.
Thorax margine postico, vix manifesto, ater ; dentesque
thoracis postici obscuri sunt. Scutellum nigrum est.
Antennæ serratæ, thorace paulò longiores. *Faun. Suec.*

sanguineus. 20. El. thorace atro, elytris striatis rubris, corpore nigro.

Linn.

Linn. Syst. Nat. 654. 21. *Faun. Suec.* 731. *Vill.* i.
307. 12. *Gmel.* 1906. 21. *Scop.* 287. *Fab. Syst.*
Ent. 214. 29. *Sp. Ins.* i. 271. 36. *Mant.* i. 173. 40.
Ent. Syst. i. b. 228. 55. *Panz. Ent. Germ.* 240. 33.
Harr. 111. *Faun. Fred.* 16. 162. *Poda,* 41. 2.
De Geer, iv. 151. 13. *Payk. Faun. Suec,* iii. 33. 37.
Faun. Ingr. 257. *Faun. Etrusc.* 443. *Hellw.* 443.
Panz. Faun. Germ. 5. *t.* 13. *Schæff. Elem. t.* 60. *f.* 2.
Icon. t. 31. *f.* 2. *Oliv.* ii. 31. 40. 53. *t.* 1. *f.* 7. *t.* 5.
f. 48. a. *Mart. Eng. Ent. t.* 40. *f.* 6. *Bergstraes.*
Nom. i. 10. 64. 10. *t.* 10. *f.* 10.
Elater melanocephalus ruber. *Panz. Voet.* ii. 117. 21.
t. 44. *f.* 21.
Le Taupin à étuis rouges. *Geoff.* i. 131. 2.

Long. corp. 6 lin.

Habitat ————

Dɛscr. Thorax glaber uti et caput nigra. Elytra rubra, striis tenuissimis, ex punctis per novem ordines
in singulo elytro. Antennæ semipectinatæ. Os eden-
tulum. *Faun. Suec.*

21. El. ater, elytris striatis sanguineis: maculâ *Ephippium.*
communi dorsali nigrâ.

Fab. Ent. Syst. i. b. 228. 56. *Panz. Ent. Germ.* 240. 34.
Panz. Faun. Germ. 5. *t.* 14. *Oliv.* ii. 31. 41. 54. *t.* 5.
f. 48. b. *Schæff. Icon. t.* 31. *f.* 5.
Elater sanguineus. *Payk. Faun. Suec.* iii. 33. 37. var. γ.
Faun. Etrusc. 443. *Hellw.* 443. var. β. ♀.
Elater sanguinolentus. *Schrank,* 341. *Harr.* 112.
Gmel. 1911. 72.
Elater occidentalis parvus ruber. *Panz. Voet.* ii. 111. 11.
t. 43. *f.* 11.

Long. corp. 5 lin.

Habitat in *Pinis* putrescentibus. *Fab.*

Dɛscr. Statura et summa affinitas præcedentis. Differt
tamen thorace pube nigrâ toto, coleoptrisque maculâ
magnâ dorsali, communi, nigrâ; aliàs simillimus.

22. El.

balteatus.　22. El. thorace atro, elytris anticè dimidiato-ru-
bris, corpore nigro.

Linn. Syst. Nat. 654. 22.　*Faun. Suec.* 732.　*Vill.* i.
307. 13.　*Gmel.* 1906. 22.　*Fab. Syst. Ent.* 215. 30.
Sp. Ins. i. 271. 37.　*Mant.* i. 174. 41.　*Ent. Syst.*
i. b. 229. 59.　*Panz. Ent. Germ.* 241. 38.　*De Geer,*
iv. 152. 14.　*Faun. Fred.* 16. 163.　*Harr.* 113.　*Act.*
Nidros. iv. 326. 22.　*Payk. Faun. Suec.* iii. 31. 5.
Faun. Ingr. 259.　*Faun. Etrusc.* 444.　*Hellw.* 444.
Oliv. ii. 31. 42. 56. *t.* 8. *f.* 77.　*Schæff. Icon. t.* 77.
f. 2.　*Mart. Eng. Ent. t.* 30. *f.* 5.

Long. corp. 4 lin.

Habitat ——— Captus prope Woodbridge.　*D.*
Lathbury.

Descr.　Corpus nigrum.　Elytra punctato-striata, anticè dimidiato rubra, posticè nigra.　Pedes picei.

cupreus.　23. El. cupreus, elytris dimidiato-flavis, antennis maris pectinatis.

Fab. Syst. Ent. 212. 15.　*Sp. Ins.* i. 268. 20.　*Mant.* i.
173. 24.　*Ent. Syst.* i. b. 225. 37.　*Panz. Ent.*
Germ. 237. 15.　*Harr.* 104.　*Vill.* i. 315. 27.　*Gmel.*
1909. 59.
Oliv. ii. 31. 38. 50. *t.* 5. *f.* 50.　*Panz. Faun. Germ.*
77. *t.* 2.　*Mart. Eng. Ent. t.* 31. *f.* 16.　*Schæff.*
Icon. t. 38. *f.* 2. ?
Elater castaneus. *Scop.* 286.　*Schrank,* 337.

Long. corp. 7 lin.

Habitat ———

Descr.　Statura omninò et magnitudo *El. pectinicornis.*
Obscurè cupreus, seu rufo-æneus.　Antennæ nigræ,
pectinatæ.　Elytra striata, basi testacea, apice cuprea.
Syst. Ent.

sputator.　24. El. thorace fusco nitido, elytris testaceis, corpore nigro.
Linn. Syst. Nat. 654. 24.　*Faun. Suec.* 734.　*Vill.* i.
308,

308. 15. *Gmel.* 1907. 24. *Scop.* 285. *Fab. Syst.*
Ent. 215. 31. *Sp. Ins.* i. 272. 39. *Mant.* i. 174. 44.
Ent. Syst. i. b. 230. 62. *Panz. Ent. Germ.* 242. 43.
Harr. 114. *Poda,* 41. 4. *Faun. Fred.* 17. 164.
Payk. Faun. Suec. iii. 20. 23. *Faun. Ingr.* 260.
Faun. Etrusc. 437. *Hellw.* 437.
Donov. Brit. Ins. t. 96. *f.* 4. *Mart. Eng. Ent. t.* 31.
f. 20. *Oliv.* ii. 31. 30. 38. *t.* 3. *f.* 31.
Elater fuscus flavipes. *De Geer,* iv. 151. 11.

Long. corp. 6 lin.

Habitat ⸺

DESCR. Totus niger, sed elytra fusca, seu cinerascentia. Pedes rufi, adhuc antennæ magis rufæ. *Faun.
Suec.*

25. El. totus castaneus, elytris striatis.   *elongatus.*

Long. corp. 5$\frac{1}{2}$ lin.

Habitat ⸺

DESCR. Corpus elongatum, totum castaneum, sive
fusco-ferrugineum. Thorax anticè latior, convexus,
punctulatus, posticè excavatus, lineis tribus impressis.
Elytra striata.

26. El. thorace obscurè cinereo, elytris cinereo- *murinus.*
nebulosis, plantis rufis.

Linn. Syst. Nat. 655. 28. *Faun. Suec.* 738. *Vill.* i.
310. 19. *Gmel.* 1908. 28. *Fab. Syst. Ent.* 211. 10.
Sp. Ins. i. 267. 15. *Mant.* i. 172. 19. *Ent. Syst.*
i. b. 221. 26. *Panz. Ent. Germ.* 235. 6. *Harr.* 102.
Payk. Faun. Suec. iii. 34. 38. *Schrank,* 346. *Faun.
Ingr.* 247.
Mart. Eng. Ent. 31. *t.* 17. *Schæff. Icon. t.* 4. *f.* 6.
t. 45. *f.* 5. *Oliv.* ii. 31. 25. 29. *t.* 2. *f.* 9.
Elater rufipes. *De Geer,* iv. 150. 10.
Le Taupin gris de souris. *Geoff.* i. 134. 8.

Long. corp. 6⸺8 lin.

Habitat ⸺

Descr. Corpus medium, sive majusculum, nigro-
cinereum; solæ antennæ et pedum plantæ ferrugineæ.
Faun. Suec.

tessellatus. 27. El. thorace elytrisque cupreo-æneis, pedibus
concoloribus.

Linn. Syst. Nat. 655. 29. *Faun. Suec.* 739. *Vill.* i.
310. 20. *Gmel.* 1908. 29. *Fab. Syst. Ent.* 211. 11.
Sp. Ins. i. 267. 16. *Mant.* i. 173. 20. *Ent. Syst.*
i. b. 222. 28. *Panz. Ent. Germ.* 236. 8. *Faun.*
Fred. 17. 166. *Harr.* 103. *Payk. Faun. Suec.* iii.
7. 9. *Faun. Ingr.* 248. *Faun. Etrusc.* 442. *Hellw.*
442.
Oliv. ii. 31. 26. 30. *t.* 3. *f.* 22. *Schæff. Icon. t.* 4.
f. 7.
Elater rufo-unguiculatus. *De Geer,* iv. 148. 7.
Elater variegatus major. *Panz. Voet. t.* 44. *f.* 26.
Le Taupin à plaques velues. *Geoff.* i. 135. 9.

Long. corp. 8 lin.

Habitat ——————

Descr. Totum corpus unicolor, cupreo-æneum. Ungues pedum solummodò rufi. Totum corpus sed præcipuè elytra pilis brevissimis pallidis obvestiuntur, et
nonnunquam obsoletiùs tessellata esse videntur.
Obs. Variat magnitudine 6—8 lineas, an ex sexu? an ex
patriâ? *Dom. Suederus* scilicet ex Sueciâ 6-linearem
misit, at noster 8-linearis est.

holosericeus. 28. El. niger villosus, thorace elytrisque albido
tessellatis.

Fab. Ent. Syst. i. b. 222. 27. *Payk. Faun. Suec.* iii.
35. 39.
Oliv. ii. 31. 27. 31. *t.* 3. *f.* 33. et *t.* 7. *f.* 69.
Elater variegatus minor. *Panz. Voet.* ii. 119. *t.* 44. *f.* 27.

Long. corp. 5 lin.

Habitat——————Captus in *Spartio Scopario,* Coombe-
Wood.

Descr.

Descr. Hoc animal tum apud nostrates, tum apud
exteros, diu pro *El. tessellato* habitum est. Sed minus:
tum differt colore nigro, obscuro, nec brunneo-æneo,
nitidiusculo. Totum corpus suprà villis albidis obsitum: quin hic illic, sive naturæ arbitrio, feu casu
quodam, pili deficiunt, unde tessellatus videtur. Elytra obsoletè striata. Tibiæ tarsique obscurè rufescentes. Affinis etiam *El. murino,* a quo differt thorace integro, nec tuberculis duobus muticis armato, tum elytris posticè subrufescentibus.

29. El. atro-cæruleus nitidus, thorace lineâ dorsali *impressus.*
punctisque duobus impressis, pedibus piceis.

Fab. Ent. Syst. i. b. 223. 32. *Payk. Faun. Suec.* iii.
18. 21.

Long. corp. 9 lin.

Habitat ———

Descr. Totum corpus, pedibus piceis exceptis, amœnè
nitet. Thorax lineâ dorsali posticè punctoque utrinque
impressis, oculo armato punctulis numerosissimis sparsus. Elytra 10-striata. In fundo striarum puncta
impressa, et per totam superficiem punctula minima
numerosissima sub lente conspicienda sunt.

Variat paulùm magnitudine pro sexu? Variat etiam
colore sub-æneo, æneo-viridi, æneo-cæruleo, æneo-
violaceo. Pedes semper picei; nonnunquam etiam
sternum piceum est, sed non semper.

30. El. nigro-æneus, elytris obsoletissimè striatis, *obsoletus.*
antennis setaceis.

Long. corp. 5½ lin.

Habitat ———

Descr. Totum corpus unicolor, nigro-æneum, subtomentosum. Thorax posticè lineâ mediâ impressâ,
obsoletiusculâ. Elytra sub lente vix striata.

31. El. thorace elytrisque æneis, antennis maris *pectini-*
pectinatis. *cornis.*

Linn. Syst. Nat. 665. 32.   *Faun. Suec.* 741.   *Vill.* i.
311. 23.   *Scop.* 278.   *Schrank*, 338.   *Gmel.* 1909. 32.
Fab. Syst. Ent. 212. 14.   *Sp. Ins.* i. 268. 19.   *Mant.*
i. 173. 23.   *Ent. Syst.* i. b. 223. 33.   *Panz. Ent.*
Germ. 237. 13.   *Harr.* 105.   *Act. Nidros.* iv. 326. 23.
Payk. Faun. Suec. iii. 9. 11.   *Faun. Ingr.* 250.
Don. Brit. Ins. t. 356. *f.* 2.   *Schæff. Elem. t.* 11. *f.* 1.
et *t.* 60. *f.* 1.   *Icon. t.* 2. *f.* 5.   *Poda*, 41. 1. *t.* 1. *f.* 4.
Panz. Faun. Germ. 77. *t.* 1.   *Mart. Eng. Ent. t.* 30.
f. 10. 11.   *Oliv.* ii. 31. 23. 26. *t.* 1. *f.* 4. *t.* 6. *f.* 4. b.
Elater æneo-pectinicornis. *De Geer*, iv. 145. 2. *t.* 5. *f.* 3.
Elater flabellicornis. *Panz. Voet.* ii. 120. 31. *t.* 45. *f.* 31.
Le Taupin brun cuivreux. *Geoff.* i. 133. 7.

Long. corp. 7—8 lin.

Habitat ———— Captus prope montes Malvern
dictos, in comitatu Glocestriensi.   *D. Dickson.*

Descr. *Mas* thorace et elytris magìs saturatè viret, et
angustior est; antennis valdè pectinatis. *Fœmina* magìs ænea : thorace latiore, nitidiore, virescente; elytris
magìs nigricantibus; antennis filiformibus, minimè
pectinatis. *Faun. Suec.*

cyaneus.   32. El. totus purpureo-cæruleus punctulatus, elytris striatis.

Long. corp. 6 lin.

Habitat ————

Descr. Totum corpus punctulis minutissimis conspersum. Elytra striata, striis satìs profundis, punctis impressis.

æneus.   33. El. thorace elytrisque cærulescenti-æneis, pedibus sanguineis.

Linn. Syst. Nat. 665. 31.   *Faun. Suec.* 740.   *Vill.* i.
311. 22.   *Schrank*, 339.   *Gmel.* 1909. 31.   *Fab.*
Syst. Ent. 212. 13.   *Sp. Ins.* i. 267. 18.   *Mant.* i.
173. 22.   *Ent. Syst.* i. b. 223. 31.   *Panz. Ent. Germ.*
237. 12.   *Faun. Fred.* 17. 167.   *Poda*, 41. 7.   *Payk.*
Faun. Suec. iii. 16. 19.   *Faun. Ingr.* 249.

Oliv.

CICINDELA.

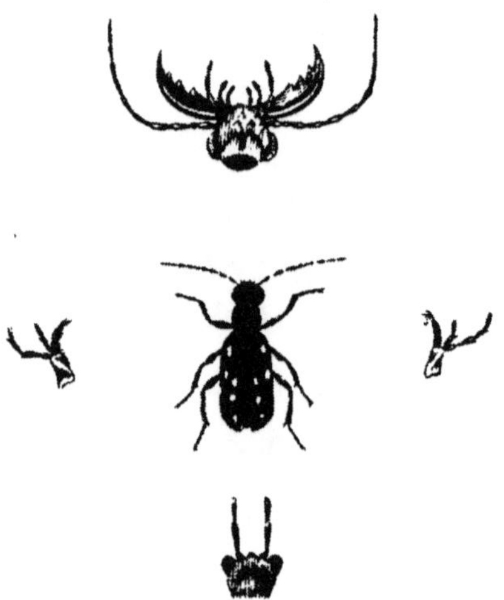

C. campestris.

Oliv. ii. 31. 24. 28. *t.* 8. *f.* 83.
Elater æneus rufipes. *De Geer,* iv. 149. 8.

Long. corp. 3 lin.

Habitat ⸺

DESCR. Elytra striata. Antennæ filiformes. Pedes rubri.
Variat colore nigro-æneo, et viridi nitente.

34. El. ater, thorace nitido, elytris striatis, pe- *rufipes.*
dibus rufis.

Fab. Ent. Syst. i. b. 231. 70. *Payk. Faun. Suec.* iii.
39. 45. *Faun. Etrusc.* 448. *Hellw.* 448.
Oliv. ii. 31. 45. 62. *t.* 7. *f.* 72. a. b.
Le Taupin noir à pattes fauves. *Geoff.* i. 136. 14.

Long. corp. 4 lin.

Habitat ⸺

DESCR. Statura et summa affinitas *El. minuti.* Caput
et thorax atra, nitida, immaculata. Elytra striata,
nigra. Pedes omnes rufi, digitis nigris. *Ent. Syst.*

35. El. niger, thorace punctato, elytris striatis *nigrinus.*
tomentosis.

Long. corp. 6 lin.

Habitat ⸺   In mus. *D. Kirby.*

DESCR. Totum corpus nigrum, vellere cinerascenti
obtectum. Antennæ valdè serratæ.

---

35. CICINDELA.

Antennæ setaceæ.
Maxillæ prominentes, denticulatæ.
Oculi prominuli.
Thorax rotundato-marginatus.

---

1. Cic. viridis, elytris punctis quinque albis.   *campestris.*

                    Linn.

Linn. Syst. Nat. 657. 1. *Faun. Suec.* 746. *Vill.* i.
320. 1. *Gmel.* 1920. 1. *Scop.* 181. *Fab. Syst.
Ent.* 124. 1. *Sp. Ins.* i. 283. 3. *Mant.* i. 185. 5.
Ent. Syst. i. a. 170. 9. *Panz. Ent. Germ.* 67. 2.
Payk Faun. Suec. i. 170. 1. *Harr.* 220. *Poda,* 42. 1.
Pontop. i. 676. 14. *Faun. Ingr.* 80. *Faun. Fred.*
17. 173. *Act. Nidros.* iii. 398. 19. *Faun. Etrusc.*
475. *Hellw.* 475. *Illiger. Kugel. Kaf. Preus.* 220. 3.
Don. Brit. Ins. t. 12. *De Geer,* iv. 113. 1. *t.* 4. *f.* 1.
Schæff. Icon. t. 24. *f.* 8. 9. et *t.* 28. *f.* 3. *Bergstraes.
Nom.* ii. 15. 8. 11. *t.* 2. *f.* 8—11. *Oliv.* ii. 33. 11.
8. *t.* 1. *f.* 3. a. b. c.
Le Velours vert à 12 points blancs. *Geoff.* i. 153. 27.
Arenarius viridis. *Panz. Voet.* ii. 96. 4. *t.* 40. *f.* 4.

Long. corp. 6 lin.

Habitat in campis arenosis.

DESCR. Inter Coleoptera certè hæc species unica ex
 præstantissimis dici debet, cum aureus nitor ex toto
 corpore radiet, vel sericeo fulgeat. Elytra suprà viridia,
 planiuscula, lævia, punctis aliquot albis notata ; quorum primum ad baseos angulum ; secundum rotundum
 prope marginem ; tertium lunulatum prope marginem ;
 quartum oblongum ad marginem ; quintum intra tertium, seu in medio elytri, reliquis interius ; præter hæc
 et apex elytrorum albicat. Alæ fuscæ. Thorax angustus, rotundatus, viridi-nitens. Caput aureo-viride,
 depresso vertice. Oculi nigri, prominentes. Os prominens. Labium superius obtusum, album. Maxillæ
 superiores prominentes ; dentibus plurimis validis ; inferiores maxillæ apice unico dente armatæ, sub his
 palporum duo paria, quorum superius constat articulis
 duobus, inferius quaternis. Labii inferioris loco palpi
 bini ex binis articulis pilosis. Abdomen viridi-aureum.
 Pedes longissimi, tenuissimi ; ad basin femorum corpus
 quoddam ovale, durum. Antennæ corpore breviores,
 10 articulis. *Faun. Suec.*

germanica. 2. Cic. viridis, elytris puncto lunuláque ad apicem
 albis.

Linn. Syst. Nat. 657. 4. *Vill.* i. 322. 3. *Gmel.* 1920. 4.
              Scop.

Scop. 182. *Schrank,* 358. *Fab. Syst. Ent.* 225. 6.
Sp. Ins. i. 285. 11. *Mant.* i. 186. 15. *Ent. Syst.*
i. a. 174. 21. *Panz. Ent. Germ.* 68. 7. *Poda,* 42. 2.
Harr. 222. *Illiger. Kugel. Kaf. Preus.* 220. 4.
Panz. Faun. Germ. 6. *t.* 5. *Schæff. Icon. t.* 4. *f.* 8.
Oliv. ii. 33. 21. 20. *t.* 1. *f.* 9. a. b.
La Bupreste verte à six points blancs. *Geoff.* i. 155. 29.
Arenarius carneolicus. *Panz. Voet.* ii. 97. 6. *t.* 40. *f.* 6.

Long. corp. 4 lin.

Habitat ———

DESCR. Simillima *Cic. campestri,* sed triplo minor.
Tota æneo-viridis. Elytra viridia, apice lineolâ albi-
cante, et punctis duobus albis ad marginem exteriorem. *Syst. Nat.*

3. Cic. purpurascenti-fusca; elytris fasciâ undu- *sylvatica.*
latâ punctisque tribus albidis.

Linn. Syst. Nat. 658. 8. *Faun. Suec.* 748. *Vill.* i.
322. 4. *Gmel.* 1922. 8. *Fab. Syst. Ent.* 224. 3.
Sp. Ins. i. 284. 5. *Mant.* i. 185. 7. *Ent. Syst.* i. a.
171. 11. *Panz. Ent. Germ.* 67. 4. *Faun. Ingr.* 82.
Illiger. Kugel. Kaf. Preus. 219. 1.
De Geer, iv. 114. 2. *t.* 4. *f.* 7. *Don. Brit. Ins. t.* 351.
f. 1. *Oliv.* ii. 33. 15. 12. *t.* 1. *f.* 5.
Arenarius fuscus. *Panz. Voet.* ii. 95. 2. *t.* 40. *f.* 2.

Long. corp. 7 lin.

Habitat ——— Capta in ericeto dicto Martlesham
Heath, juxta Woodbridge, in Suffolciâ, Septembre ineunti 1797. *D. Kirby.*

DESCR. Tota atra est. Coleoptra depressa, latiuscula; ad
angulum exteriorem baseos elytrorum punctum album;
paulo suprà, juxta exteriorem marginem aliud punctum,
sed sublunulatum, apices elytrorum versus in singulo
elytro punctum rotundum, album; fascia linearis,
flexuosa sive undulata, arcuata, versus posteriora in
medio deflexa, cingit in medio elytra: hæ maculæ
omnes non constant ex pilis, cum elytra glabra infinitis

 punctis

punctis excavatis conspersa, sed translucent per ipsam crustam. Femora et pedes longi, tenues, atri, setis quibusdam adspersi. Tibiæ spinis duabus terminatæ. Thorax angustior, teretiusculus, cruce depressâ, uti caput niger. Oculi prominuli. Os prominens. Labium superius atrum, rotundato-acutum. Maxillæ superiores magnæ, prominentes, nigræ, versus basin extùs albæ, dentibus plurimis duris armatæ. *Faun. Suec.*

Obs. Mihi, color purpurascenti-fuscus est.

riparia. 4. Cic. viridi-ænea, elytris punctis latis excavatis.

Linn. Syst. Nat. 658. 10. *Faun. Suec.* 749. *Vill.* i. 323. 6. *Faun. Fred.* 18. 174. *Poda,* 42. 4. *Harr.* 223. *Gmel.* 1925. 10.

Don. Brit. Ins. t. 301. *De Geer,* iv. 117. 4. *t.* 4. *f.* 9. *Schæff. Icon. t.* 86. *f.* 4.

Elaphrus riparius. *Fab. Syst. Ent.* 227. 1. *Sp. Ins.* i. 287. 1. *Mant.* i. 187. 1. *Ent. Syst.* i. a. 179. 2. *Panz. Ent. Germ.* 68. 2. *Faun. Ingr.* 83. *Payk. Faun. Suec.* i. 174. 2. *Faun. Etrusc.* 477. *Hellw.* 477. *Illiger. Kugel. Kaf. Preus.* 225. 2.

Oliv. ii. 34. 4. 1. *t.* 1. *f.* 1. a. b. c. d. *Panz. Faun. Germ.* 20. *t.* 1.

Le Bupreste à mammelons. *Geoff.* i. 156. 30.

Arenarius parvus. *Panz. Voet.* ii. 98. 7. *t.* 40. *f.* 7.

Long. corp. 3 lin.

Habitat in locis humidis.

DESCR. Corpus sordidè æneo-virens. Elytra admodùm singularia, quippe tres lineas elevatas interruptas gerunt. In omni autem interruptione, punctum latum excavatum mamillare, mamillâ purpurascenti. Quarta series punctorum excavatorum ad elytrorum marginem sita est. Pedes amœnissimè aureo-virides.

uliginosa. 5. Cic. suprà violacea subtùs æneo-viridis, elytris punctis excavatis lineisque elevatis interruptis tuberculato-rugosis.

Elaphrus uliginosus. *Fab. Ent. Syst.* i. a. 178. 1. *Panz. Ent.*

Ent. Germ. 68. 1.   *Payk. Faun. Suec.* i. 173. 1.
Illiger. Kugel. Kaf. Preus. 225. 3.

Long. corp. 4 lin.

Habitat ————

DESCR. Maximè affinis *Cic. ripariæ*, sed ferè duplo
major: tum color suprà violaceus, nec virescens.
Elytrorum superficies valdè inæqualis, quippe lineæ
elevatæ manifestiores, et puncta excavata obsoletiora
sunt; unde quasi tuberculato-rugosa; puncta excavata omninò ut in *Cic. ripariâ*, sed obsoletiora, ac
ejusdem cum elytris coloris. Pedes ut in *Cic. ripariâ.*

6. Cic. ænea nitida, capite striato.   *aquatica.*

Linn. Syst. Nat. 658. 14.   *Faun. Suec.* 752.   *Vill.* i.
325. 10. *Schrank,* 361. *Faun. Fred.* 18. 177. *Gmel.*
1925. 14.
Don. Brit. Ins. t. 351. *f.* 2.
Elaphrus aquaticus. *Fab. Syst. Ent.* 227. 4.   *Sp. Ins,* i.
288. 4.   *Mant.* i. 188. 4.   *Ent. Syst.* i. a. 179. 5.
Panz. Ent. Germ. 69. 6.   *Faun. Ingr.* 85.   *Payk.*
Faun. Suec. i. 177. 5.   *Faun. Etrusc.* 478.   *Hellw.*
478. *Illiger. Kugel. Kaf. Preus.* 224. 1.
Oliv. ii. 34. 6. 5. *t.* 1. *f.* 6. a. b.
Elaphrus germanicus. *Panz. Faun. Germ.* 20. *t.* 3.

Long. corp. 2 lin.

Habitat ————

DESCR. Tota nitida. Thorax latiusculus, carinatus,
marginatus. Elytra nitida, striis minutissimis e punctis
minutissimis. Abdomen nigrum, nitidum. Pedes
nigri. Rostrum prominulum. *Faun. Suec.*

7. Cic. ænea, elytris striatis, pedibus flavescen- *striata.*
   tibus.

Elaphrus striatus. *Fab. Ent. Syst.* i. a. 179. 3.   *Payk.*
Faun. Suec. i. 175. 3. *Illiger. Kugel. Kaf. Preus.*
227. 7.   *Panz. Ent. Germ.* 69. 3.

Long. corp. 2¼ lin.

Habitat ————   In mus. *D. Donovan.*
                                    DESCR.

Dᴇsᴄʀ. Statura *Cic. flavipedis* at major. Antennæ nigræ, primo articulo flavo. Thorax rotundatus, dorso canaliculato. Elytra striata, ænea, immaculata. Pedes flavescentes, femoribus obscurioribus. Puncta interdum duo impressa ad elytrorum suturam. *Fab.*

semipunc-
tata.

8. Cic. ænea nitida, elytris punctatis : dorso glaberrimo.

Vill. i. 326. 12. *Gmel.* 1925. 47.
Cicindela striata. *De Geer,* iv. 118. 5.
Elaphrus semipunctatus. *Fab. Syst. Ent.* 227. 5. *Sp. Ins.* i. 288. 5. *Mant.* i. 188. 5. *Ent. Syst.* i. a. 180. 6. *Panz. Ent. Germ.* 69. 7. *Faun. Etrusc.* 479. *Hellw.* 479.
Oliv. ii. 34. 7. *t.* 1. *f.* 3. a. b.
Le Bupreste à tête cannelée. *Geoff.* i. 157. 31.

Long. corp. 2½ lin.

Habitat ――――

Dᴇsᴄʀ. Statura et summa affinitas *Cic. aquaticæ.* Antennæ nigræ, basi ferrugineæ. Corpus totum æneum, nitidum. Elytra striato-punctata, in medio ad suturam quasi' polita, glaberrima. Pedes nigri, tibiis ferrugineis, sive piceis.

flavipes.

9. Cic. obscurè ænea, elytris subnebulosis, pedibus luteis.

Linn. Syst. Nat. 658. 11. *Faun. Suec.* 750. *Vill.* i. 324. 7. *De Geer,* iv. 119. 6. *Faun. Fred.* 18. 175. *Gmel.* 1925. 11.
Elaphrus flavipes. *Fab. Syst. Ent.* 227. 2. *Sp. Ins.* i. 287. 2. *Mant.* i. 187. 2. *Ent. Syst.* i. a. 179. 4. *Panz. Ent. Germ.* 69. 4. *Faun. Ingr.* 84. *Payk.* i. 176. 4. *Faun. Etrusc.* 480. *Hellw.* 480. *Illiger. Kugel. Kaf. Preus.* 226. 4.
Panz. Faun. Germ. 20. *t.* 2. *Oliv.* ii. 34. 8. 7. *t.* 1. *f.* 2. a. b.

Long. corp. 2 lin.

Habitat in sylvis. *Linn.*

Dᴇsᴄʀ.

BUPRESTIS.

B. Salicis.

Descr. Antennarum basis flavescens. Pedes lutei. Elytra sub-ænea, obscurè nebulosa. *Faun. Suec.*

10. Cic. ænea, elytris nitidis apice flavescentibus. *biguttata.*
Vill. i. 326. 13.   *Gmel.* 1925. 48.
Elaphrus biguttatus. *Fab. Sp. Ins.* i. 288. 6.   *Mant.* i.
188. 6.   *Ent. Syst.* i. a. 180. 7.   *Payk. Faun. Suec.*
i. 177. 5. var. β.
Long. corp. 2 lin.
Habitat ————

Descr. Caput et thorax rugosa, obscurè ænea. Elytra nitida, puncto medio impresso, et apice latè flavescentia. *Ent. Syst.*

36. BUPRESTIS.

Antennæ filiformes, serratæ.

Caput rotundatum, dimidium intra thoracem retractum.

Thorax transversus, posticè latitudine elytrorum.

Elytra rigida.

Corpus oblongum, apicem versus conicum.

1. Bu. ænea, elytris striatis fastigiatis, thorace *rustica.* punctato.
Linn. Syst. Nat. 660. 8.   *Faun. Suec.* 756.   *Vill.* i.
329. 4.   *Gmel.* 1932. 8.   *Schrank,* 363.   *Fab. Syst.*
Ent. 221. 28.   *Sp. Ins.* i. 279. 40.   *Mant.* i. 181. 57.
Ent. Syst. i. b. 205. 81.   *Panz. Ent. Germ.* 229. 13.
Payk. Faun. Suec. ii. 216. 3.   *Faun. Ingr.* 241.
Faun. Etrusc. 458.   *Hellw.* 458.   *Hoppe Ins. Erl.* 56.
Panz. Faun. Germ. 68. *t.* 19.   *Oliv.* ii. 32. 67. 90. *t.* 3.
f. 22.   *Herbst. Jablonsk.* ix. 134. 76. *t.* 144. *f.* 8.
Buprestis

Buprestis violacea. *De Geer,* iv. 130. 4. *t.* 4. *f.* 10—17.
Le Richard doré à stries. *Geoff.* i. 126. 3. *t.* 2. *f.* 2.
Mordella rustica. *Scop.* 188.

Long. corp. 6 lin.

Habitat in sylvis ad aquas. *Linn.*

Dɛscʀ. Thorax viridi-æneus, punctis excavatis, crassus, imo crassitie coleoptrorum, caput maximâ ex parte intra se recipiens. Elytra ænea, minùs viridia, immaculata, singula octo circiter striis exarata. *Faun. Suec.*

9-*maculata.* 2. Bu. elytris integerrimis nigris : maculis tribus longitudinalibus fronte thoracisque lateribus luteis.

Linn. Syst. Nat. 662. 17. *Vill.* i. 332. 9. *Fab. Syst. Ent.* 223. 44. *Sp. Ins.* i. 282. 62. *Mant.* i. 179. 36. *Ent. Syst.* i. b. 198. 54. *Panz. Ent. Germ.* 228. 5. *Faun. Etrusc.* 463. *Hellw.* 463. *Gmel.* 1935. 17.
Oliv. ii. 32. 49. 63. *t.* 4. *f.* 30. *Herbst. Jablonsk.* ix. 215. 136. *t.* 156. *f.* 5.

Long. corp.   lin.

Habitat ———

Dɛscʀ. Corpus nigrum totum, oblongum, mediocre. Maculæ luteæ : 1 in medio frontis, cum punctis; 2 ad thoracis latera; 3 in singulis elytris situ longitudinali, quarum anterior basi biloba. Abdominis segmenta punctis 4 luteis. *Syst. Nat.*

biguttata. 3. Bu. elytris integerrimis linearibus viridibus : puncto albo, abdomine cyaneo : punctis utrinque tribus albis.

Fab. Gen. Ins. Mant. 237. *Sp. Ins.* i. 281. 55. *Mant.* i. 184. 82. *Ent. Syst.* i. b. 213. 115. *Panz. Ent. Germ.* 232. 29. *Harr.* 97. *Vill.* i. 336. 24. *Payk. Faun. Suec.* ii. 224. 11. *Faun. Etrusc.* 473. *Hellw.* 473. *Gmel.* 1937. 94.
Oliv. ii. 32. 76. 104. *t.* 7. *f.* 75. *Schæff. Icon. t.* 279. *f.* 6.

f. 6. a. *6.* b.   *Herbst. Jablonsh.* ix. 266. 184. *t.* 155.
f. 2.   Herbst. Arch. t. 28. *f.* 22.

Long. corp. 7 lin.

Habitat ⸺⸺

DESCR. Caput viride, fronte impressâ, antennis brevibus
nigris. Thorax cylindricus, viridis, immaculatus. Elytra linearia, viridia, puncto parvo albo ad suturam.
Abdomen suprà cyaneum, nitidum, utrinque punctis
tribus albis, quorum anterius parùm remotum ; subtùs
itidem cæruleum, utrinque punctis tribus albis. *Fab.
Gen. Ins. Mant.*

4. **Bu.** elytris integerrimis sublinearibus punctatis, *viridis.*
thorace deflexo, corpore viridi elongato.

Linn. Syst. Nat. 663. 25.   *Faun. Suec.* 762.   *Vill.* i.
334. 16.   *Schrank,* 367.   *Gmel.* 1937. 25.   *Fab.
Syst. Ent.* 223. 39.   *Sp. Ins.* i. 281. 54.   *Mant.* i.
184. 81.   *Ent. Syst.* i. b. 213. 114.   *Panz. Ent.
Germ.* 232. 28.   *Harr.* 95.   *Faun. Fred.* 18. 181.
Payk. Faun. Suec. ii. 225. 12.   *Faun. Ingr.* 243.
Faun. Etrusc. 498.   *Hellw.* 498.
Don. Brit. Ins. t. 174.   *De Geer,* iv. 133. 6. *t.* 5. *f.* 1. 2.
Herbst. Jablonsk. ix. 247. 164. *t.* 155. *f.* 1. a. b.
Oliv. ii. 32. 83. 116. *t.* 11. *f.* 127.   *Herbst. Arch.
t.* 28. *f.* 21.
Le Richard vert allongé. *Geoff.* i. 127. 5.

Long. corp. 3 lin.

Habitat in foliis *Betulæ albæ,* quorum margines
exedit. *Linn.*

DESCR.   Corpus totum viridissimum, mediæ vel mino-
ris longitudinis, reliquis angustius.   Elytra non striata,
nec nisi atomis confertissimè punctata. *Faun. Suec.*

5. **Bu.** elytris integris, viridis nitens, coleoptris *Salicis.*
aureis basi viridibus.

Fab. Sp. Ins. i. 282. 60.   *Mant.* i. 184. 89.   *Ent. Syst.* i. b.
215. 125.   *Panz. Ent. Germ.* 233. 35.   *Harr.* 100.
Vill.

Vill. i. 337. 26. *Faun. Etrusc.* 471. *Hellw.* 471.
Gmel. 1935. 85.
Don. Brit. Ins. t. 127. *Panz. Faun. Germ.* I. *t.* 12.
Herbst. Arch. t. 46. *f.* 5. *Schæff. Icon. t.* 31. *f.* 12.
Oliv. ii. 32. 79. 108. *t.* 2. *f.* 13. a. b. *Herbst.*
Jablonsk. ix. 240. 159. *t.* 147. *f.* 6. c.

Long. corp. 3 lin.

Habitat in *Salice.*

DESCR. Caput viride, antennis fuscis. Thorax depressus, marginatus, viridis, maculis duabus cyaneis impressis. Elytra rufa, a basi imprimis ad suturam viridia. Subtùs viridis, immaculata. *Ent. Syst.*

minuta.   6. Bu. ovata, elytris nigris integerrimis transversè
rugosis, thorace subtrilobo lævi æneo.

Linn. Syst. Nat. 663. 23. *Faun. Suec.* 760. *Vill.* i.
333. 14. *Schrank,* 370. *Gmel.* 1937. 24. *Fab.*
Syst. Ent. 223. 38. *Sp. Ins.* i. 281. 53. *Mant.* i.
183. 79. *Ent. Syst.* i. b. 212. 111. *Panz. Ent.*
Germ. 232. 27. *Payk. Faun. Suec.* ii. 232. 20.
Faun. Etrusc. 472. *Hellw.* 472.
Don. Brit. Ins. t. 256. *Oliv.* ii. 32. 84. 118. *t.* 2.
f. 14. a. b. *Herbst. Jablonsk.* ix. 272. 190. *t.* 156.
f. 3. a. b.
Le Richard triangulaire ondé. *Geoff.* i. 128. 6.

Long. corp. $1\frac{1}{2}$ lin.

Habitat ——— Capta in foliis arbustorum in
Coombe-Wood.

DESCR. Corpus ovatum. Thorax inæqualis, fusco-
cupreus, lævis, posticè subtrilobus. Elytra nigra, sive
nigro-ænea, fasciis undulatis villoso-albidis.

pygmæa.   7. Bu. ovata, elytris integris cynaneis, capite thoraceque æneis nitidis.

Fab. Ent. Syst. i. b. 211. 110. *Panz. Ent. Germ.*
232. 26. *Faun. Etrusc. Mant.* 407. 152. *Hellw.*
Mant. 407. 52. *Gmel.* 1936. 92.

Don.

Don. Brit. Ins. t. 282.   *Oliv.* ii. 32. 85. 119. *t.* 4. *f.* 34.
  Herbst. Jablonsk. ix. 271. 189. *t.* 156. *f.* 2. a. b.

Long. corp. 1½ lin.

Habitat ———— Capta in Coombe-Wood. *D. Mac-*
  Leay.

DESCR. Statura omninò præcedentis, at caput et thorax lævia, ænea, nitidissima.   Elytra cyanea, nitida,
  immaculata.   Corpus obscurum.

---

37. PARNUS.

Antennæ perfoliatæ, capite breviores.
Caput rotundatum, intra thoracem retractile.
Thorax anticè attenuatus, posticè utrinque
  angulo acuminato.
Pectus mucronatum.

---

1. Par. niger vellere griseo obductus, antennis ap- *proliferi-*
  pendiculatis.   *cornis.*

Fab. Ent. Syst. i. a. 245. 1.   *Payk. Faun. Suec.* i.
  321. 1.   *Illiger. Kugel. Kaf. Preus.* 350. 1.   *Panz.*
  Ent. Germ. 116. 1.
Panz. Faun. Germ. 13. *t.* 1.
Elater dermestoides. *Linn. Syst. Nat.* 656. 38.   *Vill.* i.
  314. 29.   *Gmel.* 1910. 38.
Elater prolifericornis. *Faun. Etrusc.* 447.   *Hellw.* 447.
Le Dermeste à oreilles. *Geoff.* i. 103. 11. ?

Long. corp. 2 lin.

Habitat ————

DESCR. Antennæ brevissimæ, pallidæ, appendiculis
  trapeziformibus nigris latere superiori munitæ.   Caput
  intra thoracem interdum penitùs retrahit, adeo ut acephalus esse videtur.   Pedes obscurè rubri, interdùm
  nigricantes.

38. HETE-

38. HETEROCERUS.

Antennæ breves, recurvæ, articulis ultimis
  subserratis.

Caput porrectum, elongatum, maxillis exser-
  tis apice denticulatis.

Thorax convexus, anticè attenuatus.

Corpus ovatum.

---

marginatus. 1. Het. hirtus niger, elytris punctis septem ferrugineis.

> *Fab. Ent. Syst.* i. a. 262. 1.   *Payk. Faun. Suec.* i.
>   357. 1.   *Panz. Ent. Germ.* 130. 1.   *Schneid. N.*
>   *Magaz.* v. 533.
> *Panz. Faun. Germ.* 23. *t.* 11.
> Apate marginatus. *Fab. Mant.* i. 33. 8.
> Dermestes fenestratus.   *Thunb. Nov. Act. Ups.* iv. 3. 2.

Long. corp. $2\frac{1}{4}$ lin.

Habitat in palustribus maritimis, in scrobibus
  cœnosis, ubi aqua per hyemem constiterit, prope
  Harvici oppidum, Maio.   Prope Sheerness co-
  piosè, Septembre.

DESCR. Totum corpus nigrum, vellere subferrugineo
  obtectum.   Elytra circiter puncta septem ferruginea,
  sæpiùs obsoleta gerunt.   Hæc puncta ad hanc metho-
  dum disponuntur; antè medium elytrorum tria, trans-
  versìm et quasi arcuatìm sita; post hæc unum versus
  suturam, majus, lunare; apicem versus tria alia parva,
  triangulum æqualem efficientia. Tibiæ omnes spinosæ.

39. HYDROPHILUS.

Antennæ clavâ perfoliatâ, trifidâ, palpis breviores.

Caput insertum.

Thorax transversus.

Corpus ovale, convexum.

Pedes postici in plerisque ciliati.

* *Thorace lævi.*

** *Thorace longitudinaliter rugoso.*

* *Thorace lævi.*

1. Hy. niger lævis, sterno carinato longissimo *piceus.*
posticè spinoso.

Fab. Syst. Ent. 228. 1. *Sp. Ins.* i. 288. 1. *Mant.* i.
188. 1. *Ent. Syst.* i. a. 182. 1. *Panz. Ent. Germ.*
70. 1. *Payk. Faun. Suec.* i. 178. 1. *Harr.* 177.
Faun. Ingr. 86. *Faun. Etrusc.* 481. *Hellw.* 481.
Gmel. 1941. 1.
Oliv. iii. 39. 9. 1. *t.* 1. *f.* 2. a—d. *Herbst. Jablonsk.* vii.
294. 1. *t.* 113. *f.* 5. *Schæff. Elem. t.* 71. *Icon. t.* 33.
f. 1. 2. *Bergstraes. Nom.* i. 9. 46. 1. *t.* 6. *f.* 3. *t.* 8
et 9. *f.* 1.
Hydrophilus ruficornis. *De Geer,* iv. 371. 1. *t.* 14. *f.* 1. 2.
Le grand Hydrophile. *Geoff.* i. 182. *t.* 3. *f.* 1.
Hydrous piceus. *Linn. Mss.* 1.
Dytiscus piceus. *Linn. Syst. Nat.* 664. 1. *Faun. Suec.* 764.
Vill. i. 340. 1. *Scop.* 293. *Faun. Fred.* 19. 184.
Pontop. i. 676. 1.
Mart. Eng. Ent. t. 32. *f.* 3. 4. *Shaw Nat. Misc. t.* 292.
Lyon. Less. Theol. Ins. 158. *t.* 1. *f.* 12—15.

Long. corp. 1 unc. 5 lin.

Habitat in aquis.

DESCR. Corpus maximum, nigro-piceum, sive nigrum, —
læve, posticè acuminatum. Antennæ clavâ ovatâ, articulo
ultimo atro, glabro, reliquis fuscis, non glabris. Caput
nitidum, lunulâ utrinque anticâ e punctis impressis.

Thorax convexus, nitidus, foveolâ utrinque e punctis
confluentibus valdè impressis, et pùnctis quibusdam
minoribus marginalibus excavatis. Scutellum magnum, triangulare. Elytra nitida, valdè convexa, vix
manifestè punctato-striata. Pectus subtomentosum.
Sternum carinatum, compressum, valdè prominens,
auticè obtusum, subtùs canaliculatum, posticè in spinam validam, .longitudine ferè dimidii abdominis pro-
ductum. Pedes nigri : tarsi compressi, ciliis flavescentibus, antici maris scuto subtriangulari.

earaboides. 2. **Hy.** niger nitidus, elytris substriatis, sterno brevi.

   Fab. Syst. Ent. 228. 4. *Sp. Ins.* i. 289. 3. *Mant.* i.
    188. 2. *Ent. Syst.* i. a. 183. 4. *Panz. Ent. Germ.*
    71. 2. *Harr.* 178. *Payk. Faun. Suec.* i. 179. 2.
    Faun. Ingr. 87. *Faun. Etrusc.* 482. *Hellw.* 482.
    et *Mant.* 410. 158. *Gmel.* 1941. 2.
   Oliv. iii. 39. 11. 5. *t.* 2. *f.* 8. *Herbst. Jablonsk.* vii.
    299. 5. *t.* 113. *f.* 9. *Schæff. Icon. t.* 33. *f.* 10. *Panz.*
    Faun. Germ. 67. *t.* 10.
   Hydrophilus nigricornis. *De Geer,* iv. 376. 2.
   L'Hydrophile noir picoté. *Geoff.* i. 183. 2.
   Hydrocantharus aquaticus niger subrotundus. *Rai.* 95. 7.
   Dytiscus caraboides. *Linn. Syst. Nat.* 664. 2. *Faun.*
    Suec. 765. *Vill.* i. 341. 2. *Faun. Fred.* 19. 185.
    Pontop. i. 676. 2.
   Roes. Ins. ii. aquat. 1. *t.* 4. *f.* 1. 2. *Mart. Eng. Ent.*
    t. 34. *f.* 28.

Long. corp. 9 lin.

Habitat in aquis.

DESCR. Corpus nigrum, nitidum, posticè rotundatum.
   Antennæ nigræ. Caput lunulâ utrinque anticâ e punctis excavatis. Thorax convexus, foveolâ utrinque e
   punctis confluentibus valdè impressis, et punctis quibusdam marginalibus excavatis. Scutellum triangulare.
   Elytra convexa, lineis quinque, interioribus distinc-
   tioribus, e punctis minutis excavatis. Sternum posticè
   spinosum, ad femora postica sese extendens. Pedes
   nigri; tarsi ciliis flavescentibus.
Tarsi antici maris absque palmulis. *Payk.*

                        3. **Hy.**

3. Hy. niger, elytris punctato-striatis margine li-*fuscipes.*
vidis, pedibus fuscis.

De Geer, iv. 377. 3.　　*Oliv.* iii. 39. 12. 6. *t.* 2. *f.* 9. a. b.
Hydrophilus scarabæoides. *Fab. Syst. Ent.* 228. 4. *Sp.*
　　Ins. i. 289. 5.　*Mant.* i. 188. 5.　*Ent. Syst.* i. 184. 8.
　　Payk. Faun. Suec. i. 180. 3.　*Panz. Ent. Germ.* 71. 4.
　　Gmel. 1942. 4.
Panz. Faun. Germ. 67. *t.* 13.
L'Hydrophile noir strié. *Geoff.* i. 184. 4.
Dytiscus fuscipes. *Linn. Syst. Nat.* 664. 4.　*Faun. Suec.*
　　766.　*Vill.* i. 342. 4.
Mart. Eng. Ent. t. 33. *f.* 15.
Dytiscus gyrinoides. *Schrank,* 372.

Long. corp. 3½ lin.

Habitat in aquis.

Descr. Niger, convexus, nitidus. Caput et thorax
　　valdè punctata, punctis minutissimis conspersis. Ely-
　　tra striato-punctata, et inter strias, oculo armato,
　　punctis minutis confluentibus ornantur.

4. Hy. subrotundus, corpore glabro atro.　　　　*orbicularis.*

Fab. Syst. Ent. 229. 5.　　*Sp. Ins.* i. 290. 6.　　*Mant.* i.
　　188. 7.　　*Ent. Syst.* i. 184. 10.　　*Panz. Ent. Germ.*
　　71. 5.　　*Payk. Faun. Suec.* i. 181. 4.　　*Thunb. Ins.*
　　Suec. vi. 73. 6.　*Gmel.* 1942. 9.
Oliv. iii. 39. 13. 8. *t.* 2. *f.,* 11. a. b.　　*Panz. Faun.*
　　Germ. vii. 303. 9. *t.* 114. *f.* 1.
L'Hydrophile lisse à points. *Geoff.* i. 184. 3.
Dytiscus orbicularis. *Vill.* i. 350. 35.

Long. corp. 2⅓ lin.

Habitat in aquis.

Descr. Statura ferè præcedentis, at minor, et ferè
　　orbiculatus. Totus lævissimus, nitens. *Syst. Ent.*

5. Hy. niger nitidiusculus, thoracis margine livido, *sordidus.*
elytris lividis nigro-maculatis.

Long. corp. 3 lin.

Habitat in aquis stagnantibus. In mus. *D. Beck-with.*

DESCR. Antennæ fuscæ, articulis quinque extremis crassioribus, quorum primus crassior rotundus, et remotiusculus. Caput anticè angulato-emarginatum. Thorax niger, lateribus pallidis. Elytra abdomine longiora, pallida, sive sordidè testacea, punctata, nigro sparsim maculata : ad apicem et marginem exteriorem striæ quædam obsoletiùs elevatæ. Pedes et abdomen nigra, obscura. Tarsi, articulo ultimo excepto, et ungues subferruginei.

verrucosus. 6. **Hy.** atro-ferrugineus obscurus, abdomine subtùs verrucoso.

Long. corp. 3 lin.

Habitat in aquis. In mus. *D. Beckwith.*

DESCR. Hæreo an hic sit diversus a *Hy. sordido.* Color sanè diversus, tum corpus obscurum : sutura et tarsi solummodò nitidiusculi. Pedes et abdomen nigra. Abdomen subtùs ad latera, et ad margines incisurarum, verrucis planis (tuberculorum *Lichenis carpinei* instar) ornatur. Elytra maculas quasdam nigras, sed præ coloris obscuritate vix conspiciendas, gerunt.

luridus. 7. **Hy.** luridus, elytris punctis tribus fuscescentibus, thorace lateribus flavicanti.

Fab. Syst. Ent. 229. 7. *Sp. Ins.* i. 290. 8. *Mant.* i. 188. 9. *Ent. Syst.* i. a. 186. 19. *Panz. Ent. Germ.* 72. 9. *Payk. Faun. Suec.* i. 181. 5. *Faun. Etrusc.* 484. *Hellw.* 484. *Gmel.* 1943. 5.
Panz. Faun. Germ. 7. t. 3. *Oliv.* iii. 39. 13. 9. t. 1. f. 3. a. b. c. *Herbst. Jablonsk.* vii. 302. 8. t. 113. f. 12.
Hydrophilus fuscus. *De Geer,* iv. 378. 4.
Dytiscus luridus. *Linn. Syst. Nat.* 665. 5. *Faun. Suec.* 767. *Vill.* i. 342. 5.
Mart. Eng. Ent. t. 33. f. 10.

Long. corp. 2¼ lin.

Habitat in aquis.

DESCR.

DESCR. Totus luridus. Caput aeneo-nigrum. Elytra striata, puncto nigro in medio ad marginem, duobus obsoletis vix manifestis ad suturam longitudinalem. Pedes ferruginei. *Faun. Suec.*

8. Hy. ovatus lividus laevissimus.   *lividus.*

Oliv. iii. 39. 15. 1. *t. 1. f.* 4. a. b.
Dytiscus lividus. *Forst. Cent.* 52.

Long. corp. 2½ lin.

Habitat in palustribus maritimis, in puteolis lutosis, in perforationibus luti praemollis ex quo aqua nondum discesserat.

DESCR. Totus lividus, sive nigro-ferrugineus, nitidus, laevissimus. Ne punctulum quidem in toto corpore conspiciendum est. Antennae basi testaceae, perfoliatae, tribus articulis. Pedes nigri, tibiis tarsisque testaceo-ferrugineis.

9. Hy. hemisphaerico-ovatus luridus, capite nigro, *dermestoi-* thoracis lateribus obscurè ferrugineis.   *des.*

Dytiscus dermestoides. *Forst. Cent.* 53.

Long. corp. 2½ lin.

Habitat inter *Lemnam* in aquis stagnantibus.

DESCR. Caput atrum, nitidum. Thorax ater, nitidus, margine pallido. Elytra undique lurida, nullis punctis vel lineis nigris. Pedes ferruginei. *Forst. Cent.*

10. Hy. ovatus testaceus, capite posticè nigro.   *torquatus.*

Long. corp. 3 lin.

Habitat in aquis.

DESCR. Caput flavum, oculis et margine postico nigris. Variat lineâ nigrâ longitudinali frontali. Thorax et elytra testacea. Abdomen nigrum. Pedes nigro-picei. Corpus suprà nitescit, et omninò sub lente punctulis conspersum.

bipunctatus. 11. Hy. niger, thorace lateribus flavicanti, elytris pallido nigroque obscurè pulverulentis.

Fab. Syst. Ent. 229. 9.   *Sp. Ins.* i. 290. 10.   *Mant.* i. 189. 12.   *Ent. Syst.* i. a. 186. 22.   *Payk. Faun. Suec.* i. 188. 14.   *Panz. Ent. Germ.* 73. 13.

Oliv. iii. 39. 16. 13. *t.* 2. *f.* 14. a. b.   *Panz. Faun. Germ.* 67. *t.* 15.

Hydrophilus coccinelloides. *Faun. Etrusc.* 486.   *Hellw.* 486.

Dytiscus coccinelloides. *Schrank,* 373.   *Vill.* i. 351. 40.

Mart. Eng. Ent. t. 33. *f.* 9.

Long. corp. $1\frac{1}{2}$ lin.

Habitat in aquis.

Descr. Habitus *Coccinellæ* et ita convexus. Subtùs niger, pedibus pallidè testaceis. Caput nigrum, anticè acutum, utrinque maculâ exiguâ flavescenti. Thorax niger, lateribus flavicantibus. Scutellum nigrum. Elytra flavicantia, sed singula striis 18 punctorum minutissimorum nigrorum. *Schrank.*

minutus. 12. Hy. ovatus piceus nitidus, elytrorum thoracisque lateribus pallidis.

Fab. Syst. Ent. 229. 8.   *Sp. Ins.* i. 290. 9.   *Mant.* i. 188. 10.   *Ent. Syst.* i. a. 186. 20.

Oliv. iii. 39. 15. 12. *t.* 2. *f.* 13. a. b.   *Mart. Eng. Ent. t.* 33. *f.* 16.

Long. corp. $1\frac{1}{3}$ lin.

Habitat in aquis.

Descr. Corpus nitidum, nigro-piceum. Thorax lateribus pallidis. Elytra etiam quæ sub lente punctulata, marginibus pallidis. Abdomen subtùs et pedes nigropicei.

bipustulatus. 13. Hy. niger, capite anticè maculis duabus fulvis, elytris testaceis nigro-pulverulentis.

Long. corp. $1\frac{1}{4}$ lin.

Habitat in aquis.

Descr.

Dᴇsᴄʀ.   Caput nigrum, maculis duabus fulvis ante
oculos.   Thorax testaceus, maculis tribus fuscis, in
medio confluentibus.   Elytra testacea, punctis nigris
sparsis.   Abdomen nigrum.   Pedes rufi.

14. Hy. fuscus, elytris striatis: striis ex punctis *lutosus.*
impressis.

Long. corp. $\frac{3}{4}$ lin.

Habitat in aquis.

Dᴇsᴄʀ.   Thorax rugosus, lineis transversis elevatis,
flexuosis.   Elytra punctato-striata.   Totum animal
obscurum et lutosum est.

15. Hy. ater politus, margine thoracis pedibusque *nitidus.*
rufis.

Long. corp. $\frac{3}{4}$ lin.

Habitat in aquis.

Dᴇsᴄʀ.   Primo intuitu non dissimilis *Dytiseo*, sed satis
distinctus.   Antennæ clavâ perfoliatâ, nec setaceæ ut
in *Dytiscis.*

16. Hy. ater nitidus, thorace elytrisque fusco- *mollis.*
testaceis.

Long. corp. $\frac{1}{2}$ lin.

Habitat in aquis.

Dᴇsᴄʀ.   Totum animal molle.   Caput et abdomen
nigra.   Per cætera fusco-testaceum est.

17. Hy. ovatus piceus nitidus, pedibus rufis.   *picinus.*
Long. corp. $\frac{1}{2}$ lin.

Habitat in aquis.

Dᴇsᴄʀ.   Totum animal præter pedes piceum.

18. Hy. niger, palpis antenniformibus, antennis *Longipalpis.*
pedibusque rubris.

2 D 4   Long.

Long. corp. 1⅛ lin.

Habitat in aquis.   In mus. *D. Kirby.*

DESCR. Palpi porrecti, tribus articulis; articulus primus longus, simillimus antennis *Curculionis.* Caput
nigrum. Thorax niger, posticè attenuatus, anticè
lineâ transversâ, impressâ. Elytra nigra, punctato-
striata.

impressus.   19. Hy. niger, thoracis lateribus utrinque foveâ
sive puncto magno impresso, pedibus testa-
ceis.

Long. corp. 1 lin.

Habitat in aquis.

DESCR. Totum corpus nigrum. Caput punctulatum,
medio lineâ transversâ impressâ, posticè punctis duobus excavatis. Thorax punctulatus, lineâ longitudinali exaratâ in medio; ad marginem utrinque foveâ
seu puncto magno excavato. Elytra striata: striæ
punctis valdè impressis. Pedes picei.

fulvus.   20. Hy. fulvus, elytris lineis obscuris nigris, abdomine nigro.

L'Hydrophile fauve. *Geoff.* i. 184. 5.

Long. corp. 2½ lin.

Habitat in aquis.

DESCR. Antennæ fuscæ. Palpi testacei, apice nigri.
Caput fulvum, punctatum. Oculi nigri. Thorax fulvus, punctatus, anticè niger. Elytra fulva, lineis
obsoletis longitudinalibus nigris. Abdomen subtùs
nigrum, villis tectum. Pedes testacei, villosi.

margipal-   21. Hy. piceus totus nitidus, thoracis marginibus
lens.   pallidioribus.

Long. corp. ¼ lin.

Habitat in aquis.   In mus. *D. Kirby.*
                                              DESCR.

DESCR. Totum animal piceum, marginibus dilutioribus.

22. Hy. niger, elytrorum thoracisque lateribus lu- *ochropte-*
ridis, maculâ ante utrumque oculum luridâ.   *rus.*

Long. corp. 2 lin.

Habitat in aquis.   In mus. *D. Kirby.*

DESCR. Caput nigrum, maculis duabus luridis ante
oculos. Thorax et elytra subtilissimè punctata, marginibus lateralibus pallidis. Tarsi ferruginei.

** *Thorace longitudinaliter rugoso.*

23. Hy. fuscus, elytris punctato-striatis, thorace *stagnalis.*
emarginato virescente.

Hydrous stagnalis. *Linn. Mss.*
Hydrophilus æneus. *De Geer,* iv. 379. 5. *t.* 15. *f.* 5. 6.
Silpha aquatica. *Linn. Syst. Nat.* 573. 25. *Faun. Suec.*
461.   *Stroem. Act. Nidros.* iii. 387. 4. *Vill.* i. 82. 22.
Elophorus aquaticus. *Fab. Syst. Ent.* 66. 1. *Sp. Ins.* i.
77. 1. *Mant.* i. 42. 1. *Ent. Syst.* i. a. 204. 1. *Panz.*
Ent. Germ. 83. 1. *Payk. Faun. Suec.* i. 240. 1.
Preys. Boh. Ins. 58. 60. *Herbst. Arch.* 87. 1.
Panz. Faun. Germ. 26. *t.* 6.   *Oliv.* iii. 38. 5. 1. *t.* 1.
f. 1. a—d. *Herbst. Jablonsk.* v. 139. 2. *t.* 49. *f.* 6.
Le Dermeste bronze. *Geoff.* i. 105. 15.

Long. corp. 2½ lin.

Habitat in aquis, frequenter inter *Confervas* sta-
bulans.

DESCR. *Faunæ Suecicæ* obscura. *De Geer* bene depinxit his verbis, "viridi-æneus, thorace virescente
" sulcato, elytris punctato-striatis, antennis pedibusque
" rufis." Scilicet corpus oblongum. Thorax rugosus,
lineis longitudinalibus elevatis, flexuosis. Antennæ
clavâ ovatâ, triarticulatâ.

24. Hy. cinereus, elytris punctato-striatis : punctis *affinis.*
duobus nigris, thorace emarginato æneo-viridi.

Elophorus

Elophorus minutus. *Fab. Syst. Ent.* 66. 2.   *Sp. Ins.* i.
77. 3.   *Mant.* i. 42. 3.
Oliv. iii. 38. 7. 5. *t.* 1. *f.* 6. a. b.
An Hydrophilus griseus? *Herbst. Jablonsk.* v. 143. 7.
t. 49. *f.* 12.

Long. corp. $1\frac{1}{4}$ lin.

Habitat in aquis stagnantibus.

DESCR. .Simillimus *Hy. stagnali,* at triplo minor.
Elytra pallidiora : puncta duo nigra in singulo elytro.

dorsalis.   25. Hy. fuscus, thorace viridi, elytris striatis testaceis nigro nebulosis.

Long. corp. 2 lin.

Habitat in aquis.

DESCR. Caput et thorax ut in *Hy. stagnali.* Elytra
punctato-striata, testacea, liturâ magnâ communi nigrâ,
in quâ maculæ duæ testaceæ apicem versus positæ sunt.

cinereus.   26. Hy. cinereus, elytris striis tribus elevatis nigro
obsoletiusculè maculatis.

An Elophorus rugosus? *Oliv.* iii. 38. 6. 2. *t.* 1. *f.* 5. a. b.

Long. corp. $2\frac{1}{2}$ lin.

Habitat in aquis.

DESCR. Totum corpus unicolor, exceptò quod elytra
hinc indè maculas quasdam nigras obsoletiusculas gerunt; et in medio dorsi puncta duo nigra. Elytra striis
tribus elevatis, spatio inter strias punctato-rugoso.
Thorax fermè ut in *Hy. stagnali.*

nubilus.   27. Hy. fuscus, elytris striis tribus elevatis.

Elophorus nubilus. *Fab. Gen. Ins. Mant.* 213. *Sp. Ins.*
i. 77. 2. *Mant.* i. 42. 2. *Ent. Syst.* i. a. 204. 2. *Payk.*
Faun. Suec. i. 244. 5.
Oliv. iii. 38. 6. 3. *t.* 1. *f.* 2. a. b.   *Herbst. Jablonsk.*
v. 140. 3. *t.* 9. *f.* 2. a. b.

Long. corp. $1\frac{3}{4}$ lin.

Habitat in aquis.

DESCR.

DYTISCUS.

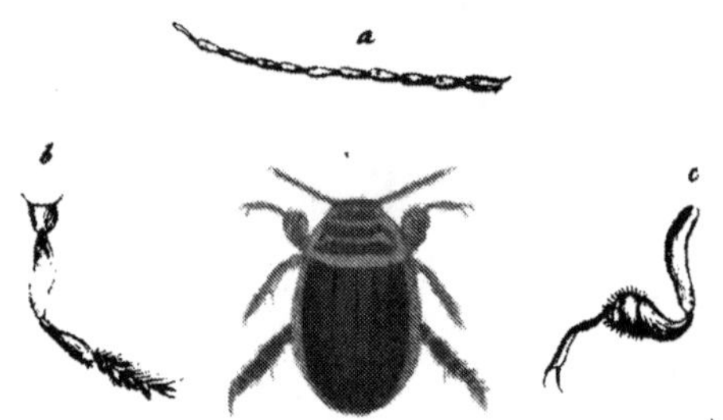

D. cinereus.

Descr. In omnibus præcedenti simillimus, sed colore
fusco et magnitudine duplo minori differt.

28. Hy. nigro-æneus, oculis prominentibus, ely- *cicindeloi-*
tris porcato-striatis.   *des.*

Long. corp. 2 lin.

Habitat ———— Captus ad Barton.   *D. Sheppard.*

Descr. Totum corpus nigro-æneum.   Caput porrectum, oculis prominulis.   Thorax posticè quadratus,
foveolis tribus impressis.   Elytra porcato-striata; inter
strias lineæ duæ punctorum impressorum.
Obs. *Cicindelæ* simillimus est adeo ut tyronem faciliùs
fallat.

40. DYTISCUS.

Antennæ setaceæ.

Sternum bifidum.

Corpus ovatum, subtùs carinatum.

Pedes postici ciliati, natatorii.

   * *Elytris fœmineis sulcatis.   Majores.*

  ** *Utroque sexu lævi.*

*** *Capite exserto, femoribus posticis laminâ latâ tectis†.*

    * *Elytris fœmineis sulcatis.   Majores.*

1. Dyt. niger, thoracis marginibus coleoptrorum- *marginalis.*
que limbo flavis, elytris masculis obsoletè bistriatis, fœmineis dimidiato-sulcatis.
Linn. Syst. Nat. 665. 7.   *Faun. Suec.* 769.   *Vill.*

† Hanc laminam primus observavit et descripsit *Dom. De Geer,* iv.
104. 13. *l.* 16. *f.* 10.

                i. 343. 7.

i. 343. 7.　　*Scop.* 294.　　*Fab. Syst. Ent.* 230. 3.
Sp. Ins. i. 291. 3.　　*Mant.* i. 189. 3.　　*Ent. Syst.* i. a.
187. 3.　*Panz. Ent. Germ.* 73. 2.　*Harr.* 181.　*Poda,*
43. 1.　*Faun. Fred.* 19. 186.　*Preys. Bob. Ins.* 19. 15.
Faun. Ingr. 90.　*Payk. Faun. Suec.* i. 192. 2.　*Faun.*
Etrusc. 488.　*Hellw.* 488.　*Gmel.* 1944. 7.
Don. Brit. Ins. t. 161.　*Mart. Eng. Ent. t.* 34. *f.* 25. 26.
Oliv. iii. 40. 10. 3. *t.* 1. *f.* 1. a—e. et *f.* 6.　*Roes.* ii.
aquat. 1. *t.* 1. *f.* 9. mas. *f.* 10. fœm.　*Schæff. Icon.*
t. 6. *f.* 42.
Dytiscus toto-marginalis.　*De Geer,* iv. 391. 2. *t.* 16.
f. 2. mas. *f.* 1. fœm.
Le Ditique noir à bordure. *Geoff.* i. 186. 2.
Fœmina. Dytiscus semistriatus.　*Linn. Syst. Nat.* 665. 8.
Faun. Suec. 772.　*Vill.* i. 344. 8.　*Fab. Syst. Ent.*
231. 5.　*Gmel.* 1945. 8.　*Schrank,* 374.
Herbst. Jablonsk. vi. 166. 2. *t.* 255. *f.* 2.　*Schæff. Icon.*
t. 8. *f.* 7. 8.
Dytiscus marginalis var. β.　*Fab. Sp. Ins.* i. 291. 3.
Hydrocantharus nostras. *Rai.* 93. 1.

Long. corp. maris 1 unc. 2 lin.
———————— fœm. 1 unc.

Habitat in aquis.

Descr. Niger. Os flavum. Vertex lineâ sublunulari
et maculis duabus prope oculos rubentibus. Thorax
cingitur undequaque margine luteo. Elytra margine
exteriori flava. Antennæ, pedes et abdomen subtùs
ferruginea. Apex sterni bifurcus.

Mas lævis. Elytra striis duabus vix manifestis longitudinalibus e punctis minutissimis notata : umbra flava
vix manifesta apices visa est tingere. Pedes anteriores
plantis hemisphæricis, patelliformibus, ad arctiorem
copulam, nimirùm.

Fœmina punctata. Caput et thorax subtilissimè punctata.
Elytra valdè sulcata, sulcis decem dimidiatis.

Obs. Color vivi olivaceus nec niger.

punctula-
tus.　　2. **Dyt.** niger, thoracis elytrorumque margine flavo, elytris masculis obsoletè bistriatis, fœmineis
dimidiato-sulcatis.

　　　　　　　　　　　　　　　　　　　　　　Fab.

Fab. Ent. Syst. i. a. 188. 4.   *Payk. Faun. Suec.* i. 193. 3.
   Ent. Germ. 73. 3.   *Gmel.* 1945. 2.   *Faun. Etrusc.*
   487.   *Hellw.* 487.   *Harr.* 182.
Mart. Eng. Ent. t. 34. *f.* 24.   *Roes.* ii. aquat. i. *t.* 2.
   f. 3. 4. 5.   *Schæff. Elem. t.* 7. *f.* 1.
Dytiscus punctatus. *Oliv.* iii. 40. 22. 4. *t.* 1. *f.* 6. b. et
   f. 1. e.
Dytiscus laterali-marginalis. *De Geer,* iv. 396. 3.
Le Ditique brun à bordure. *Geoff.* i. 185. 1.

Long. corp. maris 1 unc. 1 lin.
——————— fœm. 1 unc.

Habitat in aquis.

Descr. Maximè affinis *Dyt. marginali;* sed abundè
   differt thorace lateribus solummodò nec omninò flavo;
   præterea abdomen subtùs atrum, nec ferrugineum.
   Pedes etiam picei, nec ferruginei.   Fœminæ elytra
   multò minùs sulcata.

3. Dyt. cinereus, elytrorum margine thoracisque *cinereus.*
   medietate flavis, elytris masculis punctulatis,
   fœmineis sulcatis.

Linn. Syst. Nat. 666. 11.   *Faun. Suec.* 771.   *Vill.* i.
   345. 11.   *Fab. Syst. Ent.* 231. 8.   *Sp. Ins.* i. 293. 11.
   Mant. i. 190. 13.   *Ent. Syst.* i. a. 190. 15.   *Payk.*
   Faun. Suec. i. 197. 6.   *Harr.* 183.   *Faun. Ingr.* 94.
   Faun. Fred. 19. 187.   *Podu,* 43. 2.   *Panz. Ent.*
   Germ. 74. 8.   *Faun. Etrusc.* 490.   *Hellw.* 490.
Oliv. iii. 40. 17. 11. *t.* 4. *f.* 32. a. b.   *Roes.* ii. aquat. i.
   t. 3. *f.* 6.   *Act. Nidros.* 425. *t.* 16. *f.* 11.   *Schæff.*
   Icon. t. 90. *f.* 7.   *Elem. t.* 59.   *Mart. Eng. Ent.*
   t. 32. *f.* 7.   *Panz. Faun. Germ.* 31. *t.* 9.
Dytiscus fasciatus. *De Geer,* iv. 397. 4.
Le Ditique à corœlet à bandes. *Geoff.* i. 188. 4.
Fœmina. Dytiscus sulcatus. *Linn. Syst. Nat.* 666. 13.
   Faun. Suec. 773.   *Vill.* i. 345. 12.   *Fab. Syst. Ent.*
   231. 6.   *Sp. Ins.* i. 292. 6.   *Mant.* i. 190. 7.   *Ent.*
   Syst. i. a. 189. 8.   *Payk. Faun. Suec.* i. 195. 4.   *Panz.*
   Ent. Germ. 74. 5.   *Faun. Ingr.* 91.   *Faun. Fred.* 19.
   189.   *Faun. Etrusc.* 491.   *Hellw.* 491.   *Rai.* 94. 3.
                                                    Oliv.

Oliv. iii. 40. 16. 10. *t.* 4. *f.* 31. a. b.   *Roes.* ii. aquat. i.
t. 3. *f.* 7.   *Schæff. Icon. t.* 3. *f.* 3.   *Panz. Faun.
Germ.* 31. *t.* 10.   *Don. Brit. Ins. t.* 68. *f.* 5.   *Mart.
Eng. Ent. t.* 32. *f.* 8.   *Bradl. Nat. t.* 27. *f.* 2. **A.**

Long. corp. 9 lin.

Habitat in aquis frequens.

DESCR. Os flavum. Caput nigrum, maculis quinque
flavis, quarum duæ rotundæ prope oculos sunt : inter
has altera cordata et in occipite duæ distinctæ lunulares
transversè positæ sunt. Thorax niger, margine et lineâ
transversâ flavâ. Apex sterni bifurcus est.

Mas. Elytra cinerea, striis tribus elevatis, vix manifestis,
et punctis minimis confertis, lutescentibus : margo exterior elytrorum flavus, punctis nigris. Pedes anteriores ut in præcedentibus.

Fœmina. Elytra cinerea, singula quatuor vel quinque
sulcis latis longitudinaliter excavata, et pilis albidis in
sulcis. Margo exterior elytrorum ut in mare.

****** *Utroque sexu lævi.*

striatus. 4. Dyt. fuscus, elytris transversè subtilissimè striatis.

Linn. Syst. Nat. 665. 9.   *Faun. Suec.* 770.   *Vill.* i.
344. 9.   *Gmel.* 1946. 9.   *Fab. Syst. Ent.* 231. 7.
Sp. Ins. i. 293. 8.   *Mant.* i. 190. 9.   *Ent. Syst.* i. a.
189. 10.   *Payk. Faun. Suec.* i. 202. 11.   *Panz. Ent.
Germ.* 74. 6.   *Faun. Ingr.* 92.   *Faun. Etrusc.* 494.
Hellw. 494.   *Illiger. Kugel. Kaf. Preus.* 257. 7.

Mart. Eng. Ent. t. 34. *f.* 27.   *Oliv.* iii. 40. 18. 13.
t. 2. *f.* 20.

Dytiscus transversè striatus. *De Geer,* iv. 399. 5. *t.* 15.
f. 16.

Long. corp. 9 lin.

Habitat in aquis.

DESCR. Corpus mediæ magnitudinis. Elytra adeo
tenuibus transversis confertissimis striis signata, ut vix
armato oculo conspiciantur. *Faun. Suec.*

obscurus. 5. Dyt. niger, elytris maculis duabus fenestratis
obsoletiusculis, antennis pedibusque piceis.

Dytiscus

Dytiscus ater ? *De Geer*, iv. 401. 8.

Long. corp. 6 lin.

Habitat in aquis.

Descr. Suprà niger, oculo benè armato punctis minimis adspersus. Elytra maculis duabus vix manifestis, alterâ in medio prope marginem, alterâ in apice.
  Corpus subtùs, antennæ et pedes picei.

6. **Dyt. niger, fronte thoraceque flavis, elytris** *collaris.*
  flavis : punctulis numerosissimis nigris.

Payk. Faun. Suec. i. 200. 9.

Long. corp. 5 lin.

Habitat in aquis.

Descr. Caput nigrum, maculâ triangulari flavâ in
  fronte, et lineâ transversâ interruptâ in occipite. Antennæ articulis supernè nigris, infernè flavis. Thorax
  flavus, lineâ posticè nigrâ. Elytra flava, punctulis per
  discum numerosissimis, nigris, confluentibus, sparsis.
  Pectus flavum, sterno canaliculato, posticè bifido, rotundato. Abdomen fusco-flavum. Pedes testacei, sive
  ferruginei.
Variat pectore nigro, et abdomine nigro marginibus segmentorum flavis.

7. **Dyt. ater lævis, capite posticè punctis duobus** *bipustula-*
  rubris.   *tus.*

Linn. Syst. Nat. 667. 17. *Vill.* i. 347.16. *Gmel.* 1948. 17.
  Fab. Syst. Ent. 232. 12. *Sp. Ins.* i. 294. 15. *Mant.*
  i. 190. 17. *Ent. Syst.* i. a. 191. 20. *Panz. Ent.*
  Germ. 75. 10. *Payk. Faun. Suec.* i. 208. 17. *Harr.*
  184. *Faun. Etrusc.* 492. *Hellw.* 492. *Illiger.*
  Kugel. Kaf. Preus. 260. 14.
Oliv. iii. 40. 21. 18. *t.* 3. *f.* 26.

Long. corp. 5 lin.

Habitat in aquis.

Descr. Totus niger. Antennæ, palpi pedesque picea.
                                                    Caput

Caput posticè juxta thoracem punctis duobus, sanguineis, paribus. *Syst. Nat.*

Obs. Puncta duo capitis rubra, vix nudo oculo conspicua.
Ent. Syst.

acuductus. 8. Dyt. nigro-æneus lineolatus, elytris substriatis,
antennis tibiis tarsisque anticis ferrugineis.

Long. corp. 5 lin.

Habitat in aquis.

DESCR. Totus, etiam pectus et abdomen, lineolis quasi
acu ductis variatus. Suprà obscurus, nigro-æneus,
subtùs nigro-piceus; sed antennæ, palpi, os, tibiæ et
tarsi primi paris ferruginei, seu rufo-picei. Interstitia
striarum punctis aliquot sparsis.

uliginosus. 9. Dyt. ater nitidus, antennis pedibus clytrorum-
que latere exteriori ferrugineis.

Linn. Syst. Nat. 667. 20. *Faun. Suec.* 776. *Vill.* i.
348. 19. *Gmel.* 1950. 20. *Fab. Syst. Ent.* 232. 15.
Sp. Ins. i. 295. 21. *Mant.* i. 191. 28. *Ent. Syst.*
i. a. 194. 31. *Panz. Ent. Germ.* 77. 21. *Payk.*
Faun. Suec. i. 212. 22. *Faun. Fred.* 19. 191.
Harr. 185.
Mart. Eng. Ent. t. 32. *f.* 2. et 5.

Long. corp. 5 lin.

Habitat in aquis.

DESCR. Corpus ovatum, atrum, glaberrimum, adspersum punctis excavatis, obsoletis. Elytra margine
laterali ferruginea. Pedes et antennæ rufæ. *Faun.*
Suec.

fenestratus. 10. Dyt. suprà niger, subtùs ferrugineus, elytris
punctis duobus fenestratis.

Fab. Sp. Ins. i. 294. 17. *Mant.* i. 190. 20. *Ent. Syst.*
i. a. 192. 23. *Vill.* i. 349. 23. *Panz. Ent. Germ.*
75. 12. *Payk. Faun. Suec.* i. 207. 16. *Gmel.* 1949. 37.
Oliv. iii. 40. 23. 21. *t.* 3. *f.* 27. a. b.

Long.

Long. corp. 5 lin.

Habitat in aquis.

DESCR.   Corpus subtùs ferrugineum, sive piceum. Caput nigrum, ore, antennis, punctisque duobus baseos
ferrugineis.   Thorax niger, margine ferrugineo.   Elytra nigra, punctis duobus fenestratis, hyalinis, altero
in medio, altero versus apicem. *Sp. Ins.*

11. Dyt. fuscus, ore thoracis medio elytrorum *inæqualis.*
marginibus maculisque ferrugineis.

Fab. Gen. Ins. Mant. 239.   *Sp. Ins.* i. 297. 35.   *Mant.*
i. 193. 50.   *Ent. Syst.* i. a. 200. 62.   *Vill.* i. 350. 32.
Ent. Germ. 80. 42.   *Gmel.* 1951. 55.   *Payk. Faun.*
Suec. i. 237. 52. var. β. ?
Panz. Faun. Germ. 14. *t.* 8.

Long. corp. $3\frac{1}{2}$ lin.

Habitat in aquis.   *D. Davie.*

DESCR.   Antennæ et os ferruginea.   Caput fuscum,
maculis duabus triangularibus, ferrugineis.   Thorax
ferrugineus, basi apiceque fuscus. Elytra fusca, maculis
octo irregularibus, marginibusque ferrugineis ; macularum una posita est ad basin marginis exterioris lunu-
lata, una in medio prope marginem irregularis, et una
parva in apice obsoleta.   Corpus totum subtùs pedesque ferruginei.

12. Dyt. lævis ater, ore thoracisque margine fer- *Hybneri.*
rugineis, elytris lineâ marginali flavâ.

Fab. Mant. i. 190. 21.   *Ent. Syst.* i. a. 192. 24.   *Panz.*
Ent. Germ. 75. 13.   *Gmel.* 1949. 38.   *Payk. Faun.*
Suec. i. 205. 14.   *Illiger. Kugel. Kaf. Preus.* 258. 9.
Oliv. iii. 40. 24. 22. *t.* 4. *f.* 33.

Long. corp. 4 lin.

Habitat in aquis.

DESCR. Caput nigrum, ore ferrugineo.   Thorax niger,
margine imprimis anticè ferrugineo.   Elytra lævia,
atra, lineâ marginali flavâ, quæ tamen apicem haud
attingit.   Corpus nigrum. *Fab. Mant.*

Hermanni. 13. Dyt. gibbus, capite thorace elytrorumque basi
ferrugineis, elytris truncatis.

>*Fab. Syst. Ent.* 232. 14.   *Sp. Ins.* i. 295. 19.   *Mant.* i.
>191. 24.   *Ent. Syst.* i. a. 193. 28.   *Vill.* i. 349. 25.
>*Panz. Ent. Germ.* 76. 18.   *Gmel.* 1949. 41.
>*Oliv.* iii. 40. 25. 24. *t.* 2. *f.* 14. a. b.   *Mart. Eng.
>Ent. t.* 33. *f.* 17.
>Dytiscus undulatus? *Schrank,* 379.

Long. corp. 4½ lin.

Habitat in aquis.

>Dʙsᴄʀ.   Caput obscurè ferrugineum, oculorum orbitâ
>nigrâ.   Thorax ferrugineus, margine antico et postico
>nigris.   Elytra lævia, nigra, basi ferruginea, apice
>truncata.   Abdomen ferrugineum, apice nigrum. *Sp.
>Ins.*

maculatus. 14. Dyt. ovatus niger, thorace nigro : fasciâ pallidâ, elytris albo-maculatis.

>*Linn. Syst. Nat.* 666. 15.   *Faun. Suec.* 777.   *Vill.* i.
>346. 14.   *Gmel.* 1948. 15.   *Fab. Syst. Ent.* 233. 17.
>*Sp. Ins.* i. 295. 23.   *Mant.* i. 191. 30.   *Ent. Syst.*
>i. a. 194. 34.   *Panz. Ent. Germ.* 77. 23.   *Payk.
>Faun. Suec.* i. 218. 28.   *Faun. Fred.* 19. 192.   *Poda,*
>44. 3.   *Udd. Diss.* 22. 43.   *Illiger. Kugel. Kaf.
>Preus.* 262. 18.
>*Mart. Eng. Ent. t.* 33. *f.* 18.   *Oliv.* iii. 40. 27. 29.
>*t.* 2. *f.* 16.   *Bergstraes. Nom.* i. 8. 45. 13. *t.* 8. *f.* 13.
>Dytiscus ornatus. *Herbst. Arch. t.* 28. b. *f.* ʙ.

Long. corp. 3¼ lin.

Habitat in aquis.

>Dʙsᴄʀ.   Thorax pallidus, anticè et posticè nigricans.
>Elytra fusca, striis longitudinalibus pallidis, et nonnul-
>lis maculis pallidis versus latera. *Faun. Suec.*

bipunctatus. 15. Dyt. ater, thorace flavo : punctis duobus nigris, elytris flavo fuscoque variis.

>*Fab. Mant.* i. 190. 19.   *Ent. Syst.* i. a. 192. 22.   *Vill.*
>i. 350. 36.   *Panz. Ent. Germ.* 75. 11.   *Payk. Faun.
>Suec.*

Suec. i. 216. 25. *Faun. Fred.* 20. 194. *Gmel.* 1948. 36.
Faun. Etrusc. Mant. 167. *Hellw. Mant.* 167. *Illiger.*
Kugel. Kaf. Preus. 262. 17.
Don. Brit. Ins. t. 303. *Mart. Eng. Ent. t.* 33. *f.* 19.
Oliv. iii. 40. 22. 20. *t.* 2. *f.* 15.

Long. corp. 4½ lin.

Habitat in aquis.

Descr. Caput nigrum, ore subferrugineo. Thorax
flavus, punctis duobus dorsalibus atris. Elytra lævia,
glabra, fusca, flavo variegata. Corpus atrum. Pedes ferruginei. *Fab. Mant.*

16. Dyt. piceus nitidus, elytris dilutioribus.   *politus.*

Long. corp. 3 lin.

Habitat in aquis.

Descr. Antennæ rufo-ferrugineæ. Caput et thorax
picea, thoracis lateribus dilutioribus. Elytra glaberrima, thorace pauló pallidiora, sordidè ferruginea.
Pedes rufo-ferruginei. Abdomen nigro-piceum.

17. Dyt. convexus ferrugineus totus.   *ovatus.*

Linn. Syst. Nat. 667. 18. *Vill.* i. 347. 17. *Schrank,* 380.
Gmel. 1950. 18. *Payk. Faun. Suec.* i. 234. 47. *Fab.*
Ent. Syst. i. a. 196. 45. *Illiger. Kugel. Kaf. Preus.*
270. 31. *Faun. Etrusc.* 496. *Hellw.* 466.
Mart. Eng. Ent. t. 33. *f.* 12. *Oliv.* iii. 40. 33. 39.
t. 3. *f.* 28. *Donov. Brit. Ins. t.* 68. *f.* 3. 4.
Dytiscus sphæricus. *De Geer,* iv. 402. 9. *t.* 15. *f.* 17—19.
Ditique sphérique. *Geoff.* i. 191. 10.

Long. corp. 2 lin.

Habitat in aquis.

Descr. Corpus valdè convexum, obscurum, totum
rufum, sive ferrugineum.
Variat. Elytris rufo-fuscis, sive piceis nitidis.

18. Dyt. elytris fuscis basi lateribusque pallidis, *minutus.*
thorace flavo immaculato, corpore ovato.

Linn. Syst. Nat. 667. 23.   *Faun. Suec.* 778.   *Vill.* i.
348. 22.   *Gmel.* 1951. 23.   *Fab. Syst. Ent.* 234. 26.
Sp. Ins. i. 297. 36.   *Mant.* i. 193. 51.   *Ent. Syst.* i. a.
200. 63.   *Panz. Ent. Germ.* 81. 47.   *Payk. Faun.*
Suec. i. 229. 40.   *Schrank,* 150.
Mart. Eng. Ent. t. 13. *f.* 13.
Dytiscus hyalinus. *De Geer,* iv. 406. 14. *t.* 15. *f.* 21—23.
Dytiscus amœnus. *Oliv.* iii. 40. 32. 38. *t.* 5. *f.* 49. a. b.
Dytiscus obscurus. *Panz. Faun. Germ.* 26. *t.* 3.

Long. corp. 2 lin.

Habitat in aquis.

DESCR. Thorax pallidus. Elytra cinerea, lateribus
striis pallidis aliquot et obliquis. *Faun. Suec.*

hyalinus.   19. Dyt. ovatus fuscus, capite thoraceque flavis,
elytris punctulatis pellucidis.

Long. corp. 2 lin.

Habitat in aquis.

DESCR. Caput et thorax obscurè flava. Oculi nigri.
Elytra sublente punctulata, punctulis numerosissimis, et
quod in hoc singulare, pellucida, adeo ut alarum plicæ
manifestè transluceant. Abdomen subtùs testaceum.
Pedes ex piceo-ferruginei.

crassicor-   20. Dyt. ferrugineus, antennis medio crassioribus,
nis.   abdomine piceo.

Fab. Mant. i. 193. 52.   *Ent. Syst.* i. a. 201. 66.   *Payk.*
Faun. Suec. i. 227. 38.   *Panz. Ent. Germ.* 81. 48.
Illiger. Kugel. Kaf. Preus. 267. 25.
Oliv. iii. 40. 37. 45. *t.* 4. *f.* 41. a. b.
Dytiscus clavicornis. *De Geer,* iv. 402. 10.   *Vill.* i.
353. 16.
Le Ditique à grosses antennes. *Geoff.* i. 193. 15.
Dytiscus capricornis. *Herbst. Arch.* v. 128. 25. *t.* 28. b.
f. C. b. c.

Long. corp. 2½ lin.

Habitat in aquis.

DESCR.

DESCR. Antennæ articulis quatuor mediis majoribus,
ferrugineæ. Oculi nigri. Caput et thorax ferruginea,
elytris paulò pallidiora. Abdomen subtùs piceum.
Pedes ferruginei.

21. Dyt. niger pubescens, capite thoracis elytro- *dorsalis.*
ruinque marginibus pedibusque rufis.

Fab. Mant. i. 192. 36. *Ent. Syst.* i. a. 196. 42. *Panz.*
Ent. Germ. 78. 28. *Gmel.* 1948. 33.
Oliv. iii. 40. 30. 34. *t.* 1. *f.* 3. a. b. *Panz. Faun. Germ.*
14. *t.* 2.
An Dytiscus rufifrons ? *Fab. Ent. Syst.* i. a. 198. 53.

Long. corp. 2—2½ lin.

Habitat in aquis.

DESCR. Antennæ. filiformes, extrorsùm nigræ, basi
rufæ. Oculi nigri. Caput rufum, foveolis duabus
excavatum. Thorax niger, lineâ mediâ transversâ
elevatâ, lateribus præcipuè ad lineam elevatam rufis.
Elytra nigra, lævia, marginibus punctoque medio obsoleto ad basin rufis. Pedes rufi. Abdomen subtùs piceum. Alter sexus absque puncto in medio elytrorum.

22. Dyt. testaceo-ferrugineus, elytrorum disco *elegans.*
nigro lineato utrinque pinnato-sinuato.

Panz. Ent. Germ. 81. 46. *Illiger. Kugel. Kaf. Preus.*
265. 22.
Panz. Faun. Germ. 24. *t.* 5.
Dytiscus Neuhoffii. *Faun. Ingr.* 101. *t.* 2. *f.* 1.
Dytiscus 12-pustulatus var. *Oliv.* iii. *t.* 5. *f.* 46. c. d.

Long. corp. 2 lin.

Habitat in aquis stagnantibus.

DESCR. Antennæ, caput, thorax testaceo-ferruginea.
Thorax posticè maculâ nigrâ, marginali, bilobâ. Elytra disco nigro-lineata. Nigredo autem utrinque pin-
nato-sinuata, haud marginem exteriorem aut apicem
attingens; undè elytra visa sunt nigro ferrugineoque
varia; sive maculis sex notata, quatuor lateralibus connexis. Corpus subtùs ferrugineum. Pedes ferruginei.

12-pustu-
latus.

23. Dyt. testaceus, elytris nigris: maculis sex testaceis.

Fab. Ent. Syst. i. a. 197. 50. *Payk. Faun. Suec.* i. 220. 29.

Oliv. iii. 40. 31. 35. *t. 5. f.* 46. a. b.

Long. corp. 3 lin.

Habitat in aquis.

DESCR. Caput cum antennis testaceum. Thorax testaceus, margine antico latè posticèque maculâ bilobâ nigris. Elytra lævia, nigra, maculis sex 2. 2. 2. obliquè positis, apice ipso nigro. Corpus et pedes testacea.

Obs. Duo quæ præcedunt insecta, *Dytiscus elegans* et 12-*pustulatus,* valdè affinia sunt, (forsitan ex sexu solummodò differre putes,) adeò ut perdifficile est rectè dijudicare. Auctores ad quos de *Dyt. eleganti* relatum est, icones hujusce speciei fidissimas sanè exhibuerunt, at 12-*pustulatum* neque descripserunt neque adumbraverunt. Contra autem Olivier utrumque depinxit, quasi alterutrum unum idemque animal, aut saltem quasi hæc duo meræ ejusdem species fuerint varietates. His autem omnibus ritè perpensis, visum est tutius fore, si species distinctas dicam, donec dies tandem dubitationem melior ademerit. *Dyt.* 12-*pustulatus* $\frac{1}{3}$ major *Dyt. eleganti* evadit, et apud nos rarus admodum; duo specimina tantùm hactenus mihi contigit videre; hæc duo autem eodem tempore et ab eâdem manu capta fuerunt. *Dyt. elegans* vulgaris est, capiendusque in ferè omni aquâ stagnali.

humeralis.

24. Dyt. capite thoraceque atris, elytris margine baseos obsoletè ferrugineo.

Long. corp. 2 lin.

Habitat in aquis stagnantibus.

DESCR. Caput et thorax atra, opaca. Elytra picea, sub-lente punctulata, tomentosa, ad angulum baseos exteriorem maculâ obsoletâ, ferrugineâ. Antennæ filiformes, nigræ, basi rufæ. Pedes picei. Macula baseos elytrorum variat satìs magna et minuta; inde
Dyt.

Dyt. melanocephalo simillimus, sed dignoscitur magnitudine; tum elytris sub lente tomentosis, nec glaberrimis.

25. Dyt. niger glaberrimus, antennis pedibusque *melano-* piceis. *cephalus.*

Long. corp. $1\frac{1}{4}$ lin.

Habitat in aquis. Captus in horto *D. Goodenough,* Ealing.

Descr. Antennæ filiformes, ut in *Staphylinis* quibusdam, nigræ, basi rufæ. Totum corpus unicolor, piceo-nigrum. Pedes ex rufo-picei. Sub lente elytra minutissimè punctata videntur. Corpus haud nitet, neque tamen omninò obscura.

26. Dyt. obscurè ferrugineus, coleoptris maculâ *lituratus.* magnâ nigrâ utrinque repando-sinuosâ.

Fab. Sp. Ins. i. 296. 31. *Mant.* i. 192. 41. *Ent. Syst.* i.
  a. 197. 47. *Vill.* i. 350. 30. *Gmel.* 1950. 46. *Panz.*
  Ent. Germ. 78. 32.
Panz. Faun. Germ. 14. *t.* 4.

Long. corp. $1\frac{3}{4}$ lin.

Habitat in aquis.

Descr. Totum corpus obscurum. Antennæ et pedes rufo-ferruginei. Thorax niger, marginibus ferrugineis. Coleoptra medio maculam nigram gerunt; quæ macula a basi elytrorum conspecta, quodammodò pupam lusoriam expansam quâ gaudent puellæ, refert.

27. Dyt. ferrugineus, thoracis basi apiceque ni- *trifidus.* gro-marginato, coleoptris maculâ communi irregulari nigrâ.

Panz. Ent. Germ. 76. 16.
Panz. Faun. Germ. 26. *t.* 2.
An Dytiscus inæqualis? *Oliv.* iii. 40. 36. 44. *t.* 3.
  f. 29. a. b.

Long. corp. 1¼ lin.

Habitat in aquis.

DESCR. Caput ferrugineum. Oculi nigri. Thorax ferrugineus, margine antico et postico nigro. Coleoptra
punctulata, ferruginea, maculâ nigrâ, magnâ, valdè
irregulari, aquilæ expansæ haud multùm absimili.
Abdomen subtùs et pedes ferruginei. Macula coleoptrorum vix nisi eleventur conspicienda.

confluens. 28. Dyt. testaceus, elytris pallidis posticè atro-
lineatis.

Fab. Mant. i. 193. 46. *Ent. Syst.* i. a. 198. 55. *Gmel.*
1951. 61. *Panz. Ent. Germ.* 79. 35. *Payk. Faun.*
Suec. i. 230. 42.
Panz. Faun. Germ. 14. *t.* 5.

Long. corp. 1½ lin.

Habitat in aquis stagnantibus.

DESCR. Antennæ, caput, thorax et pedes testacei.
Elytra pallida, posticè lineis quatuor atris depicta.
Abdomen subtùs nigrum. Oculi et sinciput nigra.

recurvus. 29. Dyt. testaceus gibbus, thoracis margine postico
nigro, elytris suturâ lineisque nigris.

Dytiscus collaris. *Panz. Ent. Germ.* 79. 38.
Panz. Faun. Germ. 26. *t.* 4.

Long. corp. 1¼ lin.

Habitat in aquis.

DESCR. Antennæ testaceæ. Caput testaceum, occipite nigro. Oculi nigri. Thorax testaceus, margine
postico tenui nigro. Elytra testacea, basi suturâ lineisque nigris; nigredo autem baseos non ad margines
pertingit. Linearum, illa quæ ad marginem exteriorem sita est, a basi ortum ducit, et sub medio recurva
est, unco extrorsùm verso: quæ autem ad suturam,
intra apicem incipit, et ante basin desinit: cæteræ
huic parallelæ sed multò breviores. Abdomen subtùs
et pedes rufo-testacei.

30. Dyt.

30. Dyt. oblongo-ovatus planus niger, tibiis solis *planus.*
rufis.

Fab. Sp. Ins. App. ii. 501. 24.   *Mant.* i. 192. 32.   *Ent.*
Syst. i. a. 195. 36.   *Vill.* i. 350. 34.   *Panz. Ent.*
Germ. 77. 26.   *Payk. Faun. Suec.* i. 223. 33.

Long. corp. $1\frac{1}{4}$ lin.

Habitat in aquis.   Ex mus. *D. Kirby.*

DESCR. Corpus planum, læve, vix nitidum. Tibiæ
ferrugineæ. *Sp. Ins. App.*

31. Dyt, niger ovatus convexus, capite flavo, *flexuosus.*
elytris lineâ flavâ literæ G instar flexuosâ.

An Dytiscus arcuatus? *Panz. Ent. Germ.* 75. 15.
Panz. Faun. Germ. 26. *t.* 1.

Long. corp. 1 lin.

Habitat in aquis.   Ex mus. *D. Lathbury.*

DESCR. Antennæ nigræ, basi flavâ. Caput flavum.
Oculi nigri. Elytra punctulata, nigra, lineâ flavâ
flexuosâ, literam G referenti; sinus literæ marginem
exteriorem spectat. Abdomen subtùs nigrum. Pedes
ferruginei. Corpus parùm nitescit.

32. Dyt. ferrugineus, elytris fuscis margine fer- *ovalis.*
rugineis.

Long. corp. $1\frac{1}{2}$ lin.

Habitat in aquis stagnantibus.

DESCR. Antennæ, caput, thorax, corpus subtùs et
pedes ferruginea. Elytra fusca, maculâ obsoletâ ad
basin, margineque exteriori ferrugineis.

33. Dyt. fuscus, elytrorum marginibus flavican- *frontalis.*
tibus, capite thoraceque flavis nigro macu-
latis.

Long. corp. 5 lin.

Habitat in aquis.

                                        DESCR.

Descr. Antennæ flavæ, articulis apice nigris. Caput
flavum, posticè nigrum, punctis duobus flavis. Oculi
nigri. Thorax flavus, maculis nigris: macula dorsalis
longè major est. Elytra lævia, ne minimè quidem
striata, fusca, marginibus flavicantibus. Pectus et
sternum nigra. Abdomen flavum, punctis lateralibus,
marginibus incisurarum nigris. Pedes flavi.

granularis. 34. Dyt. niger, elytris lineis duabus flavescentibus, pedibus rufis.

Linn. Syst. Nat. 667. 22. *Vill.* i. 348. 21. *Fab. Syst.
Ent.* 234. 24. *Sp. Ins.* i. 296. 33. *Mant.* i. 193. 45.
Ent. Syst. i. a. 198. 54. *Payk. Faun. Suec.* i. 231. 43.
Faun. Etrusc. 503. *Hellw.* 503.

Long. corp. $\frac{3}{4}$ lin.

Habitat in aquis.

Descr. Elytra singula lineis duabus diaphanis, longitudinalibus, apice concurrentibus, quæ, dum animal
adhuc in aquis versatur, aureæ apparent.

lineatus. 35. Dyt. testaceus, elytris pallidis atro-lineatis.
Fab. Ent. Syst. i. a. 200. 61. *Payk. Faun. Suec.* i.
227. 37. *Panz. Ent. Germ.* 80. 41.
Oliv. iii. 40. 35. 43. *t.* v. *f.* 44. *a.* b.

Long. corp. $2\frac{1}{3}$ lin.

Habitat in aquis.   In mus. *D. Kirby.*

Descr. Antennæ, caput, thorax et pedes testacei.
Thorax maculâ rhomboideâ, mediâ, nigrâ. Elytra
pallida, lineis octo longitudinalibus nigris, exterioribus
interruptis. Sutura nigra. Abdomen atrum.

punctatus. 36. Dyt. ater, fronte thoraceque fulvis, elytris
fulvis atro-nebulosis punctatis.

Long. corp. 2 lin.

Habitat in aquis.   In mus. *D. Kirby.*

Descr. Caput atrum, fronte fulvâ. Thorax fulvus,
anticè et posticè fuscus. Elytra fulva, atro-nebulosa,
punctata,

punctata, striis duabus longitudinalibus in singulo
elytro. Abdomen atrum, punctatum. Antennæ pedesque fulvi.

37. Dyt. griseus, capite nigro: posticè maculis *conspersus.*
duabus rubris.

Long. corp. 4 lin.

Habitat in aquis.

DESCR. Antennæ ferrugineæ. Caput nigrum, ore ferrugineo, posticè punctis duobus rubris, sive obscurè
ferrugineis. Thorax flavus, ad medium obscurior.
Elytra grisea, obsoletè striata; striis ex punctulis impressis. Corpus subtùs atrum, nitidum. Pedes picei.

38. Dyt. nigro-æneus nitidus, abdomine pedibus- *concinnus.*
que rufo-ferrugineis.

An Dytiscus æneus? *Panz. Faun. Germ.* 38. *t.* 16.

Long. corp. 4 lin.

Habitat in aquis.

DESCR. Antennæ et os ferruginea. Caput, thorax,
elytra et sternum nigro-ænea. Elytra obsoletè striata,
striis ex punctulis impressis. Abdomen et pedes rufo-
ferruginei.

39. Dyt. niger nitens, pilis brevissimis sparsis.   *holosericeus.*

Long. corp. 2 lin.

Habitat in aquis.

DESCR. Totum corpus suprà nigrum, pilis nitentibus
flavis obtectum, quasi holosericeum. Corpus subtùs
atrum. Pedes ferruginei.

40. Dyt. lævis niger, fronte thoracisque margine *parapleurus.*
ferrugineis, elytrorum marginibus flavis nigro
punctatis.

Long. corp. 6⅓ lin.

Habitat in aquis.   In mus. *D. Kirby.*

DESCR.

Descr. Antennæ et frons ferruginea. Thorax niger, lineis tortuosis impressis, quasi vermiculatus, margine ferrugineo. Elytra nigra, obscurè striata, lineâ flavâ latâ ad marginem : in lineâ puncta nigra longitudina-liter posita.

nigro-
æneus.

41. Dyt. lævis obscuro-æneus, ore thoracis ely-trorumque marginibus brunneis.

Long. corp. 5 lin.

Habitat in aquis.   In mus. *D. Kirby*.

Descr. Antennæ et os brunnea. Thorax lævis, nigro-æneus. Elytra nigro-ænea, punctis minutis impressis, striatim positis, marginibus brunneis. Corpus subtùs et pedes brunnei.

picinus.

42. Dyt. nigro-piceus nitidus, antennis pedibus-que ferrugineis, elytris rarò punctulatis.

Long. corp. 4 lin.

Habitat in aquis.   In mus. *D. Kirby*.

Descr. Corpus totum politum, nigro-piceum. Elytra punctulis raris seriatim positis.

******* *Capite exserto, femoribus posticis laminâ latâ tectis.*

ruficollis.

43. Dyt. rufus, elytris striatis flavo-griseis : ma-culis quatuor nigris.

De Geer, iv. 404. 13. *t.* 16. *f.* 9.
Dytiscus impressus. *Oliv.* iii. 40. 34. 42. *t.* 4. *f.* 40. a. b.
Panz. Faun. Germ 14. *t.* 7. ?
Dytiscus minutus. *Don. Brit. Ins. t.* 68. *f.* 1. 2.
Le Ditique strié à corcelet jaune. *Geoff.* i. 191. 12.
Hydrophilus minutus. *Fab. Syst. Ent.* 229. 8.   *Sp. Ins.*
    i. 290. 9.   *Mant.* i. 188. 10.
Chrysomela minuta. *Linn. Syst. Nat.* 593. 50.   *Faun.*
    Suec. 533.   *Vill.* i. 133. 36.   *Goeze*, i. 271. 50.

Long. corp. 1 lin.

Habitat in locis subhumidis, et in aquosis.

                                        Descr.

Descr. Corpus ovatum, gibbum. Caput, thorax et
abdomen subtùs ferruginea. Oculi nigri. Elytra pallida, flavescentia, maculis nigris et striis fuscis; striæ
ex punctis nigricantibus, oculo armato conspicuis.
Antennæ et pedes ferruginei.
Obs. Hunc cum Ill. De Geer *Dytiscis* adscripsimus;
quippe characteres *Dytiscorum* omnes sibi vindicat;
at pedes postici unguiculati, nec ut in congeneribus
acuti, inermes.

44. Dyt. rufus, elytris striatis flavo-griseis: ma- *assimilis.*
culis sex nigris.

Long. corp. 2 lin.

Habitat ————

Descr. Statura omninò *Dyt. ruficollis*, sed duplo
major; differt etiam in macularum numero, et in longitudine pedum, qui in hâc specie breviores sunt.

45. Dyt. rufus, thorace depresso utrinque foveato: *lineato-*
lineâ intermediâ nigricanti, elytris testaceis ni- *collis.*
gro-maculatis.

Long. corp. 1½ lin.

Habitat ————

Descr. Caput saturatè rufum. Oculi nigri. Antennæ
ferrugineæ. Thorax posticè trilobus, lobo intermedio
subacuminato, per totam latitudinem depressus. Elytra striata, punctis nigris, maculis aliquot nigris oblongis notata. Subtùs rufo-ferrugineus.

46. Dyt. rufo-ferrugineus, elytris maculis pluri- *interpunc-*
bus nigris obliquè positis. *tatus.*

Long. corp. 2¼ lin.

Habitat in aquis.

Descr. Capitis colores intensiores. Thorax subtrilobus, posticè excavato-punctatus. Elytra punctato-
striata, punctis nigris, interstitiis nigro-maculatis.

47. Dyt.

flavicollis. 47. Dyt. rufus, elytris flavo-testaceis nigro-nebulosis, pedibus posticis longissimis.

Long. corp. 1½ lin.

Habitat in aquis.

Descr. Caput rufum. Oculi prominuli, nigri. Antennæ testaceæ. Thorax flavicans, posticè obsoletè
trilobus, punctatus. Elytra striata, striis e punctis
nigris constantibus, maculis aliquot obsoletis nigris
confluentibus nebulosa. Pedes postici longissimi.

elevatus. 48. Dyt. testaceus, elytris striatis nigris: lineâ
elevatâ abbreviatâ.

Panz. Ent. Germ. 81. 44.
Panz. Faun. Germ. 14. t. 9.

Long. corp. 2 lin.

Habitat in aquis.

Descr. Caput testaceum. Oculi nigri. Thorax latus, truncato-cordatus, testaceus. Elytra testa,a,
striata, striis nigris ex punctis nigricantibus oculo armato conspicuis. Quod notabile est in hoc animali,
linea longitudinalis elevata abbreviata in singulo elytro
videtur. Abdomen subtùs nigrum. Pedes laminæ-
que testaceæ.

sparsus. 49. Dyt. oblongo-convexus ferrugineus nitidus,
thoracis dorso coleoptrorumque disco obscurioribus, elytris punctis sparsis impressis.

Long. corp. 5 lin.

Habitat in aquis.

Descr. Antennæ, caput et pedes rufo-ferruginei. Thorax rufo-ferrugineus, maculâ dorsali obscuriori, sive
fuscâ. Elytra fusca, sive fusco-ferruginea, margine
dilutiora, punctis impressis ad basin in tribus lineis
dispositis, ad apicem sparsis inordinatis. Corpus subtùs
ferrugineum.

41. CA-

CARABUS.

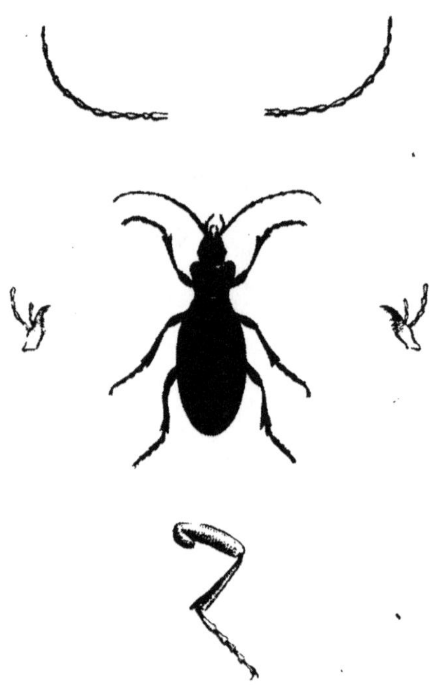

C. violaceus.

41. CARABUS.

Antennæ filiformes.

Thorax obcordatus, posticè truncatus, marginatus.

Elytra marginata.

Abdomen ovatum.

Femora postica basi appendiculata.

    * *Thorace posticè angulato.*

    ** *Thorace posticè truncato integro, elytris æquali.*

    *** *Thorace posticè truncato integro, elytris angustiori.*

    **** *Thorace posticè truncato integro, elytris angustiori, sub-elongato, attenuato.*

    ***** *Thorace posticè rotundato.*

    ****** *Thorace remoto.*

===

* *Thorace posticè angulato.*

1. Car. alatus niger, elytris lævibus: striis obso- *leucoph-* letis octo, apice thoracis elytris sub-duplo an- *thalmus.* gustiori.

Linn. Syst. Nat. 668. 4. *Faun. Suec.* 784. *Faun. Fred.* 20. 199.

Carabus spiniger. *Payk. Monog.* 25. *Faun. Suec.* i. 114. 23.

Oliv. iii. 35. 44. 45. *t.* 5. *f.* 58. et *t.* 12. *f.* 58. b.

Carabus planus. *Fab. Ent. Syst.* i. a. 133. 37.

Panz. Faun. Germ. 11. *t.* 4.

Carabus obsoletus. *Faun. Etrusc.* 514. *Hellw.* 514.

Long. corp. 1 unc.

Habitat ————

DESCR. Diu apud entomologos contentio fuit, quisnam sit Linnæi *Car. leucopbthalmus.* Apud plerosque noster

Car.

Car. angustior leucophthalmus audivit. At ille Linnæanâ
descriptione minimè convenit, quippe elytra mani-
festissimè striata, tum thorax posticè non angustior
quam in cæteris. Quem nos *leucophthalmum* diximus,
in omnibus descriptioni *Faun. Suec.* consentaneus,
præterquam quod alatus est. Hoc autem signum, ut
mox ostendemus, fallax est. Striæ elytrorum obsoletæ,
punctatæ, quasi acu tenuissimâ elaboratæ. Thorax
posticè elytris simul sumptis ferè duplo angustior est,
et lineâ mediâ foveâque utrinque excavatur. Antennarum articulus tertius (ratione a basi habitâ, basi
autem ipsâ in numerum receptâ) longissimus.
Sexus alter appendiculo ad basin femorum posticorum
spinoso, longitudine ferè dimidii femoris.

eus. 2. Car. apterus, elytris læviusculis nigris: margine
  aureo, thorace subviolaceo.

Linn. Syst. Nat. 669. 8. *Faun. Suec.* 787. *Vill.* i.
 360. 8. *Schrank,* 392. *Gmel.* 1963. 8. *Fab. Syst.*
 Ent. 236. 2. *Sp. Ins.* i. 299. 3. *Mant.* i. 195. 5.
 Ent. Syst. i. a. 225. 5. *De Geer,* iv. 89. 3. *Payk.*
 Monog. 3. *Faun. Suec.* i. 100. 3. *Panz. Ent.*
 Germ. 44. 3. *Illiger. Kugel. Kaf. Preus.* 148. 9. *Act.*
 Nidros. iv. 330. 29. *Harr.* 193.
Don. Brit. Ins. t. 222. *f.* 1. *Mart. Eng. Ent. t.* 36.
 f. 16. *Oliv.* iii. 35. 19. 10. *t.* 4. *f.* 39. *Panz. Voet.*
 ii. 80. 30. *t.* 37. *f.* 30. *Bergstraes. Nom.* ii. 16. 14.
 t. 2. *f.* 4. *Panz. Faun. Germ.* 4. *t.* 4.
Le Bupreste azuré. *Geoff.* i. 144. 4.

Long. corp. 13 lin.

Habitat ———

DESCR. Corpus nigrum, thoracis elytrorumque marginibus violaceis. Elytra lævia, subtilissimè rugosa,
 minimè striata. Antennæ nigræ, apice fuscæ. *Oliv.*

intricatus. 3. Car. apterus violaceo-niger, elytris intricatis
  elevato-striatis punctulatisque.

Linn. Faun. Suec. 780. *Vill.* i. 363. 12.
Oliv. iii. 35. 20. 11. *t.* 1. *f.* 11. *t.* 4. *f.* 44.

Carabe

Carabe azure. *De Geer,* iv. 89. 3.

Long. corp. 1 unc.

Habitat ———

DESCR. Statura et magnitudo omninò *Car. violacei,* at differt thorace magìs violaceo, elytris magìs rugosis, substriatis, triplicique serie punctorum impressorum. *Oliv.*

4. Car. apterus viridi-æneus, elytris obsoletè ru- *hortensis.* gosis: punctis excavatis triplici serie.

Linn. Syst. Nat. 668. 3.   *Faun. Suec.* 783.   *Vill.* i. 358. 3.   *Gmel.* 1961. 3.   *Schrank,* 389.   *Fab. Syst. Ent.* 237. 7.   *Sp. Ins.* i. 300. 10.   *Mant.* i. 196. 16. *Ent. Syst.* i. a. 127. 13.   *Payk. Monog.* 7.   *Payk. Faun. Suec.* i. 102. 7.   *Panz. Ent. Germ.* 46. 9. *Faun. Fred.* 198.   *Illiger. Kugel. Kaf. Preus.* 150. 13. *Faun. Etrusc.* 506.   *Hellw.* 506. *Oliv.* iii. 35. 27. 22. *t.* 4. *f.* 33. a.   *Schæff. Icon. t.* 11. *f.* 2.   *Panz. Voet.* ii. 83. 33. *t.* 37. *f.* 33.   *Panz. Faun. Germ.* 5. *t.* 2.

Long. corp. 11 lin.

Habitat ———

DESCR. Affinis maximè *Car. violaceo,* sed differt colore viridi-æneo, nec violaceo; margines autem thoracis elytrorumque sæpiùs subviolacei; elytra striis tribus punctorum excavatorum, quibus *Car. violaceus* caret.

5. Car. apterus, elytris striis tribus punctorum ele- *granulatus.* vatorum : lineâ unicâ elevatâ interpositâ.

Linn. Syst. Nat. 668. 2.   *Faun. Suec.* 781.   *Vill.* i. 355. 2.   *Gmel.* 1960. 2.   *Scop.* 263.   *Fab. Syst. Ent.* 238. 14.   *Sp. Ins.* i. 301. 17.   *Mant.* i. 197. 25. *Ent. Syst.* i. a. 130. 28.   *Schrank,* 393.   *Payk. Monog.* 9.   *Faun. Suec.* i. 104. 9.   *Faun. Fred.* 20. 197.   *Pontop.* i. 677. 2.   *De Geer,* iv. 88. 2. *Panz. Ent. Germ.* 47. 18.   *Illiger. Kugel. Kaf. Preus.* 154. 17.   *Faun. Etrusc.* 508.   *Hellw.* 508. *Don. Brit. Ins. t.* 221. *f.* 3. *Mart. Eng. Ent. t.* 37. *f.* 30.

Schæff. Icon. t. 18. *f.* 6.   *Oliv.* iii. 35. 34. 32. *t.* 2.
f. 13. et *f.* 20. a. b.   *Panz. Voet.* ii. 81. 31. *t.* 37.
f. 31.   *Bergstraes. Nom.* i. 12. 73. 4. 5. *t.* 12. *f.* 4. 5.
Le Bupreste gallonné. *Geoff.* i. 143. 3.

Long. corp. 10 lin.

Habitat ————

Descr. Color variat modò æneus, modò violaceus.
   In singulo elytro, lineæ tres elevatæ, singula inter sin-
   gulam punctorum elevatorum seriem. Puncta elevata
   variant ovata, oblonga, aut linearia. Lineæ elevatæ
   utrinque propter sua latera lineolam obsoletam habent.
Geoffroyus primus characterem notavit.

catenula-
tus.

6. Car. apterus, elytris striis tribus punctorum
   elevatorum lineis ternis elevatis interpositis.

Scop. 264. *Schrank,* 390. *Vill.* i. 363. 14. *Panz. Ent.*
   Germ. 45. 5.   *Gmel.* 1968. 89.
Oliv. iii. 35. 36. 34. *t.* 3. *f.* 29. *Panz. Faun. Germ.* 4.
   t. 6.   *Schæff. Icon. t.* 11. *f.* 2. ?
An Carabus arvensis ? *Payk.* i. 105. 10.

Long. corp. 11 lin.

Habitat ————

Descr. Simillimus *Car. granulato,* at tres lineæ omnes
   æquali magnitudine, singulo punctorum elevatorum
   ordine interpositæ, abundè indicant. Variat colore
   æneo, viridi-æneo aut violaceo.
Variat β lineis ternis elevatis, mediâ majori, lateralibus
   obsoletiusculis; distinctus tamen a *Car. granulato,* thorace utrinque ad apicem producto, tum magnitudine
   ferè duplo majori.

rugulosus.

7. Car. apterus, thorace æneo, elytris viridibus
   anticè striatis : apicibus marginibusque rugosis.

Long. corp. 11 lin.

Habitat ————   In mus. *D. Kirby.*

Descr. Aspectu primo simillimus *Car. catenulato,* at
   lineæ duæ punctorum elevatorum solùm distinctæ vi-
                                        dentur;

dentur; tum in hoc puncta elongatiora sunt.   Lineæ
tertia, quarta et quinta dimidiatæ concurrunt.

8. Car. apterus, elytris porcatis: striis passim in-*nitens.*
terruptis sulcisque scabriusculis inauratis.

Linn. Syst. Nat. 669. 6.   *Faun. Suec.* 785.   *Vill.* i.
359 6.   *Gmel.* 1963. 6.   *Fab. Syst. Ent.* 239. 17.
Sp. Ins. i. 302. 22.   *Mant.* i. 197. 30.   *Ent. Syst.*
i. a. 131. 30.   *Payk. Monog.* 12.   *Faun. Suec.* i.
106. 12.   *Harr.* 197.   *Panz. Ent. Germ.* 48. 20.
De Geer, iv. 91. 6.   *Illiger. Kugel. Kaf. Preus.* 158. 22.
Don. Brit. Ins. t. 313.   *Mart. Eng. Ent. t.* 36. *f.* 20.
Oliv. iii. 35. 38. 38. *t.* 2. *f.* 18.   *Schæff. Icon. t.* 51.
f. 1.
Buprestis marginatus.   *Panz. Voet.* ii. 87. 41. *t.* 38.
f. 41.

Long. corp. 7—9 lin.

Habitat ———

DESCR.   Antennæ nigræ.   Thorax scabriusculus, aureus, anticè posticèque emarginatus.   Elytra viridi-
aurea, sulcis quatuor rugosis, lineisque tribus elevatis,
lævibus, nigris.   Margo aureo-nitens.   Corpus subtùs
pedesque nigra. *Oliv.*

** *Thorace posticè truncato integro, elytris æquali.*

9. Car. ater, elytris striatis: posticè utrinque li-*depressus.*
neolis duabus abbreviatis excavatis.

Oliv. iii. 35. 54. 63. *t.* 4. *f.* 46.
Carabus striola.   *Fab. Ent. Syst.* i. a. 146. 95.   *Panz.*
Ent. Germ. 53. 45.
Panz. Faun. Germ. 11. *t.* 6.

Long. corp. 9 lin.

Habitat ———

DESCR.   In omnibus *Car. angustiori* simillimus, præterquam thoracis latitudine.   In hoc apex thoracis basin
elytrorum exactè æquat.   Thorax etiam rugis sive lineis transversis undulatis insignis.

                    10. Car.

gibbosus.   10. Car. ovatus convexus gibbus, elytris crenato-striatis, pedibus antennisque piceis.

Long. corp. 7 lin.

Habitat ——— Captus in *Rubo fruticoso,* prope Colchester. *D. Curtis.* Propter sepes in agro Dorsetsiensi.

Descr. Habitus *Tenebrionis*; antennæ autem et femorum appendiculæ verum genus produnt. Corpus obesum, crassum, valdè convexum, adeò ut gibbum videtur. Thorax lævis, rugis hinc inde obsoletis, posticè autem omninò manifestissimis. Elytra striata; striæ punctis impressis, undè crenato-striatæ apparent. Corpus subtùs piceum. Antennæ piceæ.

ruficornis.   11. Car. ater, elytris sulcatis lævibus, antennis pedibusque rufis.

Fab. Syst. Ent. 241. 27.   *Sp. Ins.* i. 305. 35.   *Mant.* i. 199. 48.   *Ent. Syst.* i. a. 134. 42.   *De Geer,* iv. 95. 10.   *Harr.* 202.   *Payk. Faun. Suec.* i. 158. 78. *Payk. Monog.* 74. *Panz. Ent. Germ.* 50. 28. *Illiger. Kugel. Kaf. Preus.* 170. 38.
Mart. Eng. Ent. t. 36. *f.* 13.   *Oliv.* iii. 35. 56. 67. *t.* 8. *f.* 91.   *Panz. Faun. Germ.* 30. *t.* 2.
Le Bupreste noir velouté. *Geoff.* i. 160. 38.

Long. corp. 7 lin.

Habitat in sylvis, in viis.

Descr. Similis *Car. leucophthalmo (qui, noster, scilicet,* DEPRESSUS *et* ANGUSTIOR) at paulò minor. Elytra interdum colore fugaci-aureo nitent. *Syst. Ent.*

bicolor.   12. Car. suprà niger, subtùs ferrugineus.

Fab. Syst. Ent. 241. 28.   *Sp. Ins.* i. 306. 36.   *Mant.* i. 199. 49.   *Ent. Syst.* i. a. 151. 117.   *Payk. Faun. Suec.* i. 159. 79.   *Monog.* 75.
Oliv. iii. 35. 57. 67. *t.* 11. *f.* 92. 6.

Long. corp. 7 lin.

Habitat ———

                            Descr.

Descr. Statura et summa affinitas *Car. ruficornis*, at corpus totum subtùs, cum pedibus et antennis, ferrugineum. Elytra striata. *Syst. Ent.*

13. Car. ater, capite thoraceque coleoptra sub-*obscurus.* æquanti glaberrimis nitidis, elytris obscuris striatis.

An Carabus ambiguus? *Payk. Monog.* 80.
Oliv. iii. 35. 77. 101. *t.* 12. *f.* 147.

Long. corp. 6 lin.

Habitat ————

Descr. Antennæ subferrugineæ, basi rufæ. Oculi nigri. Caput et thorax glaberrima, nitida. Thorax lineâ mediâ foveisque ad apicem prope latera impressis; porrò elytra simul sumpta subæquat. Elytra obscura striata; in striis 2. 3. 4. et suturâ, puncta aliquot impressa, remota, quasi acu tenuissimâ effecta, irregularitèr posita, sub lente conspicienda sunt. Pedes nigri, nitidi, sed femorum basis, et præcipuè appendix, picea sunt. Totum corpus subtùs nitidum.

14. Car. niger, antennis pedibusque rufis, tho-*flavipes.* race quadrato, elytris adnato.

Payk. Faun. Suec. i. 112. 20. *Monog.* 21.
Oliv. iii. 35. 76. 100. *t.* 8. *f.* 86.
Carabus Cisteloides. *Panz. Ent. Germ.* 57. 64.
Panz. Faun. Germ. 11. *t.* 12.
Le Bupreste noir à pattes brunes. *Geoff.* i. 161. 39.

Long. corp. 6 lin.

Habitat ————

Descr. Similis *Car. melanocephalo*, at duplò aut triplò major. Corpus nigrum, nitidum. Antennæ fusco-rufescentes. Thorax planus, quadratus, canaliculatus, posticè impressus, elytris adnatus. Elytra striis novem lævibus, striâ laterali punctatâ. Pedes rufi.
Variat pedibus nigris, antennis fuscis, basi rufis. *Oliv.*
Obs. Simillimus *Car. obscuro*, at elytra nitida, nec obscura; pedes sæpiùs rufi quam flavi.

    15. Car.

melano-
cephalus.

15. **Car.** thorace pedibusque ferrugineis, capite elytrisque atris.

Linn. Syst. Nat. 671. 22.   *Faun. Suec.* 795.   *Vill.* i.
  367. 26.   *Fab. Syst. Ent.* 245. 52.   *Sp. Ins.* i. 310. 64.
  Mant. i. 202. 19.   *Ent. Syst.* i. a. 159. 153.   *Panz.*
  Ent. Germ. 61. 86.   *De Geer,* iv. 93. 8.   *Payk. Faun.*
  Suec. 111. 19.   *Monog.* 20.   *Act. Nidros.* iii. 401. 22.
  Harr. 215.   *Faun. Etrusc.* 541.   *Hellw.* 541.   *Illiger.*
  Kugel. Kaf. Preus. 161. 25.
Mart. Eng. Ent. t. 37. *f.* 26.   *Oliv.* iii. 35. 91. 124.
  t. 2. *f.* 14. a. b.   *Schæff. Icon. t.* 237. *f.* 5.   *Panz.*
  Faun. Germ. 30. *t.* 19.
Buprestis dorso rubro. *Panz. Voet.* ii. 73. 15. *t.* 35. *f.* 15.
Le Bupreste noir à corcelet rouge. *Geoff.* i. 162. 42.

Long. corp. $3\frac{1}{2}$ lin.

Habitat in sylvis. *Linn.*

Descr.   Caput nigrum.   Elytra atra, striata.   Thorax
  ruber.   Pedes et antennæ omninò unicolores ferrugineæ.   *Faun. Suec.*

vulgaris.

16. **Car.** nigro-æneus, pedibus antennisque nigris.

Linn. Syst. Nat. 672. 27.   *Faun. Suec.* 799.   *Vill.* i.
  369. 31.   *Gmel.* 1974. 27.   *Fab. Syst. Ent.* 244. 42.
  Sp. Ins. i. 308. 52.   *Mant.* i. 201. 70.   *Ent. Syst.* i. a.
  154. 128.   *Faun. Fred.* 21. 206.   *Poda,* 46. 8.   *Act.*
  Nidros. iv. 402. 24.   *Harr.* 210.   *Panz. Ent. Germ.*
  56. 61.   *De Geer,* iv. 97. 14.   *Faun. Etrusc.* 515.
  Hellw. 515.   *Illiger. Kugel. Kaf. Preus.* 167. 33.
Mart. Eng. Ent. t. 37. *f.* 28.   *Oliv.* iii. 35. 75. 98.
  t. 4. *f.* 36.
Carabus ovatus. *Faun. Etrusc. Mant.* 200.   *Hellw.*
  Mant. 200.
Carabus affinis. *Schrank,* 399.
Le Bupreste rosette. *Geoff.* i. 160. 36.

Long. corp. $3\frac{1}{4}$—4 lin.

Habitat paffim.

Descr.   Nigro-æneus.   Thorax atrior, nitidior, punctis duobus concavis, obsoletis.   Elytra striata, sed ex-
                                                      tima

tima stria elytrorum serrata. Thorax posticè latitudinem elytrorum attingit. Variat punctis impressis in
elytris, et non impressis. Antennæ ad basin sæpè
griseæ ; subtùs niger est hic *Carabus*. *Faun. Suec.*

17. Car. alatus æneus, antennis basi tibiisque *communis.*
rufis.

Panz. Faun. Germ. 40. *t.* 2.

Long. corp. 3 lin.

Habitat ———

DESCR. Habitat vulgaris cum antecedenti, cui similis
ideoque sæpiùs cum illo confusus, at differt, staturâ
minori, antennis basi tibiisque rufis. Variat et pe-
diþus totis rufis. *Panz. Faun. Germ.*

18. Car. æneus, antennis basi rubris.   *cupreus.*

Linn. Syst. Nat. 672. 29. *Faun. Suec.* 801. *Vill.* i.
370. 33. *Gmel.* 1975. 29. *Fab. Syst. Ent.* 243. 40.
Sp. Ins. i. 308. 50.   *Mant.* i. 201. 68.   *Ent. Syst.*
i. a. 153. 126. *Payk. Monog.* 71. *Faun. Suec.* i.
155. 75. *Harr.* 208. *Faun. Fred.* 21. 206. *Panz.*
Ent. Germ. 56. 60.   *Illiger. Kugel. Kaf. Preus.*
166. 31.
Mart. Eng. Ent. t. 35. *f.* 2. 3.   *Oliv.* iii. 35. 73. 95.
t. 3. *f.* 25. *Panz. Faun. Germ.* 75. *t.* 2.   *De Geer,*
iv. 97. 13. *t.* 3. *f.* 15.
Le Bupreste perroquet. *Geoff.* i. 161. 40.

Long. corp. 6 lin.

Habitat ubique in viis publicis.

DESCR. Corpus nigrum, capite, thorace, et elytris
ænei coloris. Antennarum primus articulus sæpiùs
ruber est. *Faun. Suec.*

Obs. Cave ne *Car. cupreum* cum *vulgari* confundas.
Hic dignoscitur striâ ad basin suturæ abbreviatâ obsoletâ; nec manifestâ punctatâ.

19. Car. alatus suprà æneus, antennis pedibusque *æneus.*
ferrugineis.

Fab. Ent. Syst. i. a. 156. 142.

Long. corp. 5 lin.

Habitat ———

DÉSCR. Vix *Car. cupreo* minor. Caput, thorax, ely-
    traque ænea, nitida. Pedes et antennæ ferruginei.
    Corpus mox nigrum, mox ferrugineum. *Fab. Ent.
    Syst.*

latus.   20. Car. niger, pedibus antennisque rufis.

Linn. Syst. Nat. 672. 24.   *Vill.* i. 368. 28.   *Schrank,*
    397.   *Fab. Syst. Ent.* 244. 44.   *Sp. Ins.* i. 308. 54.
    Mant. i. 201. 73.   *Ent. Syst.* i. a. 154. 129.   *De Geer,*
    iv. 100. 18.   *Faun. Fred.* 20. 196.   *Act. Nidros.* iii.
    402. 23.   *Harr.* 212.
Schæff. Icon. t. 194. *f.* 7.
Carabus Proteus var. e. *Payk. Monog.* 72.   *Faun. Suec.*
    var. ♂. i. 163. 73.
Le Bupreste en deuil. *Geoff.* i. 160. 37. ?

Long. corp. 3 lin.

Habitat ———

DESCR. Corpus nigrum, nitidum. Elytra striata. *Linn.
    Mss.*

ferrugineus. 21. Car. ferrugineus totus convexus.

Fab. Syst. Ent. 244. 46.   *Sp. Ins.* i. 309. 56.   *Mant.* i.
    201. 76.   *Ent. Syst.* i. a. 155. 137.   *Gmel.* 1974. 25.
    Payk. Monog. 76.   *Faun. Suec.* i. 161. 81.   *Panz.
    Ent. Germ.* 57. 70.
Schæff. Icon. t. 137. *f.* 3.   *Oliv.* iii. 35. 80. 107. *t.* 9.
    f. 105. a. b.   *Panz. Faun. Germ.* 39. *t.* 9.
Buprestis luteus. *Panz. Voet.* ii. 74. 16. *t.* 35. *f.* 16.

Long. corp. 4 lin.

Habitat ———

DESCR. Totum corpus ferrugineum. Thorax brevis,
    anticè excavatus, posticè truncatus, coleoptra magni-
    tudine adæquat. Animal crassum sanè, et quasi
    obesum.

                                        22. Car.

22. Car. niger convexus, antennis plantisque fer-*rufimanus.*
 rugineis.

Long. corp. 4 lin.

Habitat ———

DESCR. Corpus et præcipuè anticè convexum, gibbum.
Caput et thorax atra, glabra. Thorax lineâ mediâ
longitudinali impressâ, valdè obsoletâ, foveolâ posticè
utrinque obsoletiusculâ. Elytra striata; striæ punctis
carent, attamen unica ad basin suturæ abbreviata sub-
punctata est, et obsoletiuscula. Pedes nigri; tarsis
plantisque ferrugineis. Antennæ etiam ferrugineæ.

23. Car. niger, elytris obscuris, antennis pedi-*rufangulus.*
busque ferrugineis, thoracis marginibus rufis.

Long. corp. 5½ lin.

Habitat ———

DESCR. Antennæ, palpi et pedes ferruginei. Caput
et thorax nigra, glaberrima, nitida. Elytra obscura,
obsoletè striata: striæ punctis carent; oculo bene armato, quodammodò crenatæ sunt. Thoracis margines,
præcipuè posticè, rufi.

24. Car. viridis tomentosus punctulatissimus, tho-*nigricornis.*
race aureo-nitente, elytris obsoletè striatis obscuris, pedibus piceis.

Fab. Ent. Syst. i. a. 157. 143. *Payk. Monog.* 70. ?

Long. corp. 5 lin.

Habitat ———

DESCR. Totum corpus suprà viride tomentosum. Caput
et thorax metalli instar nitentia. Thorax punctulatissimus, punctulis confertissimis, et quasi confluentibus. Elytra obscura, punctulatissima, punctulis confertissimis distinctis, striata, striis obsoletiusculis. Pedes
picei. Thorax elytris paulò angustior.

*** *Thorace*

**** Thorace posticè truncato integro, elytris angustiori.*

subæqualis. 25. Car. niger, elytris obsoletè striatis, apice thoracis elytra sub-æquanti.

Long. corp. 11 lin.

Habitat ———

DESCR. Fuere qui hunc *Car. leucophthalmum* Linnæi
esse voluerunt, sed perperàm. Elytra sanè obsoletè
striata, at thorax posticè non angustior quam in cæteris. Elytra enim simul sumpta ferè æquat. Elytra
striata, at puncta nulla in striis conspicienda sunt;
exinde a *Car. leucophthalmo* satìs distinctus.

angustior. 26. Car. ater, elytris striatis, thorace posticè utrinque lineolis duabus abbreviatis excavatis.

Carabus leucophthalmus. *Fab. Syst. Ent.* 240. 23. *Sp.*
Ins. i. 304. 29. *Mant.* i. 198. 41. *Ent. Syst.* i. a.
132. 36. *Act. Nidros.* iv. 329. 28. *Panz. Ent. Germ.*
49. 23. *Payk. Monog.* 16. *Faun. Suec.* i. 108. 15.
Scop. 266. *Schrank,* 396. *Faun. Etrusc.* 511. *Hellw.*
511. *Gmel.* 1962. 4.
Oliv. iii. 35. 48. 51. *t.* 1. *f.* 4. *Schæff. Icon. t.* 18. *f.* 1.
Panz. Faun. Germ. 30. *t.* 1. *Bergstraes. Nom.* i. 9.
13. *t.* 1. *f.* 4. *Scriba,* i. 7. 4. *t.* 1. *f.* 4.
Carabus nigro-striatus. *De Geer,* iv. 96. 12.
Buprestis niger major. *Panz. Voet.* ii. 68. 1. *t.* 33. *f.* 1.
Le Bupreste tout noir. *Geoff.* i. 146. 17.

Long. corp. 9½ lin.

Habitat ———

DESCR. Ferè omnes uno ore hunc itidem *Car. leucoph-*
thalmum Linnæi esse conclamaverunt; sed malè,
elytra enim profundiùs nec obsoletè striata. Sed quod
in hoc singulare, thorax, præter lineam mediam ex-
cavatam, duas alias abbreviatas utriuque, sive foveæ
duplicis excavationem, exhibet. Thorax etiam ejusdem, ac in cæteris observandum est, latitudinis. Hæc
Ill. Linnæi oculos nunquam fefellissent. Pedes atri.
Obs.

Obs. Thorax transversè rugosus, rugis obsoletis undulatis; apex thoracis elytrorum basi angustior.

27. Car. niger, thorace posticè utrinque impresso, *madidus.*
   femoribus rufis.

Fab. Syst. Ent. 241. 31. *Sp. Ins.* i. 306. 39. *Mant.* i.
   199. 54. *Ent. Syst.* i. a. 135. 48. *Vill.* i. 379. 83.
   Payk. Monog. 15. *Faun. Suec.* i. 107. 14.   *anz.*
   Ent. Germ. 50. 33. *Faun. Etrusc.* 527. *Hellw.* 527.
   Gmel. 1975. 123.
Oliv. iii. 35. 60. 73. *t.* 5. *f.* 61.
Le Bupreste paresseux. *Geoff.* i. 159. 34.

Long. corp. 7 lin.
Habitat ———

DESCR. Corpus atrum, quasi humore inunctum. Antennæ apice fuscescentes. Thorax basi puncto majori
   utrinque excavatus. Abdomen obtusum. *Syst. Ent.*
Variat long. corp. 5 lin. et femoribus nigris.

28. Car. ater, thorace glaberrimo coleoptris multò *Terricola.*
   angustiori. elytris obsoletè striatis.

Payk. Monog. 17. *Faun. Suec.* i. 109. 16. *Fab. Ent.*
   Syst. i. a. 135. 49. *Gmel.* 1982. 164.
Oliv. iii. 35. 57. 68. *t.* 11. *f.* 124. *Herbst. Arch.* 140. 51.
   t. 29. *f.* 14.

Long. corp. 7 lin.
Habitat ——— Captus in cellis vinariis, Ealing,
   per totam æstatem.

DESCR. Antennæ et pedes picei. Caput et thorax
   glaberrima, nitida. Thorax coleoptris   angustior.
   Elytra obsoletiusculè striata, basi mediâ leviter excavata, sive depressa.

29. Car. totus nigro-piceus, thorace glaberrimo *collaris.*
   coleoptris multò angustiori, elytris profundiusculè striatis.

Long. corp. 5 lin.
Habitat ———

DESCR.

Descr. Staturâ et habitu affinis admodum *Car. Terricolæ.*
Vix ovum ovo similius, at duplò minor. Color omninò nigro-piceus. Thorax sub lente transversè rugosus, anticè lineâ impressâ, abbreviatâ, transversâ;
porrò aliam lineam mediam longitudinalem, et tertiam
ad basin integram transversam exhibet. Thoracis apex
elytrorum basi ⅓ angustior, marginibus elevatis. Elytra
profundè striata, interstitiis convexis, nec, ut in *Carabo
Terricolâ,* planis.

aterrimus. 30. Car. ater, thorace marginato, elytris striatis:
punctis tribus impressis.

Fab. Ent. Syst. i. a. 156. 141.　　*Payk. Monog.* 78.
　Faun. Suec. i. 156. 76.
Oliv. iii. 35. 58. 69. *t.* 12. *f.* 141.

Long. corp. 5 lin.

Habitat ———

Descr. Corpus aterrimum, nitidum. Thorax rotundatus, marginatus, margine parùm reflexo, in medio
canaliculatus. Elytra striata, punctis duobus in striâ
secundâ a suturâ, tertioque anteriori in tertiâ impressis.

rugimargi- 31. Car. nigro-ferrugineus depressiusculus, ely-
natus. tris striis profundis punctatis, thoracis margine
punctato-rugoso.

Long. corp. 5 lin.

Habitat ———

Descr. Antennæ et pedes ferruginei. Caput et thorax nigra, sive nigro-ferruginea. Thorax sub-obcordatus, marginatus, et intra marginem punctato-rugosus. Elytra fusco-ferruginea, profundè striata, striâ
primâ a suturâ brevissimâ; in omnibus striis puncta
impressa. Corpus suprà planiusculum. Abdomen
subtùs nigro-ferrugineum. Thorax ferè coleoptra
æquat.

Variat niger et nigro-ferrugineus.

piceus. 32 Car. niger planiusculus, thoracis disco tu-
mescenti, antennis pedibusque piceis.

Linn.

Linn. Syst. Nat. 672. 30.   *Faun. Suec.* 802.   *Vill.* i.
  370. 34.   *Gmel.* 1975. 30.   *Fab. Syst. Ent.* 241. 29.
Sp. Ins. i. 306. 37.   *Mant.* i. 199. 51.   *Ent. Syst.* i. a.
135. 46.   *Harr.* 205.   *Panz. Ent. Germ.* 50. 32.
Oliv. iii. 35. 58. 70. *t.* 11. *f.* 123.

Long. corp. 3 lin.

Habitat ————   Ex mus. *D. Hill.*

DESCR. Corpus nigrum, minimè nitidum. Pedes et
   antennæ ferè piceæ. Elytra fusco-nigra. *Faun. Suec.*

33. Car. ater nitidus, tibiis plantisque piceo-fer- *tibialis.*
   rugineis.

Long. corp. 3 lin.

Habitat ————

DESCR. Antennæ piceo-ferrugineæ, sive piceæ. Caput
   et thorax atra, lævissima. Thorax convexiusculus,
   lineâ mediâ longitudinali impressâ, obsoletiusculâ, ad
   apicem foveolâ utrinque simplici. Elytra striata,
   striis omnibus integris, nec quod in plerisque accidit,
   unicâ ad basin suturæ abbreviatâ; striæ punctulis minimis impressis. Pedes nigri, tibiis plantisque piceo-
   ferrugineis, sive piceis.

34. Car. niger, elytris striatis: striis punctatis, *convexus.*
   antennis ferrugineis, pedibus piceis.

Long. corp. 6—7 lin.

Habitat ————

DESCR. Antennæ ferrugineæ. Caput et thorax nigra,
   glabra. Thorax convexus, posticè depressus, et punctulis scaber; ad utrumque angulum lineolæ duæ breves, sive foveolæ. Elytra nigra, vel, si paulùm eleventur, picea, profundè striata, striis punctis impressis.
   Pedes picei.

35. Car. æneo-virens, elytris striatis: interstitiis *dimidiatus.*
   convexiusculis, pedibus nigris.

                                        Oliv.

Oliv. iii. 35. 72. 94. *t.* 11. *f.* 121.
Carabus Kugelannii. *Panz. Faun. Germ.* 39. *t.* 8.
Carabus Kugelannii. *Illiger. Kugel. Kaf. Preus.* 166. 30.
Long. corp. 6 lin.
Habitat ———

DESCR. Affinis admodùm *Car. vulgari*, at satis differt
thorace coleoptris angustiori, nec æquali. Antennæ
nigræ, basi rufâ. Elytra profundiusculè striata; in
striis punctula impressa. Hæc autem punctula præ
nimiâ interstitiorum (quæ convexiuscula sunt) intu-
mescentiâ, sæpè latent; in striis autem duabus ad basin
suturæ abbreviatis, semper conspicienda. Pedes nigri.
Variat æneo-virens, et thorace cupreo elytris viridibus.

pilicornis. 36. Car. thorace rotundato, elytris striatis punctisque impressis, antennis pilosis.

Fab. Syst. Ent. 243. 38. *Sp. Ins.* i. 307. 48. *Mant.* i.
200. 65. *Ent. Syst.* i. a. 152. 122. *Payk. Monog.* 47.
Faun. Suec. i. 134. 47. *Vill.* i. 380. 85. *Panz.*
Ent. Germ. 55. 57. *Gmel.* 1971. 104. *Illiger. Kugel.*
Kaf. Preus. 199. 71.
Panz. Faun. Germ. 11. *t.* 10. *Oliv.* iii. 35. 67. 85.
t. 11. *f.* 119. *Mart. Eng. Ent. t.* 36. *f.* 18.

Long. corp. 3½ lin.

Habitat ———

DESCR. Antennæ pilis longioribus hirtæ, ferrugineæ,
primo articulo æneo. Thorax rotundatus, æneus,
posticè utrinque impressus. Elytra ænea, striata,
punctisque tribus impressis. Pedes rufi, femoribus
nigris.
Variat colore nigro et æneo.

cærulescens. 37. Car. nigro-cæruleus, antennis basi rubris.

Linn. Syst. Nat. 672. 28. *Faun. Suec.* 800. *Vill.* i.
370. 32. *Gmel.* 1974. 28. *Fab. Syst. Ent.* 243. 39.
Sp. Ins. i. 308. 49. *Mant.* i. 200. 66. *Ent. Syst.* i. a.
152. 123. *Faun. Fred.* 21. 207. *Harr.* 207. *Panz.*
Ent. Germ. 55. 58. *Faun. Etrusc.* 516. *Hellw.* 516.
Mart.

Mart. Eng. Ent. t. 35. *f.* 1.   *Oliv.* iii. 35. 68. 86.
t. 12. *f.* 132. a. b.
Carabus cupreus, var. β. *Payk. Monog.* 71. *Faun. Suec.* i.
155. 75.
An Carabus elegans ? *Scop.* 269.

Long. corp. 4 lin.

Habitat ———————   Ex mus. *D. Lyon.*

DESCR.   Color totius animalculi a tergo viridi rubroque
fusco-æneus.   Elytra striata, singulis tribus punctis
longitudinalibus impressis.   Femora nigra : tibiæ rufæ.
Antennæ ad articulos inferiores tribus setis armatæ.
Faun. Suec.
Variat colore nigro-æneo.

38. Car. subæneus, elytris punctis longitudinalibus *sexpuncta-*
sex impressis.   *tus.*

Linn. Syst. Nat. 672. 35.   *Faun. Suec.* 807.   *Vill.* i.
372. 39.   *Schrank,* 402.   *Gmel.* 1977. 35.   *Fab. Syst.*
Ent. 245. 50.   *Sp. Ins.* i. 309. 60.   *Mant.* i. 202. 83.
Ent. Syst. i. a. 157. 145.   *Harr.* 214.   *De Geer,* iv.
99. 16.   *Payk. Monog.* 42.   *Faun. Suec.* i. 130. 43.
Faun. Fred. 21. 210.   *Panz. Ent. Germ.* 59. 76.
Illiger. Kugel. Kaf. Preus. 195. 76.
Oliv. iii. 35. 84. 114. *t.* 5. *f.* 50.   *Panz. Faun. Germ.* 30.
t. 13.   *Schæff. Icon. t.* 66. *f.* 7.
Le Bupreste à six points enfoncés. *Geoff.* i. 147. 10.
Buprestis nitens minor. *Panz. Voet.* ii. 69. 4. *t.* 33. *f.* 4.

Long. corp. 4 lin.

Habitat ———————

DESCR. Caput et thorax nitent ex viridi-cæruleo. Elytra
ignei coloris, vel cupri japonici, striis nudis oculis vix
manifestis, plurimis, margine laterali extimo cyaneo;
puncta in singulo sex longitudinaliter, inter secundam
et tertiam striam a suturâ, impressa.   Abdomen e
fusco nitet.   Thorax posticè angustior. *Faun. Suec.*

39. Car. viridi-æneus, elytris punctis quatuor im- 8-*punctatus.*
pressis.

Fab.

Fab. Supp. 55. 70.

Long. corp. 5 lin.

Habitat ———

DESCR. Corpus parvum, viridi-æneum, antennis nigris. Elytra punctis quatuor secundum suturam impressa. Pedes obscurè rufescentes, femoribus nigris. *Fab. Supp.*

inquisitor. 40. Car. elytris striatis viridi-æneis : punctis triplici ordine.

Linn. Syst. Nat. 669. 11.   *Faun. Suec.* 789.   *Vill.* i. 361. 10. *Gmel.* 1965. 11. *Fab. Syst. Ent.* 239. 18. *Sp. Ins.* i. 303. 23. *Mant.* i. 197. 31. *Ent. Syst.* i. a. 149. 109. *De Geer,* iv. 94. 9. *Payk. Monog.* 39. *Faun. Suec.* i. 127. 40. *Panz. Ent. Germ.* 54. 50. *Illiger. Kugel. Kaf. Preus.* 142. 2.
Oliv. iii. 35. 40. 40. *t.* 1. *f.* 3. *Mart. Eng. Ent. t.* 38. *f.* 42. *Panz. Voet. t.* 38. *f.* 39. *Panz. Faun. Germ.* 81. *t.* 8.
Le Bupreste quarré couleur de bronze antique. *Geoff.* i. 145. 6.
Buprestis Sycophanta minor. *Panz. Voet.* ii. 86. 39. *t.* 38. *f.* 39.

Long. corp. 10 lin.

Habitat in sylvis, cursitans per plantas noctu, insecta legens.

DESCR. Corpus suprà viridi-aureum, subtùs fusco-virescens. Elytra subtilissimè striata, et triplici ordine punctorum obscurissimorum notata. *Faun. Suec.*

vestitus. 41. Car. subtùs niger suprà viridis, elytris striatis sericeis : margine apiceque flavis.

Fab. Ent. Syst. i. a. 158. 148. *Payk. Monog.* 44. *Faun. Suec.* i. 132. 45. *Illiger. Kugel. Kaf. Preus.* 178. 50.
Oliv. iii. 35. 86. 116. *t.* 5. *f.* 49. *Panz. Faun. Germ.* 31. *t.* 5.
Carabus marginatus. *Linn. Syst. Nat.* 670. 16.
Le Bupreste vert à bordure. *Geoff.* i. 162. 41.

Long.

Long. corp. 5 lin.

Habitat ————

DESCR. Caput viridi-æneum, nitidum, ore antennisque pallidis. Thorax æneus, nitidus, lineâ dorsali
impressâ, margineque pallido. Elytra striata, viridia,
rufo pubescentia, margine pallido. Corpus fuscum.
Pedes pallidi. *Ent. Syst.*

42. Car. fuscus, capite thoraceque viridi-æneis, *cinctus.*
elytrorum margine pedibusque pallidis.

Fab. Sp. Ins. i. 310. 62. *Mant.* i. 202. 85. *Ent. Syst.*
i. a. 138. 61. *Gmel.* 1970. 100.
Oliv. iii. 35. 87. 118. *t. 3. f.* 28. *Panz. Faun. Germ.*
30. *t. 7. Herbst. Arch. t.* 29. *f.* 7. *Mart. Eng.
Ent. t.* 38. *f.* 39.

Long. corp. 7 lin.

Habitat ————

DESCR. Caput et thorax viridi-ænea, glabra, nitida.
Antennæ palpique pallidæ. Elytra striata, fusca, margine pallido. Corpus fuscum, abdominis margine pallido. Pedes pallidi. *Sp. Ins.*

43. Car. viridis nitens, elytris striatis: punctis tri- *marginatus.*
bus impressis, margine tibiisque testaceis.

Linn. Faun. Suec. 804. *Vill.* i. 363. 21. *Fab. Syst.
Ent.* 245. 51. *Sp. Ins.* i. 310. 61. *Mant.* i. 202. 84.
Ent. Syst. i. a. 158. 147. *Payk. Monog.* 43. *Faun.
Suec.* i. 131. 44. *Panz. Ent. Germ.* 59. 78. *Gmel.*
1970. 16. *Illiger. Kugel. Kaf. Preus.* 196. 78.
Mart. Eng. Ent. t. 36. *f.* 19. *Oliv.* iii. 35. 85. 115.
t. 9. *f.* 98. *Panz. Faun. Germ.* 30. *t.* 14.

Long. corp. 4 lin.

Habitat ————

DESCR. Magnitudo et statura omninò *Car. sexpunctati.*
Antennæ nigræ, articulo primo rufescente. Caput
viride. Thorax rotundatus, canaliculatus, viridis. Elytra striata, viridia, margine tenuissimè testaceo, punc-

tulato, punctis tribus discoidalibus, impressis. Corpus subtùs nigro-æneum. Tibiæ femorumque basis testacea. *Oliv.*

circulatus. 44. Car. niger, antennis pedibus elytrorumque margine testaceis.

Long. corp. 3¼ lin.

Habitat ———— Captus propter fluvium Usk prope Crickhowell sub lapidibus, et prope Ealing.

Descr. Corpus parùm nitescit. Elytra striata, striæ verùm punctis omninò immunes. Pedes et elytrorum margo pallidè testacea. Antennæ forsan paulùm saturatiores, sive subferrugineæ; basis autem testacea.

purpuro- 45. Car. nigro-cæruleus, elytris striatis abdomine
cæruleus. subbrevioribus, antennis palpis pedibusque rufis.

An Carabus sabulicola? *Panz. Faun. Germ.* 30. *t.* 4.

Long. corp. 6 lin. sed variat magnitudine.

Habitat in agris et ad sepes. Inter umbellulas seminales *Dauci Carotæ* latitabat, prope Maldon com. Essex.

Descr. Thorax punctatus. Elytra violacea, striata, et inter strias punctulis numerosissimis conspersa.

azureus. 46. Car. cyaneus, antennis pedibusque rubris.

Fab. Syst. Ent. 244. 43. *Sp. Ins.* i. 308. 53. *Mant.* i. 201. 71. *Ent. Syst.* i. a. 155. 133. *Vill.* i. 380. 86. *Panz. Ent. Germ.* 57. 67. *Faun. Etrusc.* 550. *Hellw.* 550. *Gmel.* 1974. 117. *Mart. Eng. Ent. t.* 36. *f.* 15. *Oliv.* iii. 35. 76. 99. *t.* 12. *f.* 135.

Long. corp. 5 lin.

Habitat ————

Descr. Elytra striata, margine ante apicem dentato, dente unico; hinc elytra apice erosa esse videntur. *Variat* pedibus piceis et nigro-piceis.

47. Car.

47. Car. suprà cyaneus nitidus, subtùs ferrugi- *discolor.*
neus.

Long. corp. 4 lin.

Habitat ————

DESCR. Antennæ ferrugineæ, thoracis apicem vix at-
tingunt. Caput et thorax cyanea, glaberrima, nitida.
Elytra cyanea, margine tenuiter ferrugineo, striata.
Totum corpus subtùs ferrugineum.

48. Car. cyaneus, ore antennis pedibusque rufo- *spinibarbis.*
testaceis, capite lateribus subtùs ciliato.

Fab. Syst. Ent. 243. 37. *Sp. Ins.* i. 307. 47. *Mant.* i.
200. 64. *Ent. Syst.* i. a. 137. 55. *Vill.* i. 380. 84.
Panz. Ent. Germ. 51. 36. *Faun. Etrusc.* 539.
Hellw. 539. *Gmel.* 1971. 105.
Oliv. iii. 35. 67. 84. *t.* 3. *f.* 22. a. b. c. *Panz. Faun.*
Germ. 30. *t.* 6.

Long. corp. 4 lin.

Habitat ————

DESCR. Antennæ, palpi, os et caput subtùs rufa. Oculi
prominentes. Palpi capite longiores; et quod singulare est, os subtùs undique pilis cinctum est; quippe
genæ tum pectus anticè ciliata. Cilia genarum fortia
spinarum instar, pectoris verò setacea omnia, undique
ad os convergentia. Caput, thorax et elytra cyanea,
sive cæruleo-viridia. Thorax subcordatus. Elytra
striata, punctis impressis. Abdomen nigrum. Pedes
omnes rufo-testacei.

49. Car. thorace pedibusque ferrugineis, capite *cyano-*
elytrisque cyaneis. 　　　　　　　　　　*cephalus.*

Linn. Syst. Nat. 671. 21. *Faun. Suec.* 794. *Vill.* i.
366. 25. *Gmel.* 1972. 21. *Fab. Syst. Ent.* 245. 53.
Sp. Ins. i. 310. 65. *Mant.* i. 203. 90. *Ent. Syst.* i. a,
159. 154. *Panz. Ent. Germ.* 61. 87. *Payk. Monog.*
63. *Faun. Suec.* i. 125. 37. *Faun. Fred.* 21. 204.
Harr. 216. *Faun Etrusc.* 540. *Hellw.* 540. *Illiger.*
Kugel. Kaf. Preus. 206. 92.

Donov. Brit. Ins. t. 86. *f.* 1. 2. 3. *De Geer,* iv. 100.
17. *t.* 3. *f.* 17. *Oliv.* iii. 35. 92. 125. *t.* 3. *f.* 24. a. b. c.
Mart. Eng. Ent. t. 36. *f.* 14.
Le Bupreste bleu à corcelet rouge. *Geoff.* i. 149. 16.
Long. corp. 3¼ lin.
Habitat ――――

Descr. Antennæ nigræ, basi ferrugineæ. Caput et
elytra viridissima, subtruncata, lata. Thorax, sternum et basis abdominis subtùs rubro-ferruginea. Pedes
thorace concolores, geniculis tarsisque nigris. Elytra
thoracem latitudine longè superant.

humeralis. 50. Car. ater, thorace ferrugineo, coleoptris striatis
planiusculis obtusissimis margine ferrugineis.

Payk. Monog. 23. var. β. *Faun. Suec.* i. 122. 33. var. β.
Long. corp. 5 lin.
Habitat ――――

Descr. Antennæ et pedes ferruginei. Caput niger.
Thorax fusco-ferrugineus, ab abdomine remotiusculus.
Elytra atra, sive atro-cærulescentia, depresso-planius-
cula, profundè striata, apice obtusissima, sive obliquè
truncata. Margo exterior ferrugineus. Linea scilicet
ferruginea marginem ambit, et ad basin in unci mo-
rem interiùs ducta reflectitur.

littoralis. 51. Car. thorace nigricanti, elytris obscuris ferrugineis bifasciatis.

Oliv. iii. 35. 110. 153. *t.* 9. *f.* 103. a. b. et *t.* 14.
f. 163. c. d. *Panz. Faun. Germ.* 38. *t.* 9.
Carabus ustulatus var. β. *Payk. Monog.* 53.
Long. corp. 2½ lin.
Habitat ――――

Descr. Corpus nigrum. Pedes ferruginei. Elytra
nigra, posticè unâ alterâve obscurâ fasciâ : non rarò
etiam maculâ pallidâ versus basin in exteriore parte
elytri. *Faun. Suec.*

52. Car.

52. **Car.** atro-cæruleus, elytris punctato-striatis *Doris.*
apice obsoletè ferrugineis.

Panz. Faun. Germ. 38. *t.* 9.

Long. corp. 2 lin.

Habitat ———

DESCR. Corpus nitidum. Elytra striata, punctis excavatis, apice maculâ lunari obsoletè ferrugineâ, vix nisi
elevatis elytris conspiciendâ. Antennæ nigræ. Pedes
rufescentes. Thorax politus, punctis omninò aspersus.

53. **Car.** atro-cæruleus, pedibus testaceis.   *immunis.*

Long. corp. 2⅛ lin.

Habitat ———

DESCR. Antennæ nigræ, basi testaceæ. Totum corpus
atro-cærulescens, nitidiusculum. Elytra striata, striæ
ex punctis concinnè impressis. Pedes omninò testacei.

54. **Car.** subæneus, pedibus rufis, thorace gla- *rufipes.*
berrimo, elytris integris subtilissimè punctato-
striatis.

Payk. Monog. 63.
Oliv. iii. 35. 112. 158. *t.* 14. *f.* 164. a. b.

Long. corp. 1½ lin.

Habitat ———

DESCR. Similis *Car. bipunctato*, at paulò minor, et
elytra absque punctis impressis. Antennæ nigræ. Corpus suprà æneum, subtùs nigrum. Thorax vix capite latior. Elytra striato-punctata. Pedes fusco-
ferruginei, tibiis pallidioribus. *Oliv.*

55. **Car.** sub-æneus, elytris punctis duobus im- *bipunctatus.*
pressis.

Linn. Syst. Nat. 672. 33.   *Faun. Suec.* 806.   *Vill.* i.
371. 37.   *Gmel.* 1977. 33.   *Fab. Syst. Ent.* 249. 69.
Sp. Ins. i. 313. 86.   *Mant.* i. 205. 121.   *Ent. Syst.*
i. a. 167. 189.   *Payk. Monog.* 62.   *Faun. Suec.* i.

148. 66. *Panz. Ent. Germ.* 65. 115. *Faun. Etrusc.*
561. *Hellw.* 561.
Oliv. iii. 35. 112. 157. *t.* 14. *f.* 163. a. b.

Long. corp. 1 lin.

Habitat ⸺

Descr. Corpus nigrum, at suprà sunt caput, thorax
et elytra ænea. Elytra notantur punctis duobus impressis: altero anteriùs, altero posteriùs. *Faun. Suec.*

nitidulus. 56. Car. nigro-cærulescens nitidus, antennarum
basi tibiis tarsisque rufescentibus, elytris punctato-striatis.

Long. corp. 2 lin.

Habitat ⸺

Descr. Antennæ nigræ, basi rufescenti. Caput et
thorax nigra. Elytra nigro-cærulescentia, punctato-
striata. Pedes nigri, femorum apicibus, tibiis, tarsisque rufescentibus. Nimis affinis *Car. Doris,* at thorax
posticè sub-attenuatus, angulis aliquantulùm extanti-
bus.

pulchellus. 57. Car. nigro-cærulescens nitidus, pedibus rufescentibus, elytris punctato-striatis.

Long. corp. 1½ lin.

Habitat ⸺

Descr. Antennæ omninò nigræ. Thorax ater, glaberrimus, nitidus. Elytra nigro-cærulescentia, striata,
striis punctulis impressis. Pedes rufescentes.
Maximè affinis *Car. nitidulo;* sed differt basi antennarum nigrâ, nec rufâ; pedibus omninò rufescentibus,
nec femoribus nigris, tibiis plantisque rufescentibus;
tum ferè duplo minor est.

meridianus. 58. Car. niger, elytris anticè pedibusque testaceis.
Linn. Syst. Nat. 673. 36. *Faun. Suec.* 797. *Vill.* i.
373. 40. *Gmel.* 1978. 36. *Fab. Syst. Ent.* 247. 62.
Sp. Ins. i. 312. 77. *Mant.* i. 205. 111. *Ent. Syst.*
i. a. 164.

i. a. 164. 177.   *Payk. Monog.* 59.   *Faun. Suec.* i.
147. 65.   *Panz. Ent. Germ.* 63. 101.   *Faun. Etrusc.*
554. *Hellw.* 554. *Illiger. Kugel. Kaf. Preus.* 198. 82.
Oliv. iii. 35. 106. 148. *t.* 13. *f.* 153. a. b.

Long. corp. 1¼ lin.

Habitat ————

DESCR. Corpus nigrum. Antennæ et pedès fusco-ferruginea. Elytra basi albida; sutura longitudinalis
testacea. *Faun. Suec.*

59. Car. ferrugineus hispidus, capite thoraceque *echinatus.*
obscuris punctatis, elytris striatis : maculâ magnâ
nigrâ.

Long. corp. 3 lin.

Habitat ————

DESCR. Antennæ ferrugineæ. Caput ferrugineum,
punctatum, pilosum, lineâ mediâ longitudinali nigrâ.
Oculi prominuli. Thorax ferrugineus, punctatus, pilosus, disco obscuro lineâ longitudinali impressâ.
Elytra punctato-striata, ferruginea, maculâ magnâ
nigrâ, pilis densis erectis adspersa. Pectus et pedes
ferruginei. Abdomen nigrum.

60. Car. ferrugineus, thorace glaberrimo obcor- *brunneus.*
dato.

Le Bupreste fauve. *Geoff.* i. 162. 43.

Long. corp. 2½ lin.

Habitat ————

DESCR. Corpus totum ferrugineum. Thorax glaberrimus, politùs. Elytra striata. Pedes et antennæ pallidiores. Observandum est quod elytrorum striæ pul-
cherrimè punctatæ, et thorax egregiè obcordatus.

61. Car. fusco-ferrugineus punctulatus, thorace *punctulatus.*
obscuro sub-cordato.

Long. corp. 3½ lin.

Habitat ————

Descr.   Totum corpus suprà fusco-ferrugineum, et
punctulis conspersum. Elytra striata; inter strias etiam
punctula exhibent.   Thorax obscuriusculus, sub-
obcordatus.   Abdomen subtùs et pedes concolores.

ruficollis.   62. Car. niger, capite atro nitido, antennis thorace
pedibusque rufo-ferrugineis.

Long. corp. 3 lin.

Habitat ————

Descr.   Antennæ ferrugineæ.   Caput atrum, nitens.
Thorax ferrugineus.   Elytra nigro-striata.   Pedes fer-
ruginei.   Abdomen subtùs nigro-rufescens.
An *Car. melanocephalus* var.?

mollis.   63. Car. piceo-ferrugineus, pedibus pallidis, thorace sub-æquali.

Long. corp. 3—4 lin.

Habitat in hortis, Ealing.

Descr.   Totum corpus nigro-ferrugineum, nitidum.
Antennæ ferrugineæ.   Pedes pallidè testacei.   Elytra
tenuiter striata, molliuscula.

fulvus.   64. Car. ferrugineus, pedibus pallidioribus, oculis
nigris.

Long. corp. 2 lin.

Habitat ————

Descr.   Simillimus *Car. nigricipeti,* at duplò major.
Caput etiam ferrugineum, nec nigrum.   Pedes variant
unicolores et pallidiores.

inæqualis.   65. Car. ater, antennis pedibusque rufis.

Long. corp. 2½ lin.

Habitat ————

Descr.

Dᴇsᴄʀ. Antennæ et pedes rufi. Caput et thorax atra, glaberrima, nitida. Elytra striata, striis ex punctis impressis, nitidiuscula, nec nitida. Coleoptra latitudine thoracem paulò superant.

66. Car. niger, thoracis lateribus posticè ferrugi- *lateralis.* neis, pedibus pallidis.

Long. corp. 2½ lin.

Habitat ————

Dᴇsᴄʀ. Antennæ nigræ, basi ferrugineâ. Caput et thorax atra, nitida. Thorax posticè lateribus ferrugineis. Elytra striata, nigro-picea, marginibus dilutioribus. Pedes testacei, sive pallidi, geniculis nigris.

67. Car. pallidè-ferrugineus, thorace glaberrimo *rotundatus.* posticè rotundato.

Long. corp. 2¼ lin.

Habitat ————

Dᴇsᴄʀ. Affinis *Car. brunneo,* sed facilè dignoscitur, thorace subrotundato, neque exactè obcordato. Tum color pallidior. Pedes subtestacei.

68. Car. niger, elytris obscurè piceis striatis : *sordidus.* striis immunibus, elytrorum marginibus pedibusque testaceis.

Long. corp. 3½ lin.

Habitat ————   Ex mus. *D. Hill.*

Dᴇsᴄʀ. Palpi, antennæ, pedes et margines elytrorum testacei. Caput piceum. Thorax niger, glaber, lineâ mediâ longitudinali impressâ, abbreviatâ, obsoletiusculâ, ad apicem rugoso-punctulatus. Elytra obscuriusculè picea, striata; striæ ne minimè quidem punctis impressis ornantur. Abdomen subtùs nigrum.

69. Car. piceus, thorace punctato, elytris striatis, *foraminu-* pedibus ferrugineis.
                                        losus.

                    Long.

Long. corp. 4 lin.

Habitat ———

DESCR. Thorax punctatus, punctis plurimis sub-distantibus, et pedibus pallidioribus, feré testaceis. Elytra punctulata, punctulis numerosissimis, et obsoletiusculè striata; striæ punctis impressis omninò carent. Antennæ et pedes ferruginei.

picicolor. 70. Car. piceus, elytrorum striis punctatis, antennis pedibusque paulò dilutioribus.

Long. corp. 2¼—3½ lin.

Habitat ———

DESCR. In *Carabis* ritè distinguendis, notæ omnes studiosissimè observandæ sunt; quippe cum numerosi adeo sint *Carabi,* et cum in colorum tenui variatione usque adeo quod tangit idem est, haud mirum est si gradus differentiæ levissimo sæpiùs charactere signatur. In hoc *Carabo* describendo cura summa adhibenda est. Maximè enim affinis *Car. sordido,* magnitudine, colore, staturâ, habitu. Duobus tamen signis facilè dignoscitur. Striæ elytrorum in hoc punctatæ, in *Car. sordido* punctis carent. In hoc thorax lineâ perpetuâ mediâ impressâ, nec abbreviatâ, et posticè lævis, nec punctato-rugulosus, foveolâ utrinque tenuiusculâ. In hoc etiam pedes picei, nec pallidè-testacei.

rufescens. 71. Car. thorace rotundato, ferrugineus, vertice anoque nigris.

Fab. Syst. Ent. 247. 58. *Sp. Ins.* i. 312. 73. *Mant.* i. 204. 104. *Ent. Syst.* i. a. 162. 169. *Vill.* i. 381. 91. *Payk. Monog.* 35. *Faun. Suec.* i. 123. 35. var. β. *Gmel.* 1976. 126. *Illiger. Kugel. Kaf. Preus.* 190. 70. *Oliv.* iii. 35. 101. 141. *t.* 12. *f.* 146.

Long. corp. 3 lin.

Habitat ———

DESCR. Totus ferrugineus, solo vertice capitis anoque nigris. *Syst. Ent.*

72. Car.

72. Car. thorace flavo, elytris obtusissimis fuscis : 4-*macula-*
    maculis duabus albis.   *tus.*

Linn. Syst. Nat. 673. 41.   *Faun. Suec.* 813.   *Vill.* i.
    374. 45.   *Gmel.* 1979. 41.   *Fab. Syst. Ent.* 248. 64.
    Sp. Ins. i. 313. 79.   *Mant.* i. 205. 113.   *Ent. Syst.*
    i. a. 165. 180.   *Payk. Monog.* 51.   *Faun. Suec.* i.
    140. 56.   *Faun. Etrusc.* 560.   *Hellw.* 560.   *Panz.*
    Ent. Germ. 64. 108.   *Illiger. Kugel. Kaf. Preus.*
    202. 88.
Pontop. i. 678. 24. *t.* 29.   *Mart. Eng. Ent. t.* 38. *f.* 47.
    Oliv. iii. 35. 107. 150. *t.* 8. *f.* 89. a. b. c. d.
Le Bupreste quadrille à corcelet plat, brun, et étuis striés.
    Geoff. i. 152. 22.

Long. corp. 2½ lin.

Habitat ———

DESCR. Caput nigrum. Thorax ferrugineus. Elytra
    obtusissima, et quasi truncata, abdomine breviora;
    singula basi maculâ lividâ ovatâ, quæ maculæ ex utris-
    que interdum coeunt; aliâ maculâ in singulo elytro
    juxta apicem lividâ, ovatâ, interdum undique distinctâ
    nigredine ipsius coleoptri. Pedes ferruginei, seu pal-
    lidi, maculâ fuscâ ad flexuram alæ. Antennæ ferru-
    gineæ. *Faun. Suec.*

73. Car. thorace rotundato posticè attenuato atro, 4-*guttatus.*
    elytris nigris: punctis quatuor albis.

Fab. Syst. Ent. 248. 65.   *Sp. Ins.* i. 313. 80.   *Mant.* i.
    205. 114.   *Ent. Syst.* i. a. 165. 181.   *Payk. Monog.* 55.
    Faun. Suec. i. 142. 59.   *Vill.* i. 381. 93.   *Panz.*
    Ent. Germ. 64. 109.   *Faun. Etrusc.* 558.   *Hellw.* 558.
    Gmel. 1979. 145.
Pontop. i. 678. 26. *t.* 29.   *Mart. Eng. Ent. t.* 38. *f.* 37.
    Oliv. iii. 35. 108. 151. *t.* 13. *f.* 160. a. b.   *Panz.*
    Faun. Germ. 40. *t.* 5.
Chlorocephalotes mas. *Panz. Voet.* ii. 76. 20. *t.* 35. *f.* 20.
    fœm. *t.* 35. *f.* 21.

Long. corp. 2 lin.

Habitat ———

                                        DESCR.

Descr. Differt manifestè a *Car. quadrimaculato*. Elytra haud obtusa. Thorax valdè rotundatus, ater.
Tibiæ pallidæ.

puncto-
maculatus.

74. Car. niger lævis nitidus, elytris truncatis:
maculis duabus albis.

Long. corp. 1¼ lin.

Habitat ———

Descr. Antennæ et pedes fusco-ferrugineæ. Caput
et thorax nigra, glabra, nitida. Elytra sub lente obsoletissimè striata. Ad basin elytrorum macula satis
magna ovata, alba. Ad apicem suturæ macula minor,
sive punctum majusculum; hæc macula intra apicem
est, et vix in medium disci procurrit. Differt a *Car.*
4-*maculato* triplò minor, thorace nigro, nec flavo,
maculâ exteriori intra apicem suturæ, nec totum apicem occupanti.

chalceus.

75. Car. æneus, elytris punctato-striatis: interstitiis planis, pedibus rufescentibus.

Long. corp. 3 lin.

Habitat ———

Descr. Affinis admodùm *Car. cupreo*, at satis differt,
thoracis apice coleoptris angustiori. Color omninò
æneus, pedes solummodo ex nigro rufi. Elytra striata,
striis punctatis; pars inter strias plana, nec convexiuscula. Antennæ nigræ.

par.

76. Car. niger, antennis pedibusque rufis, thorace
brevi coleoptra sub-æquanti.

Long. corp. 3 lin.

Habitat ———

Descr. Animal crassum et obesum. Corpus nigrum.
Thorax coleoptra modo non æquat. Pedes rufi. Antennæ rufæ, breves, corpore plusquam dimidio breviores.

77. Car.

77. Car. nigro-piceus nitidus, antennis pedibus- *aquaticus.*
que rufescentibus.

Panz. Faun. Germ. 38. t. 10.

Long. corp. 1½ lin.

Habitat ————

DESCR. Antennæ et pedes rufescentes, sive rufo-ferruginei. Caput, thorax et elytra obsoletè striata, præcipuè ad margines exteriores: striæ punctis carent.
Animalculum pulchellum.

78. Car. nigro-piceus nitidus, pedibus rufis, ely- *erythropus.*
tris striatis : striis punctulatis.

Long. corp. 3 lin.

Habitat ————

DESCR. Antennæ piceæ. Caput et thorax nigro-piceæ,
glaberrima, nitida. Elytra profundiusculè striata, in
striis punctula plurima conspicienda. Pedes ex piceo
rufi. Ne confundas cum *Car. aquatico,* duplò enim
major est; tum elytra manifestè nec obsoletè striata.

79. Car. ferrugineus, capite nigro, thorace gla- *nigriceps.*
berrimo sub-obcordato.

Long. corp. 2 lin.

Habitat ————

DESCR. Antennæ, thorax, elytra et pedes ferruginea.
Caput nigrum. Abdomen subtùs nigro-rufescens.
Thorax sub-obcordatus, glaberrimus, nitidus.
Variat thorace ferrugineo, piceo, et nigro.

80. Car. nigro-æneus nitidissimus, elytris sub- *acutus.*
attenuatis acutis, tibiis pallidis.

Long. corp. 2 lin.

Habitat ————

DESCR. Præ cæteris ferè omnibus nitidissimus, quasi
vernice

vernice obductus. Animal nigro-æneum, tibiæ solùm
testaceæ.

Ephip-
pium.

81. Car. ater nitidus, coleoptris testaceis : maculâ
communi nigrâ, abdomine subtùs nitido.

Long. corp. 1½ lin.

Habitat ――――

DESCR. Antennæ et pedes testacei. Caput et thorax
aterrima, nitida. Elytra pallidè testacea, nebulâ sive
maculâ communi nigrâ. Abdomen atrum, nitidum.

convexius-
culus.

82. Car. niger convexiusculus, thoracis disco
æquali, antennis pedibusque piceis.

Long. corp. 6 lin.

Habitat ――――

DESCR. Ne *Car. convexiusculum* et *piceum* confundas,
hæc ritè animadvertas. In *Car. convexiusculo* corpus
totum convexiusculum ; in *piceo* elytra planiuscula.
In *Car. convexiusculo* thorax convexiusculus, et ab
omni parte æqualis, lineâ mediâ longitudinali impressâ,
obsoletiusculâ, posticè foveolâ utrinque didymâ ; porro
sub lente transversè striato-rugosus est, et posticè punctulato-rugosus. In *Car. piceo* thorax disco tumefacto,
lineâ mediâ longitudinali impressâ, marginatus est, et
intra marginem punctulato-rugosus, posticè foveolâ
utrinque simplici. In utroque elytra striata, striis
punctatis ; at in *Car. convexiusculo* interstitia planiuscula, in *piceo* convexa. In utroque antennæ et pedes
ferruginei, at in *piceo* femora nigro-picea. In *Car.*
convexiusculo tibiæ anticæ ad apicem extrorsùm seta-
ceo-spinosæ, setis approximatis, serie simplici. In *Car.*
piceo non item.

An *Car. spinipes* Linnæi et auctorum?

atricapillus. 83. Car. flavus, capite nigro, elytris obtusissimis.

Linn. Syst. Nat. 673. 42. Vill. i. 375. 46. Fab. Syst.
Ent. 248. 67. Sp. Ins. i. 313. 82. Mant. i. 205. 117.
Ent. Syst. i. a. 140. 69. Panz. Ent. Germ. 52. 41.
Faun.

Faun. Etrusc. 556.   *Hellw.* 556.   *Illiger. Kugel.*
Kaf. Preus. 204. 89.   *Gmel.* 1980. 42.
Mart. Eng. Ent. t. 38. *f.* 36.   *Oliv.* iii. 35. III. 155.
t. 9. *f.* 106. a. b.   *Panz. Faun. Germ.* 30. *t.* 9.
Carabus agilis var. ♂. *Payk. Monog.* 64.   *Faun. Suec.*
i. 150. 69.
Le Bupreste fauve à tête noire. *Geoff.* i. 153. 25.

Long. .corp. 2 lin.

Habitat ―――――

DESCR.   Antennæ os et thorax ferruginea, sive rufo-
ferruginea. Caput atrum. Elytra et pedes testacea.
Abdomen basi nigrum. Elytra obliquè sub-truncata,
obsoletiùs striata; striæ octo punctis minutissimis impressis. Thorax non marginatus, lineolâ mediâ.
Quare thoracem rotundatum dicit Fabricius? Totum
corpus nitidum. Tibiæ anticæ sub medio apiceque
spinosæ.

84. Car. fusco-ferrugineus, elytris pedibusque pal- *linearis.*
lidioribus, elytris abbreviatis apice truncatis.

Oliv. iii. 35. III. 156. *t.* 14. *f.* 167. a. b.

Long. corp. 2⅓ lin.

Habitat in sepibus prope Hastingas.

DESCR.   Corpus angustum, sublineare. Oculi nigri.
Caput, thorax et apex abdominis saturatiùs sive nigro-
ferruginea sunt. Antennæ, pedes et elytra pallidiora,
subtestacea. Elytra striata, punctis impressis, apice
truncata, abbreviata, ad abdominis segmentum penultimum desinunt.

85. Car. niger obscurus, elytris apice subtruncatis, *femoralis.*
femoribus basi pallidis.

Long. corp. 1½ lin.

Habitat ―――――

DESCR.   Satis dignoscitur appendicibus femoralibus, et
femorum ipsorum basi pallidis.

86. Car.

truncatellus. 86. Car. niger suprà æneus, elytris apice subtruncatis.

> *Linn. Syst. Nat.* 673. 43.　*Faun. Suec.* 814.　*Vill.* i.
> 375. 47.　*Panz. Ent. Germ.* 66. 120.　*Fab. Mant.* i.
> 206. 123.　*Ent. Syst.* i. a. 168. 194.　*Faun. Etrusc.*
> 555.　*Hellw.* 555.　*Gmel.* 1980. 43.　*Payk. Monog.*
> 61.　*Faun. Suec.* i. 114. 22.
> *Oliv.* iii. 35. 113. 160. *t.* 13. *f.* 159. a. b.

Long. corp. $1\frac{1}{4}$ lin.

Habitat ————

Descr. Elytra substriata, apice obliquè truncata.
Faun. Suec.

staphylinoi- 87. Car. niger, elytris nigro-rufescentibus abbre-
des.　　viatis.

Carabus dimidiatus. *Panz. Ent. Germ. Add.* 367.
Panz. Faun. Germ. 36. *t.* 3.

Long. corp. $1\frac{1}{2}$ lin.

Habitat ————

Descr. Antennæ, pedes et elytra ex nigro-rufescunt.
Elytra $\frac{1}{3}$ abdomine breviora. Caput, thorax et abdomen nigra. Elytra sub lente punctulatissima, ex punctulis autem pili brevissimi prodeunt.

bipustula- 88. Car. niger, thorace coleoptris anticè margi-
tus.　　nibus suturâ maculâque communi posticè flavis.

Fab. Ent. Syst. i. a. 161. 164.　*Payk. Faun. Suec.* i.
138. 54.　*Illiger. Kugel. Kaf. Preus.* 200. 86.
Panz. Faun. Germ. 16. *t.* 3.
Carabus Crux minor. *Fab. Syst. Ent.* 246. 56. *Sp. Ins.*
i. 311. 69.　*Mant.* i. 204. 100.　*Payk. Monog.* 52.
Faun. Etrusc. 547.　*Hellw.* 547.
Oliv. iii. 35. 99. 137. *t.* 8. *f.* 96. a. b.

Long. corp. 3 lin.

Habitat ————

Descr. Antennæ fuscæ, basi et apice rufescentes. Caput
autem

autem glaberrimum, nitidum. Thorax flavus, lineâ mediâ longitudinali impressâ, obsoletiusculâ, et posticè foveolâ utrinque satìs magnâ. Elytra striata, striæ punctis carent; ad basin flava sunt, posticè nigra; in medio ad suturam macula rotunda flava; margines exteriores et sutura omninò flava sunt. Pedes et thorax subtùs flavi. In plurimis elytra videntur testacea esse, liturâ posticè magnâ, nigrâ, reniformi, sive auriformi.

89. Car. thorace luteo glabro, elytris posticè ni- *Crux minor.* gris: maculis duabus flavis.

Linn. Syst. Nat. 673. 40.   *Faun. Suec.* 809.   *Vill.* i. 374. 44.   *Fab. Ent. Syst.* i. a. 160. 159.   *Panz. Ent. Germ.* 61. 90.   *Payk. Faun. Suec.* i. 137. 53.   *Illiger. Kugel. Kaf. Preus.* 201. 87.   *Gmel.* 1979. 40.
Panz. Faun. Germ. 16. *t.* 2.
Carabus Crux major. *Fab. Syst. Ent.* 246. 55.   *Sp. Ins.* i. 311. 67.   *Mant.* i. 203. 94.   *Payk. Monog.* 50. *Faun. Etrusc.* 536.   *Hellw.* 536.
Oliv. iii. 35. 96. 132. *t.* 4. *f.* 41. a. b.

Long. corp. 3 lin.

Habitat ———

DESCR. Corpus nigrum. Caput nigrum. Thorax et pectus ferrugineo-lutea. Elytra anticè lutea, posticè atra, cum maculâ rotundâ luteâ ad apicem. Pedes lutei. Thorax etiam huic ferè orbiculatus. *Faun. Suec.*

90. Car. ferrugineus obscuriusculus, capite pal- *pallidior.* lidiore.

Long. corp. 4⅛ lin.

Habitat ———

DESCR. Affinis *Car. brunneo,* sed quadruplò major. Tum corpus obscuriusculum, nec ut in *Car. brunneo* nitidum. Porrò vertex pallidior, subtestaceus, nec ut in *Car. brunneo* thoraci concolor; at elytra striata, punctis impressis, et pedes paulò pallidiores ut in *Car. brunneo.*

lunatus. 91. Car. thorace orbiculato rufo, elytris flavis:
maculis tribus nigris.

Fab. Syst. Ent. 247. 60. *Mant.* i. 204. 108. *Ent.
Syst.* i. a. 163. 172. *Panz. Ent. Germ.* 63. 98.
Faun. Etrusc. 538. *Hellw.* 538. *Harr.* 219.
Gmel. 1976. 130.
Oliv. iii. 35. 104. 145. *t.* 3. *f.* 27. *Schæff. Icon. t.* 14.
f. 41.

Long. corp. 3 lin.

Habitat ▬▬▬

DESCR. Antennæ nigræ, basi ferrugineæ. Caput
cyaneo-nigrum, nitens. Thorax orbiculatus, subcanaliculatus, lævis, glaber, rufus. Elytra glabra, substriata, flava, puncto minori orbiculato ad basin, et
duobus majoribus margine exteriori connatis ad apicem.
Abdomen atrum. Pedes rufi, femoribus apice nigris.
Syst. Ent.

macer. 92. Car. nigro-ferrugineus depressiusculus, elytris striis integris, thoracis margine integro, pedibus rufis.

Long. corp. 5 lin.

Habitat ▬▬▬

DESCR. Maximè affinis *Car. depresso,* sed satìs distinctus, thorace glaberrimo, margine integro, nec punctato-rugoso; tum elytra striis ex lineâ exaratâ integrâ,
nec punctis impressis ornata. Pedes rufi.

unifasciatus. 93. Car. rufo-ferrugineus, coleoptris maculâ dorsali piceâ, pedibus ochraceis.

Panz. Faun. Germ. 38. *t.* 7.

Long.corp. 2 lin.

Habitat ▬▬▬ Captus volando tempore vesper-
tino Julio medio 1797.

DESCR: Oculi nigri, prominuli. Thorax verè obcordatus. Coleoptra pilosula, substriata, ferruginea, maculis

culis duabus conniventibus, fuscis. Pedes ochracei,
sive pallidè-testacei. Cætera rubello-ferrugineus est.

94. Car. sub-æneus, elytris punctis vagis plurimis *multi-punc-*
impressis. *tatus.*

Linn. Syst. Nat. 672. 32. *Faun. Suec.* 805. *Vill.* i.
371. 37. *Fab. Syst. Ent.* 245. 48. *Sp. Ins.* i. 309. 58.
Mant. i. 201. 79. *Ent. Syst.* i. a. 138. 59. *Payk.*
Monog. 49. 29. *Faun. Suec.* i. 117. 27. *Panz. Ent.*
Germ. 51. 37. *Illiger. Kugel. Kaf. Preus.* 189. 67.
Gmel. 1977. 32.
Oliv. iii. 35. 81. 109. *t.* 12. *f.* 138. *Panz. Faun.*
Germ. 11. *t.* 5.

Long. corp. 6 lin.

Habitat in sylvis. *Linn.*

DESCR. Corpus nigrum, glabrum, subtùs sub-æneum.
Thorax lineâ longitudinali excavatâ. Elytra margine
laterali sub-ænea, disco striata, et adspersa punctis majoribus obtusis impressis. *Faun. Suec.*

**** *Thorace posticè truncato integro, elytris angustiori,*
sub-elongato, attenuato.

95. Car. cyaneus, thorace obcordato, pedibus *viridanus.*
elytrisque rufescentibus, elytris posticè maculâ
communi cyaneâ.

Fab. Mant. i. 204. 105. *Payk. Monog.* 34. *Faun.*
Etrusc. 543. *Hellw.* 543.
Mart. Eng. Ent. t. 37. *f.* 25. *Oliv.* iii. 35. 102. 142.
t. 5. *f.* 55.

Long. corp. 3 lin.

Habitat ———

DESCR. Caput et thorax cyanea. Antennæ, palpi et
elytra rufa. Posticè ad suturam, macula dorsalis utrique elytro communis, cyanea. Hæc autem macula non
omninò ad apicem pervenit. Elytra striata. Corpus
subtùs atrum, nitidum.

96. Car.

crepitans.　96. Car. capite thorace pedibusque ferrugineis, elytris nigris.

Linn. Syst. Nat. 671. 18.　*Faun. Suec.* 792.　*Vill.* i. 365. 23.　*Fab. Syst. Ent.* 242. 35.　*Sp. Ins.* i. 307. 44. *Mant.* i. 200. 61.　*Ent. Syst.* i. a. 136. 53.　*Payk. Monog.* 66.　*Faun. Suec.* i. 152. 71.　*Preys. Boh. Ins.* 44. 44.　*Harr.* 206.　*Panz. Ent. Germ.* 51. 35. *Faun. Etrusc.* 535.　*Hellw.* 535.　*Illiger. Kugel. Kaf. Preus.* 209. 94.

Oliv. iii. 35. 64. 80. *t.* 4. *f.* 35.　*Panz. Faun. Germ.* 30. *t.* 5.　*Mart. Eng. Ent. t.* 36. *f.* 17.　*De Geer,* iv. 103. 22. *t.* 3. *f.* 18.　*Bergstraes. Nom.* i. 13. 84. 9. *t.* 13. *f.* 9.　*Schæff. Icon. t.* 11. *f.* 13.　*Act. Acad. Suec.* 1750. 292. *t.* 7. *f.* 2.

Le Bupreste à tête, corcelet et pattes rouges et étuis bleus. *Geoff.* i. 151. 19.

Buprestis erythrocephalus anglus. *Panz. Voet.* ii. 78. 26. *t.* 36. *f.* 26.

Long. corp. 4 lin.

Habitat ———

DESCR. Corpus ferrugineum. Elytra nigro-cærulescentia, vix manifestè e cæruleo nitentia. Thorax congeneribus angustior. Abdomen fuscum. Tibiæ posticæ latere postico atro-cærulescentes. *Faun. Suec.*

tenuis.　97. Car. piceo-niger, antennis palpis pedibusque rufis, elytris striatis : striis punctatis.

An Carabus rufipes? *De Geer,* iv. 96. 11.

Long. corp. 3¼ lin.

Habitat ———

DESCR. Color hujusce animalculi ex nigro-piceus. At palpi, antennæ et pedes rufi. Thorax obovatus, posticè tenuior et aliquantulùm productus, glaber est, lineâ mediâ longitudinali, impressâ, et posticè utrinque foveolâ oblongâ, impressâ. Elytra striata, striis punctatis. Superficies nitidiuscula.

nigro-piceus.　98. Car. nigro-ferrugineus, antennis pedibusque paulò-dilutioribus, elytris profundiusculè striatis.

Long.

Long. corp. 2 lin.

Habitat ———————

DESCR. Statura, habitus et magnitudo *Car. nigrici-*
pitis. Differt colore multo nigriori, et elytris profundiusculè striatis, interstitiis convexis. Pedes ferruginei.

99. Car. pallidè ferrugineus, oculis nigris, pedibus *dilutus.*
testaceo-pallidis.

Long. corp. 3½ lin.

Habitat ———————

DESCR. Totum corpus pallidè ferrugineum. Pedes pallidiores. Oculi solùm nigri. Minimè confundendus
cum *Car. brunneo.* Thorax enim non egregiè obcordatus, nec elytrorum striæ punctatæ. Thorax posticè
sub-attenuatus.

100. Car. oblongus cupreo-niger obscurus, an- *paralleli-*
tennis pedibusque rufescentibus.   *pipedus.*

Long. corp. 2¾ lin.

Habitat ——————— .

DESCR. Corpus suprà obscurum, subtùs nitidum. Hoc
animalculum præ cæteris sui generis oblongum et compactum. Antennæ et pedes rufescentes. Caput nigrum, attamen certâ lucis incidentiâ, cærulescentis
quoddam præ se ferre visum est. Thorax ex cupreo
niger, lineâ mediâ longitudinali, foveolâque ad apicem
utrinque impressâ. Elytra ex cupreo nigra, striata;
striæ punctulis minimis impressis. Oculo benè armato, tota superficies punctulata.

101. Car. cyaneus nitidus, capite thoraceque pro- *chrysosto-*
fundè punctatis, antennarum articulo primo *mos.*
longissimo.

Long. corp. 3½ lin.

Habitat ———————   In mus. *D. Beckwith.*

DESCR. Antennæ ferrugineæ, articulo primò longis-
            simo,

simo, ápice nigro. Os, maxillæ et palpi ferruginea.
Oculi nigri, prominuli. Caput et thorax cyanea, profundè punctata. Thorax posticè angustatus. Elytra
villosa, cyanea, striata, striis punctis impressis. Abdomen cyaneum. Pedes ferruginei.

elegantulus. 102. Car. ater, antennis ferrugineis, elytris pedibusque testaceis.

Long. corp. $2\frac{1}{4}$ lin.

Habitat ————

Descr. Antennæ ferrugineæ, ferè piceæ. Caput et
thorax atra, glaberrima, nitida. Elytra testacea, medio ad suturam obsoletè fuscescenti; striata sunt,
striis punctulatis. Pedes omninò testacei.

***** *Thorace posticè rotundato.*

rostratus. 103. Car. apterus, elytris læviusculis nigris, thorace augustiori, capite angustissimo.

Fab. Syst. Ent. 240. 21. *Sp. Ins.* i. 304. 26. *Mant.* i.
198. 36. *Ent. Syst.* i. a. 131. 31. *Payk. Monog.*
26. 14. *Panz. Ent. Germ.* 48. 21. *Gmel.* 1966. 72.
Mart. Eng. Ent. t. 37. *f.* 27. *Oliv.* iii. 35. 44. 46.
t. 4. *f.* 37.
Tenebrio rostratus. *Linn. Syst. Nat.* 677. 20. *Faun.*
Suec. 823. *Vill.* i. 391. 16.
Cychrys rostratus. *Payk. Faun. Suec.* i. 97. 1. *Faun.*
Ingr. 79. *Illiger. Kugel. Kaf. Preus.* 216. 1.
Carabus coadunatus. *De Geer,* iv. 92. 7. *t.* 3. *f.* 13.

Long. corp. 8 lin.

Habitat in sylvis et sepibus, Ealing.

Descr. Totus niger. Caput elongatum, angustissimum.
Thorax convexus, subtilissimè punctatus, elytrorum
vix dimidia latitudine. Elytra connata, valdè convexa,
abdomen amplectentia, undique punctis minutissimis
confertissimis elevatis.

Crux major. 104. Car. thorace capiteque nigro-villosa, coleoptris ferrugineis: cruce nigrâ.

Linn.

Linn. Syst. Nat. 673. 39.   *Faun. Suec.* 808.   *Vill.* i.
373. 43.   *Fab. Ent. Syst.* i. a. 160. 158.   *Payk. Faun.*
Suec. i. 137. 52.   *Panz. Ent. Germ.* 61. 89.   *Gmel.*
1978. 39.   *Illiger. Kugel. Kaf. Preus.* 193. 72.
Mart. Eng. Ent. t. 38. *f.* 49.   *Panz. Faun. Germ.* 16.
t. 1.   *Schæff. Icon. t.* 1. *f.* 13.
Carabus bipustulatus.   *Fab. Syst. Ent.* 207. 59.   *Sp.*
Ins. i. 312. 74.   *Mant.* i. 204. 106.   *Payk. Monog.*
49.
Oliv. iii. 35. 103. 143. *t.* 8. *f.* 95.
Le Chevalier noir.   *Geoff.* i. 150. 17.
Buprestis cruciata.   *Panz. Voet.* ii. 70. 7. *t.* 34. *f.* 7.

Long. corp. 4 lin.

Habitat ————

DESCR. Niger. Thorax orbiculatus, convexus, villosus,
punctatus.   Coleoptra ferruginea, basi, apice et suturâ
nigra; fascia dein in medio lata nigra.   Alienus est ab
hoc genere ob pubescentiam, et thoracem orbiculatum,
nec succurrit aliud, cui aptiùs inseratur. *Faun. Suec.*

105. Car. piceo-ferrugineus, elytris dilutioribus, *rotundi-*
antennis pedibusque testaceo-pallidis.   *collis.*

Long. corp. 2½ lin.

Habitat ————

DESCR. Habitus omninò *Car. nigricipitis* cui simillimus, at major; tum thorax posticè rotundatus.   Elytra, capite et thorace aliquantulùm pallidiora, et ad
margines exteriores striam manifestè punctatam gerunt.
Pedes pallidè testacei.

106. Car. nigro-piceus, antennis pedibusque tes- *ochropus.*
taceo-pallidis.

Long. corp. 3¼ lin.

Habitat ————

DESCR. Antennæ sub-ferrugineæ. Caput ex nigropiceum, glabrum.   Thorax piceus, glaber, sub lente
obsoletè transversè rugosus; anticè lunato-excavatus,

posticè rotundatus. Elytra nigro-picea, striata; striæ
punctis immunes, interstitiis planis. Pedes pallido-
testacei.

****** *Thorace remoto.*

cephalotes. 107. **Car.** ater, thorace posticè attenuato, margine
postico punctato-rugoso, elytris lævibus obso-
letissimè striatis.

Linn. Syst. Nat. 669. 9. *Faun. Suec.* 788. *Vill.* i.
361. 9. *Gmel.* 1964. 9. *Fab. Syst. Ent.* 240. 22.
Sp. Ins. i. 304. 27. *Mant.* i. 198. 39. *Ent. Syst.* i. a.
143. 85. *Faun. Fred.* 20. 201. *Payk. Monog.* 65.
Faun. Suec. i. 151. 70.
Mart. Eng. Ent. t. 38. *f.* 41. *Schæff. Icon. t.* 11. *f.* 1.
Scarites cephalotes. *Panz. Ent. Germ.* 37. 5. *Illiger.*
Kugel. Kaf Preus. 110. 1.
Oliv. iii. 36. 8. 6. *t.* 1. *f.* 9.
Pseudocupis major. *Panz. Voet.* ii. 64. 2. *t.* 33. *f.* 2.

Long. corp. 10½ lin.

Habitat ———— Captus in littore Harvicensi et
Sussexiensi.

DESCR. Ex omni parte ater, nitidus. Antennæ, palpi,
maxillæ, oculi, caput et thorax valdè nitida. Thorax
obcordatus, posticè attenuatus, lineâ mediâ impressâ;
ad marginem posticum punctato-rugosus, marginibus
antico et postico ciliatis, ciliis brevissimis, ferrugineis.
Desunt foveæ quæ cæteros notant. Elytra minùs
quam thorax nitida; lævia, striis octo obsoletissimis,
non nisi sub lente conspiciendis; striæ ex punctis minutissimis constant. Ad margines elytrorum, series
punctorum remotorum. Totum corpus subtùs niti-
dissimum. Tibiæ anticæ apice et sub medio spinosæ,
alæ ex carne albidæ. Apex thoracis ⅓ angustior basi
elytrorum.

distans. 108. **Car.** nitidus, elytris striatis, thorace exserto
oblongo, tibiis anticis palmato-spinosis.

Tenebrio fossor. *Linn. Syst. Nat.* 675. 7. *Faun. Suec.*
817.

817.   *Vill.* i. 386. 4.   *Herbst. Jablonsk.* vii. 255. 20.
   Gmel. 1994. 7.
Scarites arenarius.   *Fab. Syst. Ent.* 249. 3.   *Sp. Ins.* i.
   314. 4.   *Mant.* i. 206. 6.   *Ent. Syst.* i. a. 96. 9.
   Payk. Faun. Suec. i. 84. 1.   *Faun. Etrusc.* 569.
   Hellw 569.   *Illiger. Kugel. Kaf. Preus.* 111. 2.
Oliv. iii. 36. 13. 16. *t.* 1. *f.* 6. a. b.   *Panz. Faun.*
   Germ. 43. *t.* 11.
Attelabus fossor. *De Geer,* iv. 350. 1. *t.* 30. *f.* 12.
Pseudocupis minor. *Panz. Voet.* ii. 65. 3. *t.* 33. *f.* 3.

Long. corp. 3 lin.

Habitat ———

Descr.   Thorax nitidus, lineâ longitudinali, foveolis-
   que duabus lateribus excavatis; porrò distat paululùm ab abdomine isthmo quodam interceptus, adeò ut
   petiolatus esse videtur.   Elytra striata.   Tibiæ anticæ
   apicém versus crassiores, palmato-spinosæ.   Nec *Te-*
   nebrio ut Linnæus, neve *Attelabus* ut De Geer mo-
   nuit, dicendus est.   Quod si thorax non omninò obcordatus sit, at linea media foveolæque laterales, tum.
   præcipuè femora postica appendiculata, *Carabis* con-
   scribi vehementiùs suadent.
Variat colore ferrugineo, nigro, piceo.

109. **Car.** ater nitidus, thorace exserto remoto *remotus.*
   subgloboso, elytris striatis.

Scarites gibbus. *Fab. Ent. Syst.* i. a. 96. 10. *Panz. Ent.*
   Germ. 37. 2.
Oliv. iii. 36. 15. 19. *t.* 2. *f.* 16. a. b.   *Panz. Faun.*
   Germ. 5. *t.* 1.
Scarites globosus. *Herbst. Arch. t.* 29. *f.* 17.

Long. corp. 1¼ lin.

Habitat ———

Desca.   Minutum hoc animalculum satis distinguitur,
   thorace ab abdomine paulùm distanti, globoso, glaberrimo, nitido.

42. TENE-

42. TENEBRIO.

Antennæ moniliformes, extrorsùm sensìm
   crassiores.
Caput exsertum.
Thorax plano-convexus, marginatus.
Elytra rigida, longitudine corporis.
Corpus oblongum, planiusculum.

———

molitor.   1. Ten. niger totus, femoribus anticis crassiori-
     bus.

Linn. Syst. Nat. 674. 2.   *Faun. Suec.* 815.   *Vill.* i.
   385. 1.   *Gmel.* 1995. 2.   *Fab. Syst. Ent.* 255. 2,
   Sp. Ins. i. 322. 2.   *Mant.* i. 211. 4.   *Ent. Syst.* i. a.
   111. 6. *Payk. Faun. Suec.* i. 89. 3. *Pontop.* i. 678. 1.
   Faun. Fred. 21. 213.   *Panz. Ent. Germ.* 40. 3.
   Faun. Etrusc. 577.   *Hellw.* 577.   *Illiger. Kugel.*
   Kaf. Preus. 113. 1.
Mart. Eng. Ent. t. 39. *f.* 2.   *Herbst. Jablonsk.* vii.
   240. 1. *t.* 111. *f.* 1.   *De Geer,* v. 34. 3. *t.* 2. *f.* 4.
Le Ténébrion à neuf stries lisses. *Geoff.* i. 349. 6.

Long. corp. 8 lin.

Habitat larva pallida, glabra, in farina pistorum,
   inque pane martio et militari, in quo sæpè hæret
   per duos annos antequàm mutetur, ipsa Lusci-
   niis gratissimus cibus. *Linn.*

Descr. Totus niger est, colore omninò picis. Elytra
   parùm striata. Thorax margine prominulo. Antennæ
   breves, obtusæ et quasi moniliformes, undecim articulis
   (exceptis tribus primis longiusculis) lentiformibus, nigris, ultimo globoso, pallidiore. Os, antennæ, margo
   thoracis, pedes e ferrugineo atra sunt. *Faun. Suec.*

                                2. Ten.

TENEBRIO.

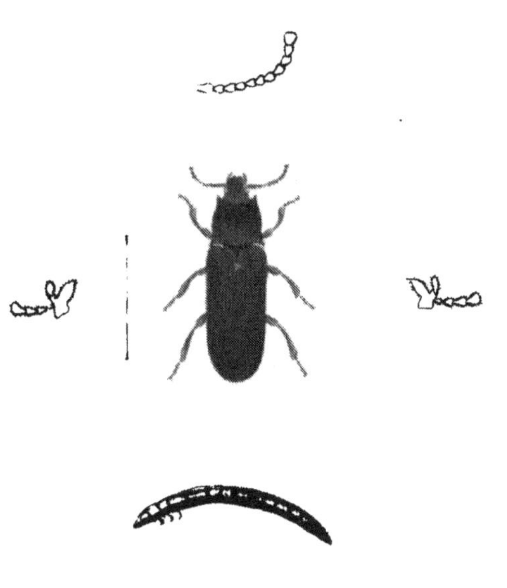

Tenebrio.

2. Ten. ater, thorace anticè excavato posticè *obsoletus.*
truncato, elytris striatis obsoletiùs rugosis.

Long. corp. 5 lin.

Habitat ▬▬▬

DESCR. Antennæ filiformes, 11-articulatæ.. Thorax
convexiusculus, scabro-punctulatus, anticè excavatus
lunulæ instar, posticè truncatus. Elytra obsoletè
striata, et obsoletè rugosa. ·Corpus subtùs aterrimum,
nitidiusculum.

3. Ten. niger, elytris striis octo punctatis per pa- *gemellatus.*
ria dispositis.

Vill. i. 395. 32.
Le Ténébrion à stries jumelles. *Geoff.* i. 348. 3.
An Blaps gemellata ? *Oliv.* iii. 60. 9. 8. *t.* i. *f.* 8.

Long. corp. 4 lin.

Habitat ▬▬▬ Captus in littore juxta Landguard-
Fort.

DESCR. Oblongus nigro-piceus, nitidus, punctatissimus. Antennæ moniliformes. Thorax ponè angustatus, marginatus, margine utrinque curvo. Elytra
subacuta, quatuor paribus striarum excavato-puncta-
tarum striata. Tibiæ intermediæ et posticæ, et femora postica basi intùs fulvo-ciliata.

4. Ten. ater, thorace anticè sub-excavato, elytris *arenosus.*
punctato-striatis obscuris.

Long. corp. 4 lin.

Habitat in arenosis.

DESCR. Totum corpus atrum. Capitis clypeus anticè
emarginatus. Thorax anticè sub-excavatus, margine
ipso sub-denticulato, posticè truncatus, lateribus an-
gulatus. Elytra obsoletissima, rugosa, striis obsoletis
punctatis. Tibiæ anticæ spathulæformes.

5. Ten. niger, ore pedibusque ferrugineis. *quisquilius.*

Linn.

Linn. Syst. Nat. 676. 13.   *Faun. Suec.* 821.   *Vill.* i.
388. 10.
Helops quisquilius. *Fab. Syst. Ent.* 258. 8.   *Sp. Ins.* i.
326. 13.   *Mant.* i. 214. 18.   *Ent. Syst.* i. a. 122. 26.
Panz. Ent. Germ. 43. 7.   *Faun. Etrusc.* 588.
Hellw. 588.

Long. corp. 3 lin.

Habitat ———

Descr. Corpus nigrum, opacum. Pedes piceo-ferruginei. *Faun. Suec.*

humeralis. 6. Ten. fuscus, thorace elytrisque lævibus obsoletissimè punctulatis.

Long. corp. 3 lin.

Habitat ———

Descr. Antennæ et corpus suprà fusca. Corpus subtùs pedesque brunnei. Thorax et elytra lævia, punctulis obsoletissimis conspersa. Thorax elytris latior.

nigrinus. 7. Ten. ater, elytris obsoletissimè striatis punctulatisque, plantis piceis.

An Helops piceus? *Oliv.* iii. 58. 17. 22. *t.* 2. *f.* 13.

Long. corp. 2$\frac{1}{4}$ lin.

Habitat ———

Descr. ———

stygius. 8. Ten. ater, elytris lævibus obsoletissimè punctulatis, plantis piceis.

Long. corp. 2 lin.

Habitat ———

Descr. Hic præcedenti simillimus; differt solummodò
elytris non striatis præterquam striâ unicâ abbreviatâ
apicem suturæ versus; tum antennis æqualibus, nec
basi tenuioribus. Utrique thorax elytris paulò latior,
anticè et posticè truncatus. Elytra sub lente obsoletissimè

tissimè punctulata. Pedes nigri, tarsis plantisque sub-
ferrugineis.

9. Ten. pallidè testaceus, oculis nigris. *pallens.*
Linn. Syst. Nat. 675. 10.   *Faun. Suec.* 820.   *Vill.* i.
   387. 7.   *Gmel.* 1997. 10.   *Fab. Sp. Ins.* i. 324. 11.
   Mant. i. 212. 16.   *Ent. Syst.* i. a. 113. 17.   *Payk.*
   Faun. Suec. i. 90. 5. ?
Oliv. iii. 57. 19. 26. *t.* 2. *f.* 25.   *Herbst. Jablonsk.* vii.
   257. 24. viii. 9. *t.* 117. *f.* 10.   *Mart. Eng. Ent. t.* 39.
   f. 3.
An Hypophlæus fraxini ? *Payk. Faun. Suec.* iii. 322. 2.

Long. corp. $2\frac{1}{4}$ lin.

Habitat ——

DESCR. Totus teretiusculus, opacus, unicolor, pallidus,
   ad testaceum vergens colorem, exceptis oculis nigris,
   minimè striatus. *Faun. Suec.*

10. Ten. ovatus, thorace emarginato sanguineo : *coccineus.*
   maculâ nigrâ, elytris sanguineis : maculis duabus nigris.

Chrysomela coccinea. *Linn. Syst. Nat.* 592. 43.   *Faun.*
   Suec. 532.   *Vill.* i. 132. 35.   *Gmel.* 1682. 43.   *Faun.*
   Etrusc. 202.   *Hellw.* 202.   *Goeze,* i. 269. 43.   *Fab.*
   Syst. Ent. 105. 59.   *Sp. Ins.* i. 131. 83.   *Mant.* i.
   75. 109.
Mart. Eng. Ent. t. 16. *f.* 38.
Chrysomela 4-maculata. *De Geer,* v. 301. 10. *t.* 9. *f.* 1.
Coccinella coccinea. *Udd. Diss.* 13.
Galleruca coccinea. *Fab. Ent. Syst.* i. b. 20. 31.
Endomychus coccineus. *Panz. Ent. Germ.* 175. 1. *Payk.*
   Faun. Suec. ii. 112. 1.   *Fab. Supp.* 100. 2.
Panz. Faun. Germ. 44. *t.* 17.

Long. corp. 3 lin.

Habitat ——

DESCR. Caput parvum, nigrum.   Thorax quadran-
   gularis, coccineus, medio niger.   Elytra coccinea, in
                                          singulis

singulis maculæ rotundæ duæ. Abdomen sanguineum. Pedes et antennæ nigræ. *Faun. Suec.*

Bovistæ. 11. Ten. ater nitidus, antennis pedibusque ferrugineis, elytris apice piceis.

Galleruca Bovistæ. *Fab. Ent. Syst.* i. b. 20. 34.
Endomychus Bovistæ. *Panz. Ent. Germ.* '75. 4. *Fab. Supp.* 101. 5. *Payk. Faun. Suec.* ii. 115. 4.
Faun. Germ. 8. *t.* 4.

Long. corp. 2 lin.

Habitat in *Lycoperdo bovistâ. D. Kirby.*

DESCR. Antennæ rufæ. Caput atrum, nitidum. Thorax ater, nitidus, margine sub-reflexo. Elytra atra, lævia, nitida, apice picea. Pedes ferruginei.

mauritanicus. 12. Ten. niger, subtùs piceus, thoracis marginibus anticè posticèque dente angulatis.

Linn. Syst. Nat. 674. 4.   *Gmel.* 1995. 4.   *Faun. Etrusc.* 579. *Hellw.* 579. *Mant.* 93. 208. *Fab. Ent. Syst.* i. a. 113. 15. ?
Trogosita mauritanica. *Oliv.* ii. 19. 6. 2. *t.* 1. *f.* 2. a. b.
Trogosita caraboides. *Fab. Ent. Syst.* i. a. 115. 2. *Panz. Ent. Germ.* 41. 1. *Illiger. Kugel. Kaf. Preus.* 117. 2.
Panz. Faun. Germ. 3. *t.* 4.
La Chevrette brune. *Geoff.* i. 64. 5.

Long. corp. 3—4 lin.

Habitat in granis hordeis ; in mercatorum tabernis frequens. *D. Donovan.*

DESCR. Corpus depressum. Antennæ piceæ, capite paulò longiores. Thorax punctatus, anticè utrinque dente prominulo, et posticè obsoleto. Elytra striata, punctata. Corpus suprà nigricans, subtùs pedesque picea. *Oliv.*

43. BLAPS.

43. BLAPS.

Antennæ filiformes.

Caput exsertum.

Thorax plùs minùs marginatus.

Elytra rigida, abdomen arctè amplectentia.

Corpus oblongum, gibbum.

---

1. Bl. atra, thorace elytris angustiori, coleoptris *mortisaga.*
   lævibus mucronatis.

Fab. Syst. Ent. 254. 3.　　*Sp. Ins.* i. 321. 3.　　*Mant.* i.
　210. 3.　　*Ent. Syst.* i. 107. 3.　　*Payk. Faun. Suec.* i.
　89. 1.　　*Panz. Ent. Germ.* 39. 1.　　*Gmel.* 2001. 3.
　Faun. Etrusc. 576.　　*Hellw.* 576.　　*Illiger. Kugel.*
　Kaf. Preus. 112. 1.

Panz. Faun. Germ. 3. *t.* 3.

Tenebrio mortisagus. *Linn. Syst. Nat.* 676. 15.　　*Faun.*
　Suec. 822.　　*Faun. Fred.* 21. 214.　　*Harr.* 189.

Tenebrio acuminatus. *De Geer,* v. 31. 1.

Long. corp. 10 lin.

Habitat in suffocatis.

Descr.　Oblonga, tota atra obscura. Antennæ lon-
　giusculæ, articulis duobus primis brevissimis, tertio
　longissimo, proximis quatuor oblongis nigris, tribus
　sequentibus lentiformibus, et ultimo ovato acuminato
　ferrugineo. Palpi clavati. Oculi reniformes. Thorax
　quadratus, marginatus, sub-æqualis, punctulatus. Co-
　leoptra obovata, acuminata, obsoletè elevato-striata,
　et punctulata, connata, abdominis latera obvolventia.
　Sæpè terminantur elytra apice in dorso rimulâ. Pedes
　postici prælongi, præsertim femora.

2. Bl. atra, thorace æquali valdè marginato, co- *lethifera.*
   leoptris lævibus mucronatis.

Tenebrio lethifer. *Schæff. Icon. t.* 37. *f.* 6.

Long. corp. 11 lin.

Habitat ―――――

DESCR. Præcedenti simillima, sed latior, magis ovata. Antennæ thorace breviores, articulis intermediis ovatis. Thorax latus, punctatus, lineâ intermediâ longitudinali obsoletè exaratus. Elytra connata, punctulatissima, obtusa. Pedes respectu magnitudinis breviores, crassiores quam præcedenti. Cætera simillima.

violacea.   3. Bl. violacea, thorace obcordato posticè truncato, antennis pedibusque piceis.

Long. corp. 10 lin.

Habitat sub cortice *Quercuum* veternarum.

DESCR. Antennæ 8-articulatæ, moniliformes, crassæ, articulo ultimo paululùm crassiori, apice sub-truncato. Thorax ut in *Carabis* obcordatus, violaceus, scabro-punctatus. Caput nigrum, scabro-punctatum, ore pilis brevibus ferrugineis obsito. Elytra violacea, striata, striis octo impressis, omnibus æqualibus. Abdomen nigrum. Pedes picei; plantæ introrsùm pilis ferrugineis splendentibus ornatæ. *Carabus* apprimè dicendus foret nisi quod appendix femorum defuerit.

atrata.   4. Bl. atra pilosa, thorace anticè angustiori, elytris obsoletè striatis.

Long. corp. 8 lin.

Habitat ―――――

DESCR. Totum corpus atrum, pilis brevissimis obsitum. Sub lente, quisque pilus ex punctulo minutissimo impresso prodire videtur. Thorax anticè angustus, posticè dilatatus, ut in *Silphis* quibusdam, præcipuè *Sil. lævigata.* Elytra obsoletè striata; in fundo striarum puncta obsoleta impressa. Corpus subtùs aterrimum, nitidum. Antennæ filiformes, moniliformes, 11-articulatæ, articulis obovatis, apice truncatis.

5. Bl.

MELOE.

M. proscarabæus.

5. Bl. picea nitescens, elytris striatis.   *Spartii.*

Long. corp. maris 3¾ lin.

      foem. 4½ lin.

Habitat in *Spartio scopario.*

Descr. Totum corpus piceum, sive castaneum, nitescens, punctulatissimum. In elytris punctula subconfluentia, per caetera membra distinctissima. Elytra striis octo punctatis mediocriter exarata.

---

44. MELOE.

Antennæ moniliformes, articulo ultimo ovato, maris irregulares.

Caput gibbum, inflexum.

Thorax sub-quadratus.

Elytra mollia, flexilia, abbreviata, apice rotundata.

Abdomen valdè gibbum, ovatum.

---

1. Mel. corpore suprà atro, subtùs violaceo.   *proscarabæus.*

Linn. Syst. Nat. 679. 1.   *Faun. Suec.* 826.   *Vill.* i. 397. 1.   *Scop.* 184.   *Gmel.* 2017. 1.   *Fab. Syst. Ent.* 259. 1.   *Sp. Ins.* i. 327. 1.   *Mant.* i. 215. 1. *Ent. Syst.* i. b. 517. 1.   *Panz. Ent. Germ.* 350. 1. *Faun. Fred.* 22. 215.   *Faun. Ingr.* 353.   *Harr.* 400. *Pod.*, 47. 1.   *List. Goed.* 292. 120. a.   *Hoppe, Ins. Erl.* 67. *Payk. Faun. Suec.* iii. 361. 1. *Faun. Etrusc.* 590. *Hellw.* 590. *Don. Brit. Ins. t.* 43.   *Sulz. t.* 7. *f.* 10.   *Panz. Faun. Germ.* 10. *t.* 12.   *Schæff. Icon. t.* 3. *f.* 5.   *Oliv.* iii. 45. 5. 1. *t.* 1. *f.* 1. a—d. *Mart. Eng. Ent. t.* 39. *f.* 6.

Cantharis proscarabæus. *De Geer*, v. 3. 1. *t*. 1. *f*. 1.
Le Proscarabé. *Geoff*. i. 377. 1. *t*. 7. *f*. 4.
An Meloe tecta? *Panz. Faun. Germ.* 10. *t*. 14. *Don.
Brit. Ins. t.* 240.

Long. corp. maris 10 lin.
        foem. 18 lin.

Habitat in campis apricis.

DESCR. Antennæ maris singulares sunt. Hæ violaceæ,
pilosæ, undecim articulationum, quarum sex primæ
sensìm crassiores sunt; sexta compressa; septima etiam
compressa, paulò minor, obtuso-cordata, formans angulum cum sextâ; cæteræ quatuor articulationes multò
minores et sensìm tenuiores, ultimâ longâ conicâ.
Antennæ fœminæ moniliformes sunt. Totum animal
molle est. Elytra coriacea, mollia, rugosa, minimè
nitida. In fœminâ abdomen longius elytris. Caput,
thorax, elytra et abdomen suprà (ultimo segmento abdominis excepto) nigra sunt. Totum corpus subtùs,
anus et pedes violacea sunt.

violaceus. 2. Mel. corpore toto violaceo, thorace posticè
emarginato.

Long. corp. maris 10 lin.
        foem. 13 lin.

Habitat ————

DESCR. Antennæ ut in *Mel. proscarabæo* cui maximè
affinis est, sed totus violaceus, nec niger suprà.

similis. 3. Mel. corpore suprà violaceo, subtùs atro.

Long. corp. 10 lin.

Habitat ————

DESCR. Antennæ ut in duobús præcedentibus quibus
maximè affinis est. Differt a *Mel. violaceo* thorace latiore, elytris longioribus, et corpore subtùs atro.

An tres præcedentes meræ varietates? An species distinctæ?

4. Mel.

4. Mel. corpore atro, elytris rugosis.   *rugosus.*

Long. corp. 5 lin.

Habitat ————   In mus. *D. Latham.*

DESCR. Duplò minor *Mel. proscarabæo,* sed color omninò ater, nec violaceus, et elytra magìs rugosa. Thorax subtuberculatus, medio longitudinaliter sulcatus.

5. Mel. sub-auratus, capite thorace elytrisque ru- *scabrosus.*
gosis scabris.

Meloe maialis. *Panz. Ent. Germ.* 350. 2.
Panz. Faun. Germ. 10. *t.* 13.   *Oliv.* iii. 45. 6. 2. *t.* 1.
  f. 4. a. b. d. *t.* 2. *f.* 4. c.   *Schæff. Icon. t.* 3. *f.* 6.
Meloe variegatus. *Don. Brit. Ins. t.* 67.   *Mart. Eng.*
  Ent. t. 39. *f.* 1.

Long. corp. 1 unc.

Habitat ————

DESCR. Totum corpus nigro-viride, colore aureo fugaci
spondet. Caput et thorax scabra, punctis prominulis quæ
et rugas efficiunt. Elytra valdè rugosa, sublacunosa.
Abdomen glabrum, marginibus incisurarum latè aureis.

6. Mel. violaceus, thorace posticè emarginato, *punctatus.*
elytris punctatis corporis ferè longitudine.

Long. corp. 5 lin.

Habitat ———— Captus apud Ringstead, Norfol-
ciæ, Septembre ineunte. *D. Kirby.*

DESCR. Totus ater-cærulescens. Thorax posticè depressus, emarginatus. Elytra corporis ferè longitudine,
vix rugulosa, sed punctis impressis, haud confertis irrorata.

45. LYTTA.

Antennæ filiformes.

Caput gibbum, inflexum, thorace latior.

Thorax plerisque cylindricus.

Elytra mollia, flexilia, linearia.

Corpus elongatum.

———

vesicatoria. 1. Lyt. viridissima nitens, antennis nigris.

    Fab. Syst. Ent. 260. 1.   *Sp. Ins.* i. 328. 1.   *Mant.* i.
    215. 1. *Ent. Syst.* i. b. 83. 1. *Panz. Ent. Germ.*
    203. 1. *Hoppe, Ins. Erl.* 36. *Payk. Faun. Suec.* ii.
    159. 1. *Gmel.* 2013. 1. *Faun. Etrusc.* 592. *Hellw.*
    592.

    Panz. Faun. Germ. 41. *t.* 4.

    La Cantharide des boutiques. *Geoff.* i. 341. 1. *t.* 6. *f.* 5.

    Meloe vesicatorius. *Linn. Syst. Nat.* 679. 3. *Faun.*
    Suec. 827. *Vill.* i. 398. 3. *Scop.* 185. *Schrank,* 418.
    Faun. Fred. 22. 217. *Poda,* 47. 2. *Pontop.* i. 678. 3.
    Amœn. Acad. 135. 1.

    Mart. Eng. Ent. t. 39. *f.* 2.

    Cantharis vesicatoria. *De Geer,* v. 12. 2. *t.* 1. *f.* 9.
    Oliv. iii. 46. 6. 1. *t.* 1. *f.* 1. a—c. *Schæff. Elem.*
    t. 33.

    Cantharis officinarum. *Linn. It. Scan.* 186.

    Cantharis vulgaris officinarum. *Rai.* 101.

    Long. corp. 10 lin.

    Habitat in *Ligustro, Fraxino, Sambuco.*

    Vesicatoria celeberrima in omnibus officinis Euro-
    pæis nomine *Cantharidis.* Veterum verò *Cantha-*
    ris est *Meloe cichorii. Faun. Suec.*

    Descr. Tota viridi-aurea, nitidissima, suprà glabra,
    subtùs pilis cinerascentibus parciùs adspersa. An-
                                        tennæ

tennæ nigræ, basi virides.   Thorax sub lente subtilissimè punctulatus.   Elytra convexa, thorace paulò latiora, oculo armato subtilissimè rugosa.   Tarsi cærules-
centes.

2. Lyt. nigra, elytris maculis duabus pallidis ob-*floralis.*
   soletis.

Meloe floralis. *Linn. Syst. Nat.* 681. 15.   *Faun. Suec.*
   830.   *Vill.* i. 402. 10.
Mart. Eng. Ent. t. 39. *f.* 4.
Lagria floralis. *Fab. Syst. Ent.* 126. 12.   *Sp. Ins.* i.
   161. 15.   *Mant.* i. 94. 25.   *Faun. Etrusc.* 279.
   Hellw. 279.
Notoxus floralis. *Fab. Ent. Syst.* i. a. 212. 10.
Cryptocephalus floralis. *Gmel.* 1731. 235.
Anthicus floralis. *Payk. Faun. Suec.* i. 356. 3.

Long. corp. $1\frac{1}{4}$ lin.

Habitat in *Cardui* floribus frequens. *Linn.*

DESCR.   Thorax glaberrimus, et elytra fusca, maculis
   duabus, ovatis, transversis, pallidis; alterâ priore, alterâ
   posteriore; neutrâ marginem elytri tangente. *Faun.*
   Suec.

3. Lyt. nigra, elytris fasciis duabus ferrugineis: *antherina.*
   primâ interruptâ.

Meloe antherinus. *Linn. Syst. Nat.* 681. 16.   *Faun.*
   Suec. 829.   *Vill.* i. 402. 11.
Mart. Eng. Ent. t. 39. *f.* 3.
Lagria antherina. *Fab. Syst. Ent.* 126. 12.   *Sp. Ins.* i.
   160. 14.   *Mant.* i. 94. 26.   *Faun. Etrusc.* 278.
   Hellw. 278.
Notoxus antherinus. *Fab. Ent. Syst.* i. a. 212. 9.   *Panz.*
   Ent. Germ. 87. 6.
Panz. Faun. Germ. 11. *t.* 14.
Cryptocephalus antherinus. *Gmel.* 1731. 234.
Anthicus antherinus. *Payk. Faun. Suec.* i. 255. 2.

Long. corp. $1\frac{1}{4}$ lin.

Habitat ——————

                      DESCR.

Descr. Corpus nigrum. Coleoptra fasciâ unâ ferrugineâ interruptâ ad basin, alterâ pone medium. Thorax subglobosus, niger.

fusca.

4. Lyt. ferruginea, elytris fuscis basi obsoletè ferrugineis.

Notoxus floralis. *Panz. Ent. Germ.* 87. 7.
Panz. Faun. Germ. 23. *t.* 4.

Long. corp. 1¼ lin.

Habitat in floribus syngenesiis in pratis, in hortis totâ æstate.

Descr. Antennæ, thorax, pedes fusco-ferruginei. Caput nigro-ferrugineum. Elytra glabra, nitidiuscula, nigro-fusca, basi pallida, at obsoletè ferruginea. Abdomen nigro-fuscum.

picea.

5. Lyt. picea nitida, antennis pedibusque ferrugineis.

An Notoxus minutus. *Fab. Ent. Syst.* i. a. 212. 11.
Panz. Ent. Germ. 88. 11.
Panz. Faun. Germ. 23. *t.* 5.

Long. corp. ¾ lin.

Habitat in hortis, Ealing.

Descr. Antennæ ferrugineæ, extrorsùm crassiores, subclavatæ. Thorax gibbosus. Caput, thorax et elytra polita, picea, nitida. Pedes ferruginei.

Boleti.

6. Lyt. testaceo-ferruginea glabra, capite nigro.

Notoxus calycinus. *Panz. Ent. Germ.* 87. 8.
Panz. Faun. Germ. 8. *t.* 3.

Long. corp. 1 lin.

Habitat in *Boleto velutino.* Larva et imago simul semper adsunt.

Descr. Affinis admodùm *Lyt. fuscæ,* at elytra non basi dilutiora. Caput et abdomen nigra. Thorax et
elytra

elytra testaceo-ferruginea. Sub lente elytra ut in *Lyt.*
fuscæ, punctulatissima.

7. Lyt. nigra, antennis elytris pedibusque ferru- *nigricollis.*
   gineis.

Long. corp. 1 lin.

Habitat ————

DESCR. Antennæ ferrugineæ. Caput et thorax nigra.
   Elytra ferruginea, apicibus nigris. Corpus subtùs nigrum. Pedes ferruginei. Sub lente elytra punctulatissima, villis obtecta videntur.

8. Lyt. thorace in cornu suprà caput protenso. *monoceros.*

Meloe monoceros. *Linn. Syst. Nat.* 651. 14. *Vill.* i.
   401. 10.
Don. Brit. Ins. t. 182.
Attelabus monoceros. *Faun. Suec.* 639. *Harr.* 397.
Schæff. Icon. t. 188. *f.* 3.
Notoxus monoceros. *Fab. Syst. Ent.* 158. 2. *Sp. Ins.* i.
   203. 2. *Mant.* i. 127. 4. *Ent. Syst.* i. a. 210. 6.
   Faun. Etrusc. 354. *Hellw.* 354. *Gmel.* 1813. 4.
   Panz. Ent. Germ. 87. 4.
Oliv. iii. 51. 4. 1. *t.* 1. *f.* 2. a—c.
Anthicus monoceros. *Payk. Faun. Suec.* i. 254. 1.
La Cuculle. *Geoff.* i. 356. *t.* 6. *f.* 8.

Long. corp. 2 lin.

Habitat in floribus syngenesiis, imprimìs *Senecione*
   tenuifolio et Jacobeâ.

DESCR. Cáput nigricans. Antennæ et pedes testacei.
   Thorax posticè ferrugineus, anticè niger, recta antrorsùm exiens in cornu nigricans ultra caput extensum,
   unde verè monstrosa et insectis insolita facies. Elytra
   testacea: suturâ longitudinali nigrâ, et fasciâ posticâ
   nigrâ, punctoque anticè nigro. Corpus supra pilis
   brevibus adspersum.

46. MORDELLA.

Antennæ filiformes, plerumquè serratæ.
Caput deflexum sub collo.
Elytra deorsùm curva apicem versus.
Corpus oblongum, posticè attenuatum.
Ante femora lamina lata ad basin abdominis.

* *Aculeatæ.*

** *Inermes.*

* *Aculeatæ.*

aculeata.   **1.** Mor. oblonga tota atra.

Linn. Syst. Nat. 682. 2.   *Faun. Suec.* 832.   *Vill.* i.
406. 2.   *Scop.* 192.   *Schrank,* 427.   *Gmel.* 2023. 2.
Fab. Syst. Ent. 263 5.   *Sp. Ins.* i. 333. 7.   *Mant.* i.
218. 11.   *Ent. Syst.* i. b. 113. 1.   *Payk. Faun. Suec.* ii.
185. 3.   *Faun. Fred.* 22. 218.   *Poda,* 47. 1.   *Harr.*
259.   *Faun. Etrusc.* 598.   *Hellw.* 598.   *Panz. Ent.*
Germ. 212. 1.   *De Geer,* v. 28. 1.
Oliv. iii. 64. 4. 1. *t.* 1. *f.* 1. a—c.
La Mordelle noire à pointe. *Geoff.* i. 353. 1. *t.* 6. *f.* 7.

Long. corp. 2 lin.

Habitat in floribus.

Descr. Tota atra, glabra, oblonga. Caput parvum,
inflexum. Elytra oblonga, atra, non striata. Thorax
glaber, convexus. Corpus versus caudam sensìm angustius. Abdomen compressum, desinens in aculeum, sive
spinam subulatam, acutam, nigram, elytris longio-
rem, minimè pungentem. Pedes longiusculi, quibus
saltat. *Faun. Suec.*

fasciata.   **2.** Mor. nigra, elytris fasciis duabus cinereis.

Fab. Syst. Ent. 263. 6.   *Sp. Ins.* i. 333. 8.   *Mant.* i.
218.

MORDELLA.

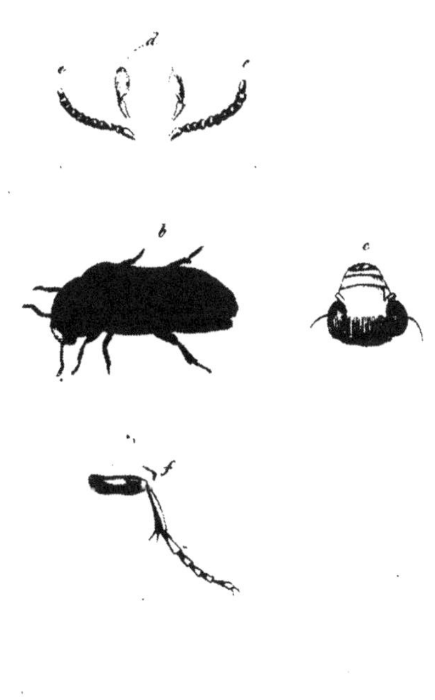

M. frontalis.

218. 12. *Ent. Syst.* i. b. 113. 2. *Payk. Faun. Suec.*
Add. iii. 455. 1—2. *Gmel.* 2023. 16. *Faun. Etrusc.*
599. *Hellw.* 599. *Panz. Ent. Germ.* 212. 2.
Oliv. iii. 64. 4. 2. *t.* 1. *f.* 2. a. b. *Schæff. Icon. t.* 127. *f.* 7.
La Mordelle veloutée à pointe. *Geoff.* i. 354. 2.

Long. corp. 3 lin.

Habitat in floribus.

DESCR. Simillima præcedenti, cum quâ etiam con-
junxit celeb. Linné. Differt tamen elytris basi fasciâque mediâ villoso-cinereis, nitentibus. *Syst. Ent.*

3. Mor. atra, lateribus thoracis baseosque elytro- *humeralis.*
rum flavescentibus.

Linn. Syst. Nat. 682. 3. *Faun. Suec.* 833. *Vill.* i.
406. 3. *Gmel.* 2024. 3. *Fab. Syst. Ent.* 264. 9.
Sp. Ins. i. 333. 11. *Mant.* i. 219. 16. *Ent. Syst.* i. b.
114. 7. *Payk. Faun. Suec.* ii. 187. 6. *Panz. Ent.*
Germ. 213. 5.
Oliv. iii. 64. 8. 7. *t.* 1. *f.* 7. a. b. *Panz. Faun. Germ.*
62. *t.* 3.
L'Anaspe à taches jaunes. *Geoff.* i. 316. 2.

Long. corp. 2½ lin.

Habitat ————   In mus. *D. Beckwith.*

DESCR. Statura et magnitudo præcedentium. Caput flavum. Thorax flavescens, medio nigricans. Elytra
basi ferruginea. *Faun. Suec.*

4. Mor. atra, thorace abdomineque rufis.   *abdomina-*
Fab. Ent. Syst. i. b. 114. 6. *Vill.* i. 408. 7. *Payk.* *lis.*
Faun. Suec. ii. 186. 5. *Gmel.* 2024. 19.
Oliv. iii. 64. 7. 5. *t.* 1. *f.* 5. a. b.

Long. corp. 3 lin.

Habitat ————

DESCR. Antennæ nigræ, basi rufâ. Caput nigrum,
ore rufo. Thorax, pectus et abdomen rufa. Aculeus
exsertus ater. Elytra et lamina ad basin abdominis
nigra. Pedes duo antici rufi, postici quatuor nigri.

5. Mor.

nigra.

5. Mor. atra, abdomine rufo.

Long. corp. 2½ lin.

Habitat ————

DESCR. Antennæ nigræ, basi rufâ. Caput nigrum, ore flavo. Thorax, pectus, elytra, pedes et laminæ ad basin abdominis nigra. Abdomen rufum. Aculeus exsertus ater ut in *Mor. abdominali,* cui maximè affinis, sed thorax et pectus nigra, nec rufa.

ferruginea.

6. Mor. ferruginea, oculis nigris.

Long. corp. 2½ lin.

Habitat ————

DESCR. Tota ferruginea, præter oculos, qui omninò nigri sunt. Corpus subtùs pallidius. Abdomen compressum, desinens in aculeum, sive spinam subulatam, acutam, castaneam, longam. Pedes concolores, femoribus posticis saltatoriis.

flavescens.

7. Mor. testacea, elytris saturatioribus.

Long. corp. 2½ lin.

Habitat ————

DESCR. Antennæ, caput et thorax testacea, oculis nigris. Elytra obscurè sive fusco-testacea. Aculeus fuscus. Corpus subtùs et pedes pallidiora.

bicolor.

8. Mor. nigra, ore thoracis angulis anterioribus elytrorumque basi testaceis.

Long. corp. 2½ lin.

Habitat ————

DESCR. Antennæ fuscæ. Caput nigrum, ore flavo. Thorax niger, deflexus, marginibus et angulis anterioribus testaceis, sive flavis. Elytra fusca, basi testacea. Corpus subtùs ut et aculeus nigrum. Pedes flavi.

                                                   ** *Inermes.*

**** *Inermes*.**

9. Mor. antennis pectinatis, thoracis lateribus *paradoxa.*
elytrisque testaceis.

Linn. Syst. Nat. 682. 1.   *Faun. Suec.* 831.   *Vill.* i.
405. 1.   *Gmel.* 2022. 1.   *Fab. Syst. Ent.* 262. 2.
Sp. Ins. i. 332. 2.   *Mant.* i. 219. 4.   *Faun. Etrusc.*
603.   *Hellw.* 603.
Ripiphorus paradoxus. *Fab. Ent. Syst.* i. b. 111. 5.
Payk. Faun. Suec. ii. 177. 1.
Oliv. iii. 65. 7. 7. *t.* 1. *f.* 7.

Long. corp.   lin.
Habitat ————

Descr. Caput nigrum. Antennæ longitudine thoracis,
simplici serie pectinatæ, atræ. Thorax gibbus : posticè
trilobus, lobis lateralibus testaceis ; dorso lacunâ profundâ latâ excavatus. Scutellum nullum. Elytra
Lepturæ, testacea, posticè attenuata, apice nigra, thoracis laminæ affixæ nigræ. Alæ fuscæ. Abdomen
testaceum ; primo segmento margine nigro et ano nigro. Pedes nigri. Magnitudine nostrates reliquas superat. *Faun. Suec.*

10. Mor. atra, fronte pedibusque flavescentibus. *frontalis.*

Linn. Syst. Nat. 682. 4.   *Faun. Suec.* 834.   *Vill.* i.
407. 4.   *Gmel.* 2024. 4.   *Fab. Syst. Ent.* 264. 10.
Sp. Ins. i. 333. 13.   *Mant.* i. 219. 17.   *Ent. Syst.* i. b.
114. 9.   *Panz. Ent. Germ.* 213. 7.   *Payk. Faun.*
Suec. 183. 1.
Oliv. iii. 64. 7. 6. *t.* 1. *f.* 6. a——c.

Long. corp. 2 lin.
Habitat ————

Descr. Nigra. Frons flava, et pedes, præsertim anteriores.

11. Mor. atra, thorace pedibusque flavescentibus. *ruficollis.*

Fab. Ent. Syst. i. b. 115. 12.
Oliv. iii. 64. 9. 9. *t.* 1. *f.* 9. a. b.

L'Anaspe

L'Anaspe à corcelet jaune. *Geoff.* i. 317. 3.

Long. corp. 1 lin.

Habitat ————

DESCR. Affinis *Mor. abdominali*; sed dimidio minor. Thorax flavus, nec rufus. Pedes omnes testacei. Abdomen totum nigrum.

biguttata. 12. Mor. atra, elytris maculâ baseos flavescenti.

Long. corp. 1¼ lin.

Habitat ————

DESCR. Corpus totum atrum, basi elytrorum exceptâ, quæ maculam sordidè flavescentem gerit.

nigricollis. 13. Mor. nigra, elytris testaceis: maculâ mediâ marginibusque nigris.

Long. corp. 1½ lin.

Habitat ————

DESCR. Os et basis antennarum ferruginea. Affinis *Mor. obscuræ* at thorax niger, nec testaceus; tum macula elytrorum saturatior, nec obsoletiuscula; porrò margines et sutura elytrorum saturatè nigra. Pedes nigri.

obscura. 14. Mor. testacea, elytris basi maculâque mediâ fuscis obsoletiusculis.

Long. corp. 1½ lin.

Habitat ————

DESCR. Antennæ, oculi, pectus et abdomen nigra. Caput rufescens. Thorax, pedes et elytra testacea. Thorax tamen punctum medium fuscum gerit. Elytra basi præcipuè ad suturam, maculâque mediâ fasciæformi obsoletè fuscis; sutura apicem versus fuscescens, et quasi maculâ communi notata.

pallida. 15. Mor. pallido-testacea, oculis abdomine antennarumque apice nigris.

Long.

Long. corp. $1\frac{1}{4}$ lin.

Habitat ————

DESCR. Magnitudo *Mor. flavæ*, et *testaceæ*, quibus
maximè affinis, sed abdomen nigrum nec testaceum ut
ʼin *Mor. testaceá*, nec elytra apicibus nigris ut in *Mor.
flavá*.

16. Mor. sub-testacca, oculis antennarumque apice *testacea.*
nigris.

Long. corp. $1\frac{1}{2}$ lin.

Habitat ————

DESCR. Magnitudo *Mor. flavæ*, cui maximè affinis,
sed tota sub-testacea, nec apicibus elytrorum aut abdomine nigris, ut in *Mor. flavá*.

17. Mor. flava, elytris obscurioribus fuscescenti-*fusca.*
bus.

Schrank, 431.

Long. corp. $1\frac{1}{2}$ lin.

Habitat in floribus.

DESCR. Caput, thorax, elytra flavicant. Elytra tamen
multò obscuriora, et ferè fusca. Pedes et antennarum
bases flavi coloris. Oculi nigri. *Schrank.*

18. Mor. nigra, elytris fasciis duabus flavis undu- *bifasciata.*
◦ latis.

Long. corp. $1\frac{1}{2}$ lin.

Habitat ————

DESCR. Caput nigrum. Thorax niger, margine omni
pallescente. Elytra glabra, nigra, fasciis duabus flavis
undulatis, sive angulatis. Subtùs omninò nigra est
hæc *Mordella*.

19. Mor. nigra, antennis subclavatis acutis, ely- *silphoïdes.*
tris ferrugineis.

Long.

Long. corp. $\frac{1}{2}$—$1\frac{1}{2}$ lin.

Habitat ————

DESCR. Antennæ acutæ, ante apicem crassiores, nigræ, basi ferrugineæ. Caput et thorax nigra. Elytra
ferruginea, sericeo-tomentosa. Abdomen nigrum.
Pedes ferruginei.

Boleti.　20. Mor. oblonga ferruginea, capite nigro, elytris liturâ longitudinali ad apicem nigrâ obsoletâ.

Long. corp. 2 lin.

Habitat in *Boleto* putrido.　　In mus. *D. Kirby.*

DESCR. Antennæ extrorsùm crassiores, ferrugineæ.
Caput nigrum. Thorax ferrugineus. Elytra ferruginea,
ad apicem disco liturâ longitudinali nigrâ obsoletâ
inquinato. Pedes et corpus subtùs omninò ferruginea.
Corpus oblongum, sub-elongatum, nec ut in *Mor.*
piceâ ovato-oblongum, crassum. Salit agillimè.

picea.　21. Mor. ovato-oblonga picea, thorace saturatiori,
pedibus dilutioribus, elytris striatis.

Long. corp. $2\frac{1}{4}$ lin.

Habitat ————

DESCR. In hoc animalculo caput semper nigrum. Cæteroquin piceum est. Thorax plerumquè saturatior, et
pubescit. Pedes cæteris membris dilutiores. Elytra
obsoletè striata, et oculo bene armato, per totam superficiem punctulata. Antennæ piceæ. Color etiam
thoracis variat, nigro-piceus, piceus et ferrugineus. At
in omnibus caput nigrum.

clavicornis.　22. Mor. picea tota, antennis clavatis.

Forst. Cent. 66.
Dermestes fornicatus. *De Geer,* iv. 216. 9.

Long. corp. 2 lin.

Habitat ————

DESCR. Corpus ovato-oblongum. Antennæ fuscæ, basi
ferrugineæ,

ferrugineæ, clavatæ. Os ferrugineum. Thorax hemi-
sphæricus, major quàm in congeneribus, pilis minutissimis pallentibus consitus. Elytra picea atque pilosa;
lineâ obscurâ longitudinali ad suturam. Pedes concolores.

23. Mor. oblongo-ovata nigro-fusca, thorace ci- *cicatricata.*
catricato, elytris punctulatis obsoletissimè striatis.

Long. corp. 2¼ lin.

Habitat ———

DESCR. Totum corpus ferè unicolor, at pedes paulò
dilutiores. Thorax convexus, cicatricatissimus, cica-
tricibus tenuissimis longitudinalibus exaratus. Elytra
per totam paginam punctulis conspersa, porrò valdè
obsoletè striata; striæ punctulis impressis. Habitus
Tenebrionis.

24. Mor. flava, elytrorum apicibus nigris.   *flava.*

Linn. Syst. Nat. 682. 6.   *Faun. Suec.* 836.   *Vill.* i.
407. 6.   *Gmel.* 2024. 6.   *Fab. Syst. Ent.* 264. 12. '
Sp. Ins. i. 334. 14. *Mant.* i. 219. 19. *Ent. Syst.* i. b.
115. 13! *Faun. Fred.* 22. 219.   *Panz. Ent. Germ.*
213. 11.   *Faun. Etrusc.* 604.   *Hellw.* 604.
Panz. Faun. Germ. 13. *t.* 14.

Long. corp. 1 lin.

Habitat ———

DESCR. Caput, thorax, antennæ et elytra flava, solis
elytrorum apicibus nigris. Abdomen totum atrum.
Faun. Suec.

47. STAPHYLINUS.

Antennæ moniliformes.

Elytra dimidiata, alas tegentia.

Corpus elongatum.

Cauda simplex, exserens vesiculas duas ob-
longas.

     * *Thorace ovato, posticè rotundato, capite paulò angus-
tiori sive subæquali.*

    ** *Thorace oblongo-elongato, capite petiolato angustiori.*

  *** *Thorace posticè dilatato, capite sessili latiore, abdomine conico.*

**** Cicindeloidei. *Scabri, thorace teretiusculo, capite
angustiori, oculis distantibus prominulis.*

---

    * *Thorace ovato, posticè rotundato, capite paulò angustiori
sive subæquali.*

hirtus.   1. St. hirsutus niger, thorace abdomineque posticè
flavis.

Linn. Syst. Nat. 683. 1. *Faun. Suec.* 839. *Vill.* i.
409. 1. *Gmel.* 2025. 1. *Fab. Syst. Ent.* 264. 1.
Sp. Ins. i. 334. 1. *Mant.* i. 219. 2. *Ent. Syst.* i. b.
519. 2. *Panz. Ent. Germ.* 351. 1. *Harr.* 410. *Payk.
Faun. Suec.* iii. 368. 1.

Panz. Faun. Germ. 4. *t.* 19. *Oliv.* iii. 42. 7. 2. *t.* 1.
f. 6. *Mart. Eng. Ent. t.* 42. *f.* 40.

Staphylinus Bombylius. *De Geer,* iv. 20. 5.

Le Staphylin bourdon. *Geoff.* i. 363. 7.

Long. corp. 10 lin.

Habitat ———

                            Dᴇsᴄʀ.

STAPHYLINUS.

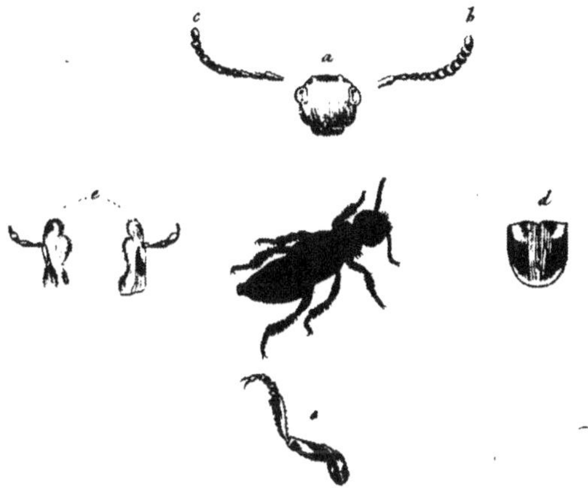

S. erytropterus.

Dsscr.   Magnitudo *Bombylii*; totus valdè hirsutus.
Caput nigrum.   Thorax flavus.   Elytra cinerea.   Abdomen anticè nigrum, posticè luteum.   Pedes nigri
etiam hirsuti.   *Faun. Suec.*

2. St. tomentosus niger unicolor.   *olens.*

Fab. Mant. i. 219. 4.   *Ent. Syst.* i. b. 520. 6.   *Vill.* i.
   424. 66.   *Payk. Faun. Suec.* iii. 371. 5.   *Monog.* 4.
   Gmel. 2026. 28.   *Faun. Fred.* 23. 228.   *Faun. Ingr.*
   356.   *Ent. Germ.* 352. 5.
Oliv. iii. 42. 9. 4. *t.* 1. *f.* 1. a—c.   *Mart. Eng. Ent.*
   t. 41. *f.* 21.
Staphylinus-major.   *De Geer*, iv. 18. 3.
Le Staphylin noir lisse.   *Geoff.* i. 360. 1. *t.* 7. *f.* 1.
Long. corp. 1 unc. 1 lin.
Habitat ————

Dsscr.   Linnæus hunc *Staphylinum maxillosum* pro-
vectiori ætate esse censuit; hoc De Geer perstrenuè
negat, et speciem esse distinctam affirmat : huic luben-
ter manus dare volumus; nam *St. olens* apud nos frequens, *maxillosus* autem rarior; e contra De Geer
maxillosum vulgarem in Sueciâ esse, *olentem* autem
rarissimum prædicat, adeo ut ne unum quidem cepisse
dolet.

3. St. niger immaculatus, capite thoraceque po- *similis.*
litis.

Payk. Monog. 5.   *Faun. Suec.* iii. 371. 6.
Long. corp. 6 lin.
Habitat ————

Dsscr.   Caput thorace latius, nigrum, nitidum.   Antennæ filiformes, capite duplò longiores.   Thorax
niger, nitidus, longitudine ferè capitis.   Elytra depressa,
nigra, opaca, thorace longiora.   Sternum nigrum.
Abdomen depressum, nigrum, opacum, elytris triplò
longius.

Obs. Magnitudo dimidia præcedentis, a quo etiam differt
capite thoraceque politis, abdomineque, respectu elytrorum, breviore. *Payk. Monog.*

concolor. 4. St. ater, thorace glabro marginato, elytris tomentosis.

Long. corp. 9 lin.

Habitat ————

Descr. Antennæ crassiusculæ, articulato-per foliaæ,
serratæ. Caput et thorax glabra, nitida. Thorax
punctulis rarioribus impressis. Elytra tomentosa,
minimè nitentia. Abdomen pilosum. Totum corpus
atrum, unicolor, exceptis tarsis anticis intùs fulvis.

maxillosus. 5. St. pubescens niger: fasciis cinereis, maxillis
longitudine capitis.

Linn. Syst. Nat. 603. 3. *Faun. Suec.* 841. *Vill.* i. 410. 3.
Schrank, 434. *Gmel.* 2026. 3. *Fab. Syst. Ent.* 265. 3.
Sp. Ins. i. 334. 3. *Mant.* i. 220. 5. *Ent. Syst.* i. b.
521. 9. *Faun. Fred.* 23. 222. *Faun. Ingr.* 357.
Poda, 48. 1. *Panz. Ent. Germ.* 353. 8. *Act. Nidros.*
iii. 403. 25. *Payk. Monog.* 2. *Faun. Suec.* iii. 369. 2.
Schæff. Icon. t. 20. *f.* 1. *Faun. Etrusc.* 607.
Hellw. 607.
Don. Brit. Ins. t. 96. *f.* 3. *Oliv.* iii. 42. 9. 5. *t.* 1. *f.* 5.
a. b. *Mart. Eng. Ent. t.* 29. *f.* 4. 5. *Panz. Faun.
Germ.* 27. *t.* 2.
Staphylinus balteatus. *De Geer,* iv. 18. 4. *t.* 1. *f.* 7. 8.
Staphylin nebuleux. *Geoff.* i. 362. 5.

Long. corp. 10 lin.

Habitat ————

Descr. Caput et thorax atra, glabra. Elytra atra (in
quibusdam cineritie lævi nebulosa) obtusa. Dorsum
abdominis caudæ concolor. Pedes nigri. Os duabus
maxillis arcuatis duris, acuminatissimis, simplicibus,
capite longioribus. *Faun. Suec.*

6. St.

6. St. ater, antennarum basi elytris pedibusque rufis. *erythro-*

Linn. Syst. Nat. 683. 4. *Faun. Suec.* 842. *Vill.* i. 411. 4.   *pterus.*
  Schrank, 435. *Gmel.* 2027. 4. *Fab. Syst. Ent.* 265. 5.
  Sp. Ins. i. 335. 5.   *Mant.* i. 220. 8. *Ent. Syst.* i. b.
  522. 14. *De Geer,* iv. 21. 6. *Faun. Fred.* 23. 223.
  Faun Ingr. 358. *Panz. Ent. Germ.* 353. 10. *Harr.* 411.
  Poda, 48. 1. *Act. Nidros.* iii. 404. 26. *Payk. Monog.* 3.
  Faun. Suec. iii. 369. 3. *Faun. Etrusc.* 609. *Hellw.* 609.
Panz. Faun. Germ. 27. *t.* 4. *Don. Brit. Ins. t.* 308.
  Mart. Eng. Ent. t. 40. *f.* 8. *Oliv.* iii. 42. 12 10.
  t. 2. *f.* 14. *Frisch.* v. *t.* 25. *Schæff. Icon. t.* 2. *f.* 2.
Le Staphylin à étuis couleur de rouille. *Geoff.* i. 364. 9.

Long. corp. 9 lin.

Habitat ———

DESCR. Caput et thorax nigra. Abdomen nigrum, micante puncto deaurato in singulo segmento utrinque.
   Elytra et pedes rufa. Antennæ nigræ, basi et apice
   rufescentes. *Faun. Suec.*

7. St. ater, antennis nigris, elytris pedibusque *stercorarius.*
   rufis, femoribus anticis basi nigris.

Oliv. iii. 42. 18. 18. *t.* 3. *f.* 23.

Long. corp. 5 lin.

Habitat ———

DESCR. In omnibus simillimus *St. erythroptero,* sed
   differt plusquam duplò minor; tum antennis totis nigris, femoribusque anticis basi nigris.
Variat antennis ferrugineis.

8. St. pubescens cinereus nigro-nebulosus.   *murinus.*

Linn. Syst. Nat. 683. 3. *Faun. Suec.* 840. *Vill.* i. 409. 2.
  Schrank, 433. *Gmel.* 2026. 2. *Fab. Syst. Ent.* 265. 2.
  Sp Ins. i. 334. 2.   *Mant.* i. 219. 3.   *Ent. Syst.* i. b.
  520. 4   *Faun. Fred.* 23. 221. *Faun. Ingr.* 354.
P nz. Ent. Germ. 352. 3. *Harr.* 415. *Preys. Boh.
Ins.* 18. 12. *Payk. Monog* 8. *Faun. Suec.* iii. 376. 12.
Faun. Etrusc. 608. *Hellw.* 608.

De Geer, iv. 12. 1. *t.* 1. *f.* 1. *Schæff. Icon. t.* 4. *f.* 11.
Panz. Faun. Germ. 66. *t.* 16. *Oliv.* iii. 42. 15. 14.
t. 6. *f.* 51. a. b. *Mart. Eng. Ent. t.* 41. *f.* 22.

Long. corp. 7 lin.

Habitat ————

DESCR. Insectum inter majores non maximos, nume-
randum est, oblongum, pubescens, cinereo-æneum,
maculis nigris, perlucentibus. Antennæ articulis 9.
Caput depressum. Os forcipatum. Thorax angustus.
Elytra brevia, capiti et thoraci concolora. Abdomen
fuscum, maculis nigris. Cauda duabus setis villosis;
abdomine presso, exeunt ad caudam duo cornicula
mollia, recurva, alba, pellucida. *Faun. Suec.*

hybridus. 9. St. fulvo-aureo-pubescens nigro-nebulosus, abdomine apice nigro, femoribus annulo flavo.

Long. corp. 6½ lin.

Habitat ———— Captus Octobre medio 1799.
D. Kirby.

DESCR. Intermedius inter *St. murinum* et *St. pubes-
centem,* sed utroque major. Caput thorace majus,
pilis fulvo-aureis pubescens, punctis quatuor nigricantibus notatum; ore palpisque rufescentibus. Antennæ
capite longiores, nigræ, basi rufæ. Nucha fulvo-aurea,
puncto nigro utrinque. Thorax pilis fulvo-aureis
pubescens, nigro-tessellatus. Scutellum maculâ cordatâ
velutino-atrâ. Elytra certo situ aureo-pubescentia,
nigro-nebulosa. Abdomen basi aureo-pubescens, nigro-
tessellatum, ano atro. Venter fasciis quatuor sericeo-
pallidis. Femora omnia tibiæque anticæ annulo flavo
apud apicem.

pubescens. 10. St. niger nebulosus, capite femoribusque annulo flavo-ferrugineo, abdomine obtuso.

Fab. Ent. Syst. i. b. 520. 5. *Gmel.* 2034. 79. *De Geer,*
iv. 17. 2. *Payk. Monog.* 9. *Faun. Suec.* iii. 376. 13.
Faun. Ingr. 355. *Panz. Ent. Germ.* 352. 4.
Oliv. iii. 42. 16. 15. *t.* 2. *f.* 15.
Le Staphylin à tête jaune. *Geoff.* i. 363. 8.

Long.

Long. corp. 6 lin.

Habitat ——————

Dɛscr. Caput flavo-lanuginosum, latitudine thoracis.
Palpi maxillæque nigræ. Antennæ capite duplò longiores, extrorsùm crassiores, basi flavæ, apice nigricantes.
Thorax capite longior, anticè truncatus, posticè rotundatus, niger, lanugine brevissimâ ferrugineâ, parciùs
tessellatus. Elytra thorace longiora, nigra, maculis
paucioribus, lanuginosis, ferrugineis. Abdomen obtusum, elytris vix duplò longius, dorso nigro, ferrugineo,
parùm lanuginoso, subtùs nigrum, lanugine densâ,
cinereâ, certo situ micante, tectum. Pedes fusci, annulo femorali ferrugineo. *Payk. Monog.*

11. St. ater opacus, thorace elytrisque cærules- *cyaneus.*
centibus.

Fab. Ent. Syst. i. b. 521. 11. *Payk. Monog.* 7. *Faun.*
Suec. iii. 370. 4.
Oliv. iii. 42. 14. 13. *t. 1. f.* 4. *Panz. Faun. Germ.* 27. *t.* 3.
Le Staphylin bleu. *Geoff.* i. 361. 2.

Long. corp. 10 lin.

Habitat ——————

Dɛscr. Caput thorace latius et thorax lævia, cærules-
centia. Corpus atrum. *Ent. Syst.*

12. St. niger nitidus, capite thoraceque punctu-*punctulatus.*
latissimis, antennis apice ferrugineis.

Payk. Monog. 22. *Faun. Suec.* iii. 380. 17.
Mart. Eng. Ent. t. 42. *f.* 27.

Long. corp. 6¾ lin.

Habitat —————— Captus prope Harwich.

Dɛscr. Hic etiam oculo nudo *St. politum* refert. Sed
caput et thorax, punctulis numerosissimis ornata, errorem vel a tyronibus arceant. Plantæ sub-ferrugineæ.

2 K 3　　　　　13. St.

brunnipes.   13. St. niger, pedibus antennarum basi apiceque ferrugineis.

Fab. Sp. Ins. i. 336. 8.   *Mant.* i. 220. 12.   *Ent. Syst.* i. b. 524. 23.   *Vill.* i. 419. 27.   *Gmel.* 2028. 33. *Oliv.* iii. 42. 13. 11. *t.* 1. *f.* 7.   *Mart. Eng. Ent. t.* 41. *f.* 15.

Long. corp. 6½ lin.

Habitat ——————

DESCR. Antennæ nigræ, articulo primo et ultimis duobus ferrugineis. Caput et thorax atra, nitida, oculis albis. Elytra et abdomen atra, at obscuriora. Pedes rufi. *Sp. Ins.*

rufus.   14. St. rufus, capite elytrorum abdominisque posticis nigris, femoribus basi nigris.

Linn. Syst. Nat. 684. 6.   *Faun. Suec.* 844.   *Vill.* i. 412. 6.   *Schrank,* 438.   *Scop.* 307.   *Faun. Ingr.* 367. *Harr.* 416.   *Poda,* 49. 4.   *Gmel.* 2037. 6.   *Payk. Monog.* 10. *De Geer,* iv. 24. 10. *t.* 1. *f.* 11. 12.   *Schæff. Icon. t.* 85. *f.* 3.   *Mart. Eng. Ent. t.* 41. *f.* 25. Le Staphylin jaune à tête, étuis et anus noir.   *Geoff.* i. 370. 22. Oxyporus rufus.   *Fab. Syst. Ent.* 267. 1.   *Sp. Ins.* i. 338. 1.   *Mant.* i. 222. i.   *Ent. Syst.* i. b. 531. 1. *Panz. Ent. Germ.* 359. 1.   *Payk. Faun. Suec.* iii. 425. 1.   *Faun. Etrusc.* 624.   *Hellw.* 624. *Panz. Faun. Germ.* 16. *t.* 19.   *Oliv.* iii. 43. 4. 1. *t.* 1. *f.* 1. a—d.

Long. corp. 4 lin.

Habitat in *Agaricis.*   *D. Lathbury.*

DESCR. Rufa sunt thorax, pedes, abdomen maximâ ex parte, et elytra anticè; nigra vero os, caput, elytra pone et in medio ad suturam, nec non abdominis tria ultima segmenta. Antennæ ferè clavatæ. *Faun. Suec.*

15. St.

15. St. niger obscurus, antennarum basi apiceque *compressus.*
pedibusque compressis rufescentibus.

I ong. corp. 7 lin.

Habitat ———— Captus prope Hastingas.

DESCR. Affinis *St. obscuro*, sed articuli duo baseos
antennarum, duoque apicis ferruginei, sive rufescentes;
intermedii nigri. Pedes rufescentes, femoribus compressis dilatatis. Punctula capitis thoracisque multò
minora confertioraque quàm in *St. obscuro.*

16. St. ater, thorace nitido punctato, elytris anoque *fulgidus.*
rufescentibus.

Payk. Monog. 14. *Faun. Suec.* iii. 377. 14. *Panz. Ent.*
Germ. 354. 17.
Oliv. iii. 42. 18. 19. *t.* 4. *f.* 34. a—d.

Long. corp. 3¼ lin.

Habitat ————•

DESCR. Antennæ extrorsùm crassiores, piceæ, sive ob-
scuriùs rufescentes. Caput et thorax nigra. Thorax
nitens, punctis aliquot impressis. Elytra rufo-ferruginea.
Abdomen atrum, ano elytris concolori. Pedes obscurè
rufescentes, femora autem paulùm dilutiora. Totum
corpus pilis aliquot longiusculis conspersum.

17. St. rufus, elytris cæruleis, capite abdominis- *riparius.*
que apice nigris.

Linn. Syst. Nat. 684. 8. *Faun. Suec.* 846. *Vill.* i. 413. 8.
Schrank, 441. *Payk. Monog.* 19. *Harr.* 417. *Gmel.*
2038. 9.
Donov. Brit. Ins. t. 167. *Mart. Eng. Ent. t.* 41. *f.* 23.
Schæff. Icon. t. 71. *f.* 3.
De Geer, iv. 28. 14. *t.* 1. *f.* 18.
Staphylinus gregarius. *Scop.* 308.
Le Staphylin rouge à tête noir et étuis bleus. *Geoff.* i.
369. 21.
Pæderus riparius. *Fab. Syst. Ent.* 268. 1. *Sp. Ins.* i.
339. 1. *Mant.* i. 223. 1. *Ent. Syst.* i. b. 536. 1.
Panz. Ent. Germ. 362. 1. *Faun. Ingr.* 373. *Payk.*

Faun. Suec. iii. 427. 2.   *Faun. Etrusc.* 626.   *Hellw.*
626.
Panz. Faun. Germ. 9. *t.* 11. *Oliv.* iii. 44. 4. 2. *t.* 1. *f.* 2. a—d.
Long. corp. 4 lin.

Habitat ———

DESCR. Totus incarnatus, sed caput et abdominis tria
quatuorve ultima segmenta atra.   Elytra tota cærulea.
Femora incarnata, geniculis nigris.   Antennæ articulis
undecim ovalibus, caput versus angustis, excepto ultimo
extrorsùm angustato; sunt etiam antennæ pallidæ,
apice nigræ.   Maxillæ acutæ, denticulo laterali interno.
Faun. Suec.

politus.   18. St. niger, thorace elytrisque nigricantibus nitidis.

Linn. Syst. Nat. 683. 5.   *Faun. Suec.* 843.   *Scop.* 304.
Vill. i. 412. 5.   *Schr nk*, 437.   *Fab. Syst. Ent.* 266. 7.
Sp. Ins. i. 335. 7.   *Mant.* i. 220 11.   *Ent. Syst.* i. b.
524. 20.   *Gmel.* 2028. 5.   *De Geer*, iv. 22. 7.   *Faun.*
Fred. 23. 224.   *Faun. Ingr.* 360.   *Poda*, 49. 3.   *Act.*
Nidros. iii. 404. 27.   *Panz. Ent. Germ.* 354. 14.
Payk. Monog. 31.   *Faun. Suec.* iii. 391. 31.   *Faun.*
Etrusc. 606.   *Hellw.* 606.
Panz. Faun. Germ. 27. *t.* 7.   *Oliv.* iii. 42. 25. 31.
t. 2. *f.* 10.
Le petit Staphylin noir.   *Geoff.* i. 361. 3.
Long. corp. 4 lin.

Habitat ———

DESCR. Caput et thorax polita.   Elytra punctis minutissimis adspersa.   Antennæ undecim articulis.
Variat colore thoracis et elytrorum: in aliis thorax æneus,
et elytra atro-cærulea: in aliis thorax ater, nitidus, et
elytra atra.
Differentia specifica essentialis consistit in thorace decem
punctis excavatis, sed vix absque lente conspiciendis.
Faun. Suec.

dilatatus.   19. St. niger nitidus, antennis tibiis plantisque
ferrugineis, tarsis anticis dilatatis,

                                                      Fab.

Fab. Ent. Syst. i. b. 522. 22 ? *Panz. Ent. Germ.* 353. 9?
Long. corp. 4—6½ lin.
Habitat ————

DESCR. Plerique auctores de varietatibus *St. politi*, verba
fecerunt, re verâ, duas species confundentis. *St. politus*
scilicet antennis nigris, tarsis anticis sub simplicibus.
At *St. dilatatus* antennis, tibiis plantisque ferrugineis.
Ex his, tum præcipuè ex anticis tarsis dilatatis, species
facillimè eruatur. Fatendum sanè quod habet omnia
ferè ut in *St. polito*, et quod adeo similis ut vix nisi oculo
aut armato aut per se acutissimo dijudicandus. Thorax
punctulis impressis pluribus quam decem nec viginti.
Antennæ laxiores, tenuiores, quam in *S. polito*; nec articulis adeo arctè connexis aut truncatis.

20. St. ater pilosus, elytris punctulatissimis to- *simplex.*
mentosis, capite thoraceque glaberrimis, pedibus
piceis.

Long. corp. 2½ lin.
Habitat ————

DESCR. Antennæ nigræ. Caput et thorax atra, glaberrima, nitida. Thorax punctis circiter 16 impressis.
Elytra nitidiuscula, punctulatissima; ex omni punctulo
pilus brevissimus enascitur, unde elytra tomentosa, ut
in plurimis accidit. Abdomen nigrum, pilosum. Pedes
picei. Ne cum *St. dilatato* confundas, in hoc tarsi
antici non dilatati; tum antennæ nigræ, nec ferrugineæ.

21 St. niger nitidus, elytris suturâ margineque *marginel-*
postico ferrugineis: striis tribus punctorum im- *lus.*
pressorum.

Fab. Sp. Ins. i. 337. 20. *Mant.* i. 221. 27. *Vill.* i.
420. 34. *Gmel.* 2030. 43.
Staphylinus cinctus. *Payk. Monog. Carabi. App.* 35.
Faun. Suec. iii. 395. 36.
Long. corp. 4 lin.
Habitat ————

DESCR.

DESCR. Antennæ filiformes. Totum corpus, præter suturam et marginem posticum elytrorum quæ ferruginea, nigrum est. Caput et thorax nitida, punctulis aliquot impressis. Elytra tres punctulorum impressorum series gerunt ; quarum unà ad suturam, duæ aliæ in medio sitæ sunt. Pedes nigri.

leucopus.   22. St. niger lævis, plantis pallidis.

Long. corp. $1\frac{1}{3}$ lin.

Habitat ———— Captus propter fluvium Usk prope Llangallock.

DESCR. Nec thorax nec elytra punctata. Corpus præcipuè opacum admodùm. Plantæ solummodò pallidæ.

piceus.   23. St. niger, elytris piceis, thorace depresso : striis tribus longitudinalibus.

Linn. Syst. Nat. 686. 25.   *Vill.* i. 418. 25.   *Gmel.* 2031. 25.   *Fab. Syst. Ent.* 267. 20.   *Sp. Ins.* i. 338. 25.   *Mant.* i. 220. 35.   *Ent. Syst.* i. b. 530. 55. *Panz. Ent. Germ.* 358. 44.   *Payk. Monog.* 12.   *Faun. Suec.* iii. 384. 22.
Panz. Faun. Germ. 27. *t.* 14.   *Oliv.* iii. 42. 20. 23. *t.* 3. *f.* 30. a. b.

Long. corp. 2 lin.

Habitat in stercore bovino.

DESCR. Corpus nigrum. Thorax subrotundus, planus, depressus, in medio striis tribus. Elytra brevissima, truncata, picea. Antennæ longitudine thoracis, obtusæ. Pedes pallidi. *Syst. Nat.*

rugosus.   24. St. niger, thorace elytrisque rugosis.

Fab. Syst. Ent. 267. 19.   *Sp. Ins.* i. 338. 24.   *Mant.* i. 220. 34.   *Ent. Syst.* i. b. 530. 54.   *Panz. Ent. Germ.* 358. 43.   *Vill.* i. 420. 35.   *Payk. Monog.* 12. var. ß. *Faun. Suec.* iii. 384. 22. var. ß.   *Gmel.* 2031. 47.

Long. corp. $2\frac{1}{2}$ lin.

Habitat ————

DESCR.

Descr.   Valdè affinis *St. piceo*, at paulò major.   Totus niger.   Caput planum.   Thorax depressus, longitudinaliter rugosus.   Elytra rugosa, nigra.   Pedes nigri. *Variat* elytris testaceis. *Syst. Ent.*

25. St. rufo-flavus, capite abdominisque cingulo *canalicula-* ante apicem nigris, thorace posticè canaliculato.   *tus.*

Fab. Mant. i. 221. 29.   *Ent. Syst.* i. b. 528. 42.   *Gmel.* 2030. 44.   *Payk. Monog.* 23.   *Faun. Suec.* iii. 385. 23. *Panz. Ent. Germ.* 356. 32. *Panz. Faun. Germ.* 27. *t.* 13.   *Oliv.* iii. 42. 21. 25. *t.* 3. *f.* 31. a. b.

Long. corp. 2 lin.

Habitat ————

Descr.   Caput atrum, antennis basi flavis.   Thorax gibbus, canaliculatus, immaculatus.   Abdomen planum, flavum, ante apicem cingulo atro.   Pedes flavi. *Fab. Mant.*

26. St. niger glaber, thorace longitudinaliter uni- *trilobus.* sulcato.

Oliv. iii. 42. 20. 22. *t.* 5. *f.* 48. a. b.

Long. corp. 1½ lin.

Habitat ————

Descr.   Caput vix thorace latius, nigrum.   Antennæ fuscescentes, extrorsùm crassiores, capite thoraceque longiores.   Thorax niger, cordatus, per totam longitudinem profundè sulcatus.   Elytra thoracis longitudine, sed latiora, nigra, convexa.   Sternum nigrum. Abdomen nigrum, longitudine dimidii corporis.   Pedes fusci, interdum minùs, interdum magis flavescentes. *Payk. Monog.*

27. St. niger, thorace cordato profundè sulcato, *sulcatus.* pedibus flavescentibus.

Payk. Monog. 24.   *Faun. Suec.* iii. 385. 24. *Oliv.* iii. 42. 23. 27. *t.* 6. *f.* 52. a. b.

Long.

Long. corp. 1 lin.

Habitat ————

Descr. Antennæ fuscæ. Thorax cordatus, in medio
profundè sulcatus. Corpus elongatum. Pedes flavescentes.

morsitans. 28. St. niger lævis, thorace longitudinaliter uni-
sulcato elytrorum latitudine.

Payk. Monog. Cur. App. 145. 23—24. *Faun. Suec.* iii.
383. 21.

Long. corp. 2 lin.

Habitat ————

Descr. Caput magnum, nigrum, thorace paulò latius. Maxillæ validæ, exsertæ. Antennæ capite thoraceque breviores. Oculi magni, prominuli. Frons
rugosa. Thorax niger, longitudine latior, anticè transversus, posticè paulò rotundatus, minimè vero subcordatus, convexus, glaber, sulculo unico longitudinali,
impresso. Elytra nigro-fusca, thoracis latitudine sed
paulò breviora, posticè rotundata, dehiscentia, parùm
convexa; oculo acutè armato subtilissimè punctata
apparent. Sternum nigrum. Abdomen nigrum, vix
dimidii corporis longitudine. Pedes nigri, rariùs rufi,
vel flavescentes.

Obs. Differt a *St. sulcato* magnitudine triplò majore, antennis brevioribus, et thorace, ratione magnitudinis,
latiore. *Payk. Monog. Cur. App.*

sericeus. 29. St. fusco-æneus tomentosus nitidus, antennis
tibiis plantisque rufescentibus.

Long. corp. 7 lin.

Habitat ——— Captus cum jam percurrebat mu-
rum antiquum, Ealing.

Descr. Antennæ et palpi ferruginei. Totum corpus
suprà fusco-æneum, nitidum et tomentosum, quin
etiam caput, præcipuè ad os, èt thorax pilis longioribus rarioribus ad latera obsitus. Thorax punctulorum
impres-

impressorum serie duplici in medio, aliisque præsertìm
marginalibus, ornatur. Elytra punctulis quinque impressis gaudent; tribus marginalibus, unico medio ad
basin, altero medio apicem versus. Tibiæ, plantæ,
elytrorum sutura marginesque rufescentes. Corpus
subtùs et femora nigra.

30. St. niger, elytris brevissimis, margine pedi- *limbatus.*
busque rufescentibus.

Payk. Monog. Staph. 39. *Faun. Suec.* iii. 399. 41.

Long. corp. 2½ lin.

Habitat ————

DESCR. Caput thorace angustius, nigrum. Antennæ
capite thoraceque paulò longiores, basi apiceque rufescentes, extrorsùm crassiores, primo ultimoque articulo reliquis longioribus. Thorax fusco-nigrescens,
nitidus, convexus, longitudine latior; anticè angula-
tus, posticè rotundatus. Sternum rufescens. Elytra
nigra, margine, præsertìm anteriore, rufo-fuscescente;
seu rufo-fuscescentia, maculâ magnâ subquadratâ nigrâ.
Abdomen reliquo corpore longius, dorso nigro, plano,
marginato; subtùs convexum, rufescens. Pedes rufi.
Payk. Monog.
Variat abdomine subtùs nigro-fusco.

31. St. niger, antennis pedibus elytrorum margi- *suturalis.*
nibus suturâque ferrugineis.

Long. corp. 2¼ lin.

Habitat ————

DESCR. Antennæ filiformes, ferrugineæ. Caput et
thorax nigra, nitida. Thorax punctulis aliquot impressis. Elytra sub lente punctulatissima, nigra, sive
nigro-picea, margine exteriori et suturâ ferrugineis.
Abdomen nigrum, sive nigro-piceum. Pedes ferruginei.
Obs. Caput et thorax nitida. Elytra et abdomen suprà
nitidiuscula.

32. St.

mesomeli-
nus.

32. St. oblongus ater nitidus, elytris piceis.

Long. corp. 3 lin.

Habitat ————

DESCR. Antennæ nigræ, filiformes. Caput et thorax nitida. Thorax punctis aliquot impressis. Elytra punctulatissima, picea, sive obscurè ferruginea. Abdomen et pedes atra.

divisus.

33. St. niger obscurus, thorace lineâ mediâ impressâ, elytris pedibusque testaceis.

Long. corp. 2 lin.

Habitat ————

DESCR. Antennæ subfiliformes, nigræ, basi testaceæ. Caput et thorax nigra, obscura. Thorax lineolâ mediâ longitudinali impressâ. Elytra, pedes, palpi testacea. Elytra obscura. Abdomen suprà et totum corpus infrà nigrum, nitidum.

concinnus.

34. St. niger nitidiusculus, antennis ore elytris pedibusque ferrugineis.

Long. corp. 2 lin.

Habitat ————

DESCR. Antennæ filiformes, ferrugineæ, breves. Caput et thorax nigra, nitidiuscula. Os, elytra et pedes ferruginei. Abdomen nigrum, nitidiusculum.
Variat elytris basi et apice fuscescentibus.

brachy-
pterus.

35. St. niger, thorace depresso anticè truncato posticè rotundato rugoso, elytris brevioribus pedibusque ferrugineis.

Long. corp. 2 lin.

Habitat ————

DESCR. Antennæ subfiliformes, nigræ. Caput nigrum, depressum, subquadratum. Thorax depressus, sulcis longitudinalibus obsoletiusculis rugosus. Palpi, elytra
et

et pedes rufo-ferruginea. Elytra valdè brevia, et sub lente punctulatissima. Abdomen nigrum.

36. St. totus ferrugineus nitidus, oculis solùm ni- *minutus.* gris.

Long. corp. vix 1 lin. æquat.

Habitat ————

Descr. Hoc animalculum omninò ferrugineum est, præterquam oculi qui nigri sunt. Antennæ sub-clavatæ.

37. St. glaber æneo-viridis nitidus, abdomine pe- *æneus.* dibusque nigris.

Gmel. 2034. 81. *De Geer*, iv. 23. 9. *Vill.* i. 423. 59. Le Staphylin à étuis bronzés. *Geoff.* i. 367. 17.

Long. corp. 4 lin. .

Habitat ————

Descr. Caput, thorax et elytra ænea, nitida. Antennæ, pedes et abdomen nigra.

38. St. ater nitidus, elytris testaceis. *nitidus.*

Fab. Mant. i. 220. 13. *Ent. Syst.* i. b. 524. 24. *Payk. Monog.* 30. *Faun. Suec.* iii. 390. 30. *Faun. Ingr.* 361. *Panz. Ent. Germ.* 354. 16.

Long. corp. 3 lin.

Habitat ————

Descr. Corpus totum atrum, nitidum, solis elytris testaceis. *Fab. Mant.*

39. St. pubescens nigro-piceus, oculis albis. *leucoph-* *thalmus.*

Long. corp. 7 lin.

Habitat ———— In mus. *D. Kirby.*

Descr. Antennæ rufo-fuscæ. Caput nigro-piceum, punctulatissimum. Oculi albi. Thorax, elytra et abdomen

domen nigro-picea, punctata, pilis cinereis obtecta.
Abdomen segmentis singulis utrinque punctis duobus
impressis.

marginatus.

40. St. ater, thoracis lateribus pedibusque rufis.

Fab. Syst. Ent. 266. 8.   *Sp. Ins.* i. 336. 9.   *Mant.* i.
22'. 15.   *Ent. Syst.* i. b. 526. 30.   *Payk. Monog.* 32.
Faun. Suec. iii. 392. 32.   *Panz. Ent. Germ.* 355. 21.
Faun. Fred. 23. 230. *Vill.* i. 419. 28. *Gmel.* 2028. 36.
Oliv. iii. 42. 26. 33. *t.* 3. *f.* 29. a. b.

Long. corp. 3½ lin.

Habitat ———

DESCR. Totus ater, glaber, nitens, at thoracis latera
et pedes omnes flavescunt. *Fab. Syst. Ent.*

semiobscurus.

41. St. ater, capite thoraceque nitidis, elytris obscuris piceis, antennis pedibusque rufo-ferrugineis.

Long. corp. 3¼ lin.

Habitat ———

DESCR. Caput et thorax atra, nitida. Thorax posticè
rotundatus, punctis aliquot impressis, ut in *St. polito.*
Elytra picea, obscura. Abdomen nigrum, obscuriusculum. Antennæ subfiliformes, tenues, ferrugineæ.
Pedes una cum patellis, quæ admodum magnæ sunt, ex
rufo-ferruginei. Abdomen subtùs nigro-piceum.

rufitarsis.

42. St. ater, capite thoraceque nitidis, abdomine
obscuriusculo, elytris plantisque ferrugineis.

Long. corp. 3 lin.

Habitat ———

DESCR. Antennæ nigræ. Caput et thorax atra, nitida.
Thorax punctis aliquot impressis, ut in *St. polito.* Elytra ferruginea, sub lente punctulatissima apparent. Pedes nigri, plantis ferrugineis.

43. St.

43. St. niger, thorace depresso sulcato-rugoso *rivularis.*
   posticè truncato, elytris longioribus, pedibus
   rufo-brunneis.

Payk. Monog. Staph. 45.   *Faun. Suec.* iii. 407. 50.
   Panz. Ent. Germ. 356. 37.
Panz. Faun. Germ. 27. *t.* 15.   *Oliv.* iii. 42. 35. 49. *t.* 3.
   f. 27. a. b.

Long. corp. 2 lin.

Habitat ――――

Descr. Caput nigrum, thorace angustius, depressum.
   Oculi prominuli. Antennæ extrorsùm crassiores, vix
   capitis thoracisque longitudine, basi rufæ, apice nigræ.
   Thorax niger, longitudine latior, quadrisulcatus: sulcis
   exterioribus marginalibus; anticè rotundatus; posticè
   truncatus; intra sulcos medios interdum anticè sulculi
   minores. Sternum nigrum. Elytra depressa, obscurè
   picea, subtilissimè punctata, capite thoraceque ferè
   longiora. Abdomen obtusum, depressum, nigrum,
   vix capitis thoracisque longitudine. Pedes rufo-brun-
   nei. *Payk. Monog.*

44. St. ater nitidus, femoribus anticis testaceis.   *aterrimus.*
Long. corp. 3¾ lin.

Habitat ――――

Descr. Thorax politus, punctulorum impressorum
   serie duplici in medio aliisque marginalibus ornatur.
   Totum corpus pilosum, et sub lente villosum. Totum
   animal atrum, præter femora anteriora quæ testacea
   sunt.

45. St. niger, elytris rufis, thorace depresso: striis *laqueatus.*
   tribus longitudinalibus, pedibus rufis.

Long. corp. 3 lin.

Habitat ――――   In mus. *D. Kirby.*

Descr. Simillimus *St. piceo* sed angustior. Elytra,
   antennæ et pedes rufa. Corpus nigrum.

diaphanus. 46. St. ater nitidus elongatus, elytris testaceis, antennis pedibusque rufis.

Long. corp. 2½ lin.

Habitat ————

DESCR. Antennæ rufæ. Corpus totum atrum, nitidum. Caput et thorax punctulata. Elytra diaphana, testacea. Pedes rufi.

fasciatus. 47. St. rufus, capite thorace abdominisque fasciâ nigris.

Long. corp. 1¼ lin.

Habitat in *Boleto.*

DESCR. Antennæ rufo-fuscæ, basi rufæ. Caput et thorax nigra, nitida. Elytra rufa, nitida. Abdomen rufum, fasciâ nigrâ prope anum. Pedes rufi.

sordidus. 48. St. niger nitidus, elytris pedibusque testaceis.

Long. corp. 2 lin.

Habitat in *Boleto.*

DESCR. Antennæ fuscæ. Caput et thorax nigro-fusca. Elytra sordidè testacea. Abdomen nigrum. Pedes testacei.

fuscus. 49. St. fuscus opacus, pedibus piceis.

Long. corp. 1¼ lin.

Habitat in *Boleto.*

DESCR. Corpus totum antennæ etiam fuscæ. Caput, thorax et elytra pilis brevissimis obtecta. Pedes picei.

obscurus. 50. St. ater, elytris obscuris, capite thoraceque punctulatissimis, plantis antennarumque apice ferrugineis.

Long. corp. 7 lin.

Habitat ———— Captus sub lapidibus prope Hastingas.

DESCR.

Descr. Antennarum articuli duo postremi ferruginei.
Plantæ rufescentes, sive ferrugineæ. Cætera ater.
Elytra obscura. Caput et thorax nitidiuscula, non ni-
tida.

51. St. testaceus, capite nigro.   *nigriceps.*

Long. corp. 2 lin.

Habitat ———

Descr. Caput nigrum. Antennæ, thorax, elytra pedesque testacea. Abdomen testaceum, at non omninò,
quippe segmentum penultimum, et antepenultimum
sæpè, nigrescunt. Corpus obscurum, nec nitidum.

** *Thorace oblongo-elongato, capite petiolato angustiori.*

52. St. niger, elytris posticè pedibus antennisque *elongatus.*
ferrugineis.

Linn. Syst. Nat. 685. 14.   *Payk. Monog.* 17.   *Vill.* i.
415. 14.   *Schrank,* 439.
Mart. Eng. Ent. t. 40. *f.* 1.
Pæderus elongatus. *Fab. Syst. Ent.* 268. 2.   *Sp. Ins.* i.
339. 3.   *Mant.* i. 223. 3.   *Ent. Syst.* i. b. 537. 3.
Faun. Ingr. 374.   *Panz. Ent. Germ.* 362. 4.
Panz. Faun. Germ. 9. *t.* 12.

Long. corp. 4 lin.

Habitat in stercore.

Descr. Oblongus, glaber. Elytra testacea, anticè tantùm nigra. *Syst. Nat.*
Obs. Elytra posticè obscurè rufa, nec testacea. Thorax
et elytra sub lente punctulis numerosissimis confertis.
Tum femora antica valido nec tenui dente unico, nec
inermia.

53. St. ater glaber, pedibus rufis, femoribus an- *dentatus.*
ticis dentatis.

Long. corp. 4 lin.

Habitat ——— Captus sub lapidibus, in ascensu
montis prope Crickhowell.

Descr.   Affinis maximè *St. elongato,* a quo differt elytris nigris, nec posticè rufis.
An sexûs differentia ?   An species distincta ?

linearis.   54. St. ater elongatus nitidus, capite thoraceque
punctulatis elongatis, antennis pedibusque pi-
ceis.

Oliv. iii. 42. 19. 21. *t.* 4. *f.* 38. a. b.

Long. corp. 3 lin.

Habitat ———

Descr.   Corpus elongatum, lineare.   Antennæ piceæ,
sive nigro-ferrugineæ.   Caput oblongum, punctulis
aliquot impressis.   Thorax quoque parùm elongatus,
punctulis plurimis impressis.   Pedes picei, sive nigro-
ferruginei.   Totum corpus suprà nitidum.   Caput et
thorax pilis aliquot longis sed rarioribus obsita.

tricolor.   55. St. elongatus niger, elytris pedibusque rufis,
thorace anticè rubro.

Fab. Mant. i. 221. 30.   *Payk. Monog.* 15.   *Faun.*
Suec. iii. 378. 15.   *Gmel.* 2030. 45.
Pæderus tricolor. *Fab. Ent. Syst.* i. b. 537. 7.

Long. corp. 2 lin.

Habitat in fimetis. *Payk.*

Descr.   Caput oblongum, nigrum, nitidum, punctulatum, thoracis latitudine.   Antennæ vix extrorsùm
crassiores, capite longiores.   Thorax capite paulò brevior, nitidus, anticè truncatus, ruber; posticè subat-
tenuatus, rotundatus, niger.   Elytra rufa, longitudine
thoracis.   Sternum rufescens.   Alæ rufescentes.   Abdomen dorso nigrum, summo apice subtùsque rufescens, elytris triplo longius.   Pedes rufi. *Payk. Monog.*

cruentatus. 56. St. elongatus ater, elytris sanguineis, thorace
punctulato.

Long. corp. 4½ lin.

Habitat ——— Captus prope Harwich.

Descr.

Descr. Totum corpus nitidum, et, præter elytra sanguinea, atrum. Elytra punctulis impressis, præcipuè
ad latera, sparsis. Thorax quatuor seriebus punctulorum impressorum; duæ exteriores propter latera du-
cuntur, et ad basin deflectuntur. Abdomen pilosum,
pilis tenuibus divergentibus.

57. St. elongatus rufo-fuscus nitidus, subtùs di- *affinis.*
lutior, palpis filiformibus.

Payk. Monog. 16.
An Staphylinus elegans? *Oliv.* iii. 42. 19. 20. *t.* 5.
f. 50. a. b.

Long. corp. 4 lin.

Habitat ———

Descr. Caput latitudine thoracis, elongatum, declive
subpilosum. Oculi nigri, minuti. Nucha magis nigricans, subtùs magìs rufescens. Antennæ capite longiores, extrorsùm pauló crassiores, rufescentes. Palpi
filiformes. Thorax rufo-fuscus, nitidus, subtùs dilu-
tior, convexus, immarginatus, posticè rotundatus, vix
capite longior. Elytra rufo-fuscescentia, inangulata,
longitudine et latitudine thoracis. Sternum rufum.
Abdomen cylindricum, dorso rufo fuscum; subtùs di-
lutius, longitudine ferè dimidii corporis, latitudine
thoracis. Pedes breves, rufi. *Payk. Monog.*

58. St. totus niger lævis, nuchâ longâ, pedibus *quadratus.*
sordidè piceis.

Payk. Monog. 21.
Pæderus filiformis. *Payk. Faun. Suec.* iii. 429. 4. *Fab.*
Ent. Syst. i. b. 538. 8.

Long. corp. 3 lin.

Habitat in fimetis.

Descr. Caput latitudine thoracis, nigrum, pilis rarioribus. Antennæ filiformes, articulis subæqualibus,
longitudine dimidii corporis. Palpi anteriores clavati;
posteriores filiformes. Thorax quadratus, angulis obtusis, niger, nitidus, elytrorum ferè magnitudine.

Elytra nigra, subquadrata. Sternum nigrum. Abdomen nigrum, longitudine thoracis elytrorumque setis longioribus. Femora et tibiæ nigra; tarsi fuscescentes. *Payk. Monog.*

*** *Thorace posticè dilatato, capite sessili latiore, abdomine conico.*

subterraneus. 59. St. niger, elytris anticè extrorsùm flavis, pedibus nigris.

Linn. Syst. Nat. 684. 12. *Faun. Suec.* 849. *Vill.* i. 414. 12. *Gmel.* 2028. 12. *Payk. Monog.* 52. *Faun. Suec.* iii. 420. 66. *Faun. Etrusc.* 617. *Hellw.* 617.
Oxyporus subterraneus. *Fab. Ent. Syst.* i. b. 532. 4.

Long. corp. $2\frac{1}{2}$ lin.

Habitat sæpiùs in cellis subterraneis. *Linn.*

Descr. Corpus atrum, nitidum. Antennæ filiformes, corpore dimidio breviores. Elytra nigra, truncata, a medietate anteriore, sed latere exteriore, maculâ magnâ flavescente. Thorax lævis, convexus. Abdomen glabrum, elytris duplò longius, apice setis duabus parvis subulatis. *Faun. Suec.*

rufipes. 60. St. ater glaber, pedibus rufis.

Linn. Syst. Nat. 685. 24. *Faun. Suec.* 858. *Vill.* i. 418. 24. *Gmel.* 2030. 24. *Fab. Syst. Ent.* 267. 17. *Sp. Ins.* i. 337. 22. *Mant.* i. 222. 31. *Faun. Fred.* 23. 227. *Faun. Ingr.* 372. *Payk. Monog.* 53. *Faun. Suec.* iii. 418. 65. *Act. Nidros.* iii. 405. 29. *Faun. Etrusc.* 618. *Hellw.* 618.
De Geer, iv. 24. 11. *t.* 1. *f.* 14. *Oliv.* iii. 42. 32. 46. *t.* 4. *f.* 35. a——d.
Le Staphylin noir à corcelet lisse et bordé. *Geoff.* i. 367. 15.
Oxyporus rufipes. *Fab. Ent. Syst.* i. b. 535. 21. *Panz. Ent. Germ.* 361. 16.
Panz. Faun. Germ. 27. *t.* 20.

Long. corp. $2\frac{1}{2}$ lin.

Habitat ————

Descr.

DESCR. Totus ater, glaber, exceptis pedibus rufis.
Nec thorax, nec elytra punctata. Os flavescens, Caput
et antennæ nigræ. Abdomen glabrum a tergo.

61. St. niger glaberrimus, thoracis marginibus *cinctus.*
omnibus elytris pedibusque fusco-castaneis.

Long. corp. 3 lin.

Habitat in *Boletis.*

DESCR. Corpus subovatum. Antennæ nigræ, basi
castaneæ. Thorax niger, nitidus, ab omni latere ferrugineo, sive castaneo cinctus. Caput nigrum, nitidum. Caput et thorax oculo bene armato punctulatissima. Elytra fusco-castanea, nitidiuscula, sub lente
punctulatissima, et plusquam dimidium abdominis te-
gunt. Abdomen nigrum, ad margines et præcipue
postice pilis rarioribus obsitum. Pedes ferruginei, sive
castanei.

62. St. niger glaberrimus nitidus, thoracis elytro-*lævigatus.*
rumque marginibus pedibusque ferrugineis.

Long. corp. 2 lin.

Habitat ————	In mus. *D. Lathbury.*

DESCR. Antennæ nigræ, basi ferrugineæ. Caput nigrum, nitidum. Thorax niger, nitidus, lateribus ferrugineis. Elytra nigra, nitida, marginibus exterioribus
et posticis ferrugineis. Abdomen nigrum, nitidum.
Pedes ex piceo ferruginei.

63. St. niger, thorace elytris pedibusque subtestaceis. *chrysome-*
linus.
Linn. Syst. Nat. 685. 21. Faun. Suec. 855. Vill. i.
417. 21. Schrank, 448. Fab. Syst. Ent. 267. 16.
Sp. Ins. i. 337. 21. Mant. i. 221. 28. Faun. Etrusc.
616. Hellw. 616. Faun. Ingr. 371. Act. Nidros. iii.
405. 28. Gmel. 2030. 21.
Oliv. iii. 42. 33. 47. t. 3. f. 22. a. b. Mart. Eng.
Ent. t. 42. f. 37.
Staphylinus dispar. Payk. Monog. 54. Faun. Suec. iii.
423. 69.

Le Staphylin couleur de paille. *Geoff.* i. 368. 18.
Oxyporus chrysomelinus. *Fab. Ent. Syst.* i. b. 534. 15.
  Panz. Ent. Germ. 360. 12.
Panz. Faun. Germ. 9. *t.* 14.

Long. corp. 1½ lin.

Habitat ———

DESCR.   Caput nigrum.   Thorax glaber, convexus,
  suprà et subtùs cereus, sive pallidè testaceus.   Elytra
  thorace concolora, sed anticè et ad marginem exteriorem nigricantia, posticè omninò, eodem quo thorax
  colore et glabritie.   Pedes magis saturatè ferruginei.
  Abdomen nigrum, pone elytra pilis hispidum.   Facies
  Chrysomelæ, sed elytra brevia et abdomen pilosum.
  Faun. Suec.

nitidulus.   64. St. niger, thoracis lateribus pedibus elytrisque
  ferrugineis; elytris nigro·marginatis.

Fab. Sp. Ins. i. 337. 27.   *Mant.* i. 221. 24.   *Vill.* i.
  420. 31.   *Gmel.* 2030. 41.
Oliv. iii. 42. 34. 48. *t.* 3. *f.* 28. a. b.
Staphylinus dispar var. β. *Payk. Monog. Staph.* 54. *Faun.*
  Suec. iii. 423. 69.
Le Staphylin noir à taches jaunes. *Geoff.* i. 369. 20.

Long. corp. 1⅔ lin.

Habitat ——— Captus in arvis prope Harwich.

DESCR.   Totum corpus nitidum.   Figura *St. melanuri,*
  obovata.   Abdomen pilosum, ut in *St. silphoide,* nigrum.   Pedes ferruginei.   Thoracis latera posticè ferruginea.   Margo exterior elytrorum niger.   Antennæ
  basi ferrugineæ, apicem versus crassiores, nigricantes.

obtusus.   65. St. testaceus, elytris anticè anoque nigris.

Linn. Syst. Nat. 684. 9.   *Schrank,* 451.   *Vill.* i. 414. 19.
  Gmel. 2028. 9.   *Fab. Syst. Ent.* 266. 10.   *Sp. Ins.* i.
  336. 11.   *Mant.* i. 221. 17.   *Faun. Etrusc.* 621.
  Hellw. 621.
Staphylinus dispar. var. γ. *Payk. Monog.* 54.   *Faun.*
  Suec. iii. 423. 69.

Oxyporus

Oxyporus analis. *Fab. Ent. Syst.* i. b. 553. 10.

Long. corp. 1½ lin.

Habitat ————

DESCR. Pectus inter femora posteriora fuscum. *Syst. Nat.*

66. St. niger, thoracis lateribus pedibusque lividis, *silphoides.*
elytris lividis : margine maculâque longitudinali
nigris.

Linn. Syst. Nat. 684. 11. *Vill.* i. 414. 11. *Gmel.* 2028. 11.
Staphylinus dispar var. ζ. *Payk. Monog. Staph.* 54.
var. ε. *Faun. Suec.* iii. 423. 69.

Long. corp. 1 lin.

Habitat ————

DESCR. Similis *St. obtuso,* etiam abdomine piloso.
Syst. Nat.

67. St. flavus totus.   *caraboides.*

Linn. Syst. Nat. 685. 20. *Faun. Suec.* 854. *Vill.* i.
417. 20. *Schrank,* 443. *Fab. Syst. Ent.* 267. 18.
Sp. Ins. i. 337. 23. *Mant.* i. 222. 33. *Ent. Syst.* i. b.
530. 53. *Faun. Ingr.* 366. *Payk. Monog.* 11. *Faun.*
Suec. iii. 386. 25. *Gmel.* 2029. 20. *Panz. Ent. Germ.*
358. 42.
Oliv. iii. 42. 22. 26. *t.* 2. *f.* 17. a. b.
Staphylinus fulvus. *De Geer,* iv. 25. 12.

Long. corp. 1 lin.

Habitat in plantis et stercore.

DESCR. Totus ejusdem coloris, seu dilutè testaceus, aut
flavescens excepto abdomine, a tergo pone elytra, paulò
magìs fuscò, seu obscuro Antennæ longiusculæ sunt,
et facies ferè *Carabi.* Duas setas in caudâ nondùm vidi.
Faun. Suec.

68. St. ater, thorace elytris pedibusque rufis.   *merdarius.*

Fab. Syst. Ent. 266. 14. *Sp. Ins.* i. 337. 18. *Mant.* i.
221. 25. *Vill.* i. 420. 32.
Oliv. iii. 42. 29. 39. *t.* 5. *f.* 45.

                    Long.

Long. corp. 1 lin.

Habitat ———————

DESCR.   Antennæ ferrugineæ, apice fuscæ.   Caput
atrum. Thorax rufus. Scutellum nigrum.   Elytra
rufa. Abdomen nigrum. *Syst. Ent.*

conicus.   69. St. niger, elytris piceo-ferrugineis, abdomine
conico acuto.

Vill. i. 425. 72.

Long. corp. 2¼ lin.

Habitat ———————

DESCR.   Antennæ, elytra et pedes piceo-ferruginei, sive
ferruginei.   Caput et thorax nigra, glabra, nitida.
Abdomen nigrum, posticè attenuatum, acutum. Certâ
lucis incidentiâ, caput, thorax et elytra tomentosa apparent.

analis.   70. St. ater nitidus, elytris ano pedibusque rufo-
flavescentibus.

Fab. Mant. i. 221. 19.   *Ent. Syst.* i. b. 526. 35.   *Gmel.*
2029. 38.   *Payk. Monog.* 34.   *Faun. Suec.* iii. 394. 34.
Panz. Ent. Germ. 355. 25.
Oliv. iii. 42. 28. 38. *t.* 3. *f.* 24. a. b.

Long. corp. 2½ lin.

Habitat ———————

DESCR.   Caput et thorax atra, nitida, immaculata.
Elytra lævia, nitida, testacea, immaculata. Abdomen
atrum, ano testaceo.   Antennæ et pedes testacei.
Fab. Mant.

atricapillus. 71. St. rufus, capite ano sterno elytrisque medio
nigris.

Fab. Syst. Ent. 267. 15.   *Sp. Ins.* i. 337. 20.   *Mant.* i.
221. 25.   *Ent. Syst.* i. b. 527. 40.   *Payk. Monog.* 35.
Faun. Suec. iii. 414. 60.   *Vill.* i. 420. 33.   *Gmel.*
2030. 42.

Oliv.

Oliv. iii. 42. 29. 40. *t.* 4. *f.* 39. a. b.

Long. corp. 2¼ lin.

Habitat ———————·

DESCR. Antennæ extrorsùm crassiores, apice fuscæ, ultimo articulo ferrugineo. Caput atrum, nitidum. Thorax rufus, glaber, immaculatus. Elytra fusca, puncto baseos margineque postico albis. Abdomen ferrugineum, apice fuscum. *Syst. Ent.*

72. St. rufus, capite abdominis elytrorumque pos- *lunulatus.*
ticis nigris, femoribus totis rufis.

Linn. Syst. Nat. 684. 7.   *Faun. Suec.* 845.   *Vill.* i.
413. 7.   *Gmel.* 2037. 7.   *Faun. Frcd.* 23. 225.
Faun. Ingr. 369. *Payk. Monog.* 41. *Faun. Suec.* iii.
415. 61.
Oxyporus lunulatus. *Fab. Syst. Ent.* 268. 2. *Sp. Ins.* i.
338. 2. *Mant.* i. 219. 2. *Ent. Syst.* i. b. 532. 3.
Panz. Ent. Germ. 359. 3.
Panz. Faun. Germ. 22. *t.* 15.

Long. corp 3 lin.

Habitat ——————·

DESCR. Similis *St. rufo,* sed dimidio minor, nec femora basi nigra. *Faun. Suec.*

73. St. testaccus. capite atro, thorace rotundato. *melano-*
Payk. Monog. 42. *Faun. Suec.* iii. 4 6. 63. *Gmel.* 2031. *cephalus.*
46. *Fab. Ent. Syst.* i. b. 529. 49.

Long. corp. 3 lin.

• Habitat in *Boletis.*

DESCR. Caput nigrum, nitidum, thorace paulò angustius. Antennæ testaceæ, extrorsùm crassiores, capite thoraceque longiores. Thorax testaceus, rotundatus, parùm convexus. Elytra testacea, thorace paulò longiora, et latiora. Sternum rufo-testaceum. Abdomen testaceum, longitudine vix dimidii corporis, versus apicem, non tamen in ipso apice fuscescens, dorso depresso, marginato. Pedes testacei. *Payk.*

74. St.

brunneus. 74. St. rufo-brunneus, capite elytris posticè abdomineque apice nigris.

Payk. Monog. 45. *F..un. Suec.* iii. 404. 47. *Fab. Supp.*
Ent. 180. 44.

Long. corp. 1½ lin.

Habitat ————

DESCR. Caput nigrum, thorace angustius. Oculi prominuli. Antennæ rufo-brunneæ, extrorsùm crassiores,
capitis thoracisque longitudine. Thorax rufo-brunneus,
longitudine latior, subtilissimè punctatus, submargi-
natus, anticè rotundatus, posticè ferè truncatus. Elytra
longitudine ferè capitis thoracisque, subtilissimè striato-
punctata ; apice rotundata, anticè ultra dimidiam par-
tem rufo-brunnea, posticè nigra. Scutellum nullum.
Sternum brunneum. Abdomen longitudine capitis
thoracisque, basi rufo-brunneum, apice nigrum. Pedes
rufi. *Payk. Monog.*

splendens. 75. St. ater nitidus, elytris ano pedibusque rufis,
thorace posticè latiori truncato.

Long corp. 2½ lin.

Habitat ————

DESCR. Antennæ clavatæ, nigræ, basi tenues, testaceæ.
Caput thorace duplò angustius, nitidum. Thorax
anticè angustus, posticè dilatatus, truncatus, nitidus.
Elytra nitida, rufa. Abdomen nigrum, nitidum, ano
ferrugineo. Pedes ex ferrugineo testacei.

latus. 76. St. ater nitidus, thoracis lateribus posticè rufis,
elytris rufis : marginibus latis nigris.

Long. corp. 3 lin.

Habitat ————   Ex mus. *D. Kirby.*

DESCR. Antennæ fuscæ, basi rufâ. Caput atrum.
Thorax ater, lateribus posticè rufis. Elytra rufa, marginibus apicibus suturâque nigris. Abdomen atrum,
ano piceo. Pedes rufi.

77. St.

77. St. niger, elytris tibiisque rufo-fuscis.   *fuscipes.*

Linn. Syst. Nat. 685. 23.   *Faun. Suec.* 857.   *Vill.* i.
   418. 23.   *Gmel.* 2030. 22.   *Fab. Syst. Ent.* 266. 12.
   Sp. Ins. i. 336. 15.   *Mant.* i. 221. 22.   *Ent. Syst.* i. b.
   527. 38.   *Faun. Ingr.* 364.   *Poda,* 49. 5.   *Panz. Ent.*
   Germ. 356. 28.   *Faun. Etrusc.* 619.   *Hellw.* 619.
Panz. Faun. Germ. 27. *t.* 12.

Long. corp. 3½ lin.

Habitat ————

Descr.   Totus ater, glaber.   Elytra fusca.   Tibiæ flavescentes, non verò femora.   Thorax, caput et maxillæ
   ratione magnitudinis insignes.   *Faun. Suec.*

78. St. niger pilosus, elytris maculâ rúfâ.   *bimacula-*
                                                 tus.
Long. corp. 3 lin.

Habitat ————   Captus prope Harwich.

Descr.   Thorax politus, striis circiter quatuor punctulorum impressorum.   Maculæ elytrorum satìs magnæ,
   in medio ad apicem sitæ sunt, imò apicem inficiunt,
   haud verò suturam cui propinquant, nec margines a
   quibus longiùs distant.   Totum corpus pilosum, et sub
   lente villosum.

79. St. ater lævis, thoracis lateribus elytris pedi-*Hypnorum.*
   busque testaceis.

Fab. Syst. Ent. 266. 13.   *Sp. Ins.* i. 336. 16.   *Mant.* i.
   221. 23.   *Vill.* i. 420. 30.   *Gmel.* 2030. 40.
Oxyporus Hypnorum. *Fab. Ent. Syst.* i. b. 535. 22.

Long. corp. 2 lin.

Habitat ————

Descr.   Ater, glaber, lævis, nitens.   Thoracis latera
   imprimis basi testacea.   Elytra testacea, immaculata,
   scutello tamen nigro.   *Syst. Ent.*

80. St. rufo-flavescens nitidus, elytrorum basi *melanurus.*
   abdominisque apice nigris.

                                    Long.

Long. corp. $1\frac{3}{4}$ lin.

Habitat ———— Captus in arvis prope Harwich.

DESCR. Oculi, elytrorum basis, tria ultima abdominis segmenta, et sterni medium, omnia nigra. Cætera rufo-flavescens est. Corpus totum nitens, obconicum, sive obovatum; capite enim obtuso, et abdomine acutiusculo gaudet. Abdomen pilosum, ut in *St. silphoide*. Antennæ flavicantes, extrorsùm crassiores et fuscæ. An var. *St. obtusi?* sed color non testaceus, nec elytra anticè fusca.

**** Cicindeloidei. *Scabri, thorace teretiusculo, capite angustiori, oculis distantibus prominulis.*

biguttatus. 81. St. niger, elytris puncto flavo.

Linn. Syst. Nat. 685. 15. Faun. Suec. 851. Vill. i. 415. 15. *Schrank,* 426. *Gmel.* 2029. 15. *Fab. Gen. Ins. Mant.* 241. *Sp. Ins.* i. 336. 13. *Mant.* i. 221. 20. *Ent. Syst.* i. b. 527. 36. *Panz. Ent. Germ.* 355. 26.
Oliv. iii. 44. 5. 4. *t.* 1. *f.* 3. a. b. *Panz. Faun. Germ.* 11. *t.* 17.
Staphylinus Juno var. β. *Payk. Monog.* 25.
Le Staphylin Junon. *Geoff.* i. 371. 24.
Stenus Juno var. β. *Payk. Faun. Suec.* iii. 343. 1.

Long. corp. 3 lin.

Habitat ————

DESCR. Statura *Cicindelæ,* thorace cylindrico. Oculi magni, prominuli. Antennæ nigræ, tenues, articulis tribus ultimis majoribus. Caput, thorax et elytra nigra, obscura, punctis prominulis scabra. In medio elytrorum punctum magnum fulvum sive flavum. Abdomen suprà punctis prominulis scabrum. Pedes lutei, geniculis plantisque nigris.

Maximè affinis *St. bipustulato* at duplò latior, tum punctum elytrorum magnum est guttulæ instar. Pedes lutei sive ferruginei, geniculis nigris, nec, ut in *St. bipustulato,* omninò nigri.

82. St.

82. St. niger, elytris puncto ferrugineo.   *bipustula-*
Linn. Syst. Nat. 685. 16.   *Faun. Suec.* 847.   *Vill.* i.   *tus.*
   416. 16.   *Gmel.* 2029. 16.   *Fab. Syst. Ent.* 266. 11.
   Sp. Ins. i. 336. 12.   *Mant.* i. 221. 18.   *Ent. Syst.*
   i. b. 526. 34.   *Faun. Ingr.* 365.   *Panz. Ent. Germ.*
   355. 24.   *Faun. Etrusc.* 620.   *Hellw.* 620.
Panz. Faun. Germ. 27. *t.* 10.

Long. corp. 3 lin.

Habitat ————

DESCR.   Corpus valdè oblongum, omnibus partibus nigrum.   Antennæ clavatæ.   Elytra brevia, in singuli
   medio punctum ferrugineum.   *Faun. Suec.*

83. St. niger obscurus scabriusculus, antennis *angustatus.*
   pedibusque testaceis, elytris posticè testaceis.
Fab. Ent. Syst. i. b. 528. 41.   *Panz. Ent. Germ.* 356. 31.
Oliv. iii. 42. 21. 24.   *t.* 2. *f.* 18. a. b.   *Panz. Faun.*
   ' *Germ.* 11. *t.* 18.

Long. corp. 1½ lin.

Habitat ————

DESCR.   Corpus tenue admodum.   Antennæ testaceæ.
   Caput nigrum, rotundatum, depressum. Thorax niger,
   orbiculatus, capite filo tenui adhærenti, ut in *St. orbi-*
   culato.   Caput thorax et elytra punctulis prominulis,
   et præcipuè elytra, scabra.   Elytra posticè testaceo in-
   quinata idque quidem irregulariter, haud aliter ac si gutta
   ad suturam demissa secus marginem ducta decurreret.
   Pedes omninò testacei.

84. St. niger obscurus scaber, antennis pedibusque *clavicornis.*
   testaceis, genubus nigris.
Fab. Gen. Ins. Mant. 242.   *Sp. Ins.* 336. 14.   *Mant.* i.
   221. 2 .   Ent. Syst. i. b. 527. 37.   *Panz. Ent. Germ.*
   356. 27.
Panz. Faun. Germ. 27. *t.* 11.
Staphylinus Juno.   *Payk Monog.* 25.
Stenus Juno.   *Payk. Faun. Suec.* iii. 433. 1.
                                        Long.

Long. corp. 2½ lin.

Habitat ————

DESCR. Totus niger, præter antennas et pedes, qui testacei sunt; apex autem femorum et basis tibiarum nigra. Caput, thorax et elytra obscura, et punctis prominulis scabra.

orbiculatus. 85. St. niger, thorace convexo orbiculato, antennis palpis pedibusque fusco-rufescentibus.

Payk. Monog. 26.
Pæderus orbiculatus. *Fab. Ent. Syst.* i. b. 538. 9. *Panz. Ent. Germ.* 363. 10. *Payk. Faun. Suec.* iii. 431. 6.
Oliv. iii. 44. 7. 6. *t.* 1. *f.* 7. a. b. *Panz. Faun. Germ.* 43. *t.* 21.

Long. corp. 2¼ lin.

Habitat ————

DESCR. Caput nigrum, suprà infràque convexum, orbiculatum, thorace latius. Antennæ filiformes, vix capitis thoracisque longitudine. Palpi fusco-rufescentes. Thorax niger, orbiculatus, convexus, capite elytrisque angustior, profundâ incisurâ ab illis disjunctus, adeo ut tenuissimo filo illis adhæreat. Elytra nigra, quadrata, thorace longiora et latiora. Sternum nigrum. Abdomen nigrum, vix thorace elytrisque longius. Pedes fusco-rufescentes.

melanopus. 86. St. niger obscurus scaber, pedibus concoloribus.

Long. corp. 1½ lin.

Habitat ————

DESCR. Simillimus *St. immuni,* at pedes omninò nigri.

immunis. 87. St. niger obscurus scaber, pedibus testaceoferrugineis.

Long. corp. 1 lin.

Habitat ————

DESCR.

FORFICULA.

F. auricularia.

Descr. Proximè cum *St. clavicorni* convenit, at quadruplò minor: tum pedes omninò testacei, nec geniculis
nigris.

48. FORFICULA.

Antennæ setaceæ.

Elytra dimidiata, alas tegentia.

Corpus elongatum.

Cauda forcipata.

1. For. elytris rufis, forcipe arcuatâ bâsi dentatâ, *auricularia.*
antennis 14 articulatis.

Linn. Syst. Nat. 686. 1. *Faun. Suec.* 860. *Vill.* i. 425. 1.
Gmel. 2038. 1. *Fab. Syst. Ent.* 269. 1. *Sp. Ins.* i.
340. 1. *Mant.* i. 224. 1. *Ent. Syst.* ii. 1. 1. *Faun.*
Fred. 24. 231. *Faun. Ingr.* 375. *Poda,* 49. 1.
Pontop. i. 679. 1. *Act. Nidros.* 3. 405. 30.
Schæff. Elem. t. 63. *Icon. t.* 144. *f.* 3. 4. *Sulz. Hist.*
Ins. t. 7. *f.* 17.
Forficula major. *Harr.* 408.

Long. corp. 8 lin.

Habitat passim. Plantas et fructus maturos sæpius
rodit.

Descr. Clypeus thoracis planus; anticè truncatus,
ponè rotundatus, pallidus, in medio niger. Elytra
pallidè rufa. Alæ extra elytra prominulæ, apice extrorsùm albæ; maculâ ovatâ. Abdomen rufescens,
nudum. Cauda duobus unguibus arcuatis, apice conniventibus, corneis, forcipata. *Faun. Suec.*

2. For. elytris pallidis, forcipe rectâ subcrenatâ *neglecta.*
apice aduncâ, antennis 14 articulatis.

 Long.

Long. corp. 6 lin.

Habitat ——————　　　　　　　　*D. Lebmann.*

Descr. *Forficulæ auriculariæ* simillima; fusca, elytris, thoracis marginibus, pedibus, antennisque pallidis; processibus in ultimo abdominis segmento obsoletis.

media. 　3. For. elytris testaceis, antennis decem articulatis, forcipe longiusculâ incurvatâ.

Long. corp. 4 lin.

Habitat —————— Capta prope Dartford. *D. Latham.*

Descr. In hac specie forceps multó longior quàm in *For. minore*, et intùs incurvata.

minor. 　4. For. elytris testaceis immaculatis, antennis 10 articulatis, forcipe erectiori.

Linn. Syst. Nat. 686. 2. *Faun. Suec.* 861. *Gmel.* 2039. 2. *Fab. Syst. Ent.* 269. 2. *Sp. Ins.* i. 340. 3. *Mant.* i. 224. 5. *Ent. Syst.* ii. 3. 7. *Faun. Fred.* 24. 232. *Faun. Ingr.* 376. *Harr.* 409.
Schæff. Icon. t. 41. *f.* 12. 13.

Long. corp. $2\frac{1}{2}$ lin.

Habitat in sterquiliniis.

Descr. Color castaneus. Caput et thorax nigricantia. Elytra et alæ (quæ complicatæ apice prominent) castanea. Abdomen castaneum. Forceps caudæ erectior. Pedes et abdomen subtùs pallidiora. *Faun. Suec.*

INDEX

INDEX

GENERUM ET SPECIERUM.

BYR-

scalaris

testaceus

sinuata

aequatus

laticollis

OPATRUM.

ERRATA ET CORRIGENDA.

———

pag.	*lin.*	
11	14	pro ' rabidus' lege ' rubidus.'
17	9	pro ' concolorata' lege ' concolora'
18	5 et 12	pro ' lævissimè' lege ' levissimè'
21	4 a calce,	pro ' punctulatis' lege ' punctulatus'
24	31	pro ' *Silphæ sabulosæ*' lege ' *Opatro sabuloso*'
27	antepenult.	dele comma post ' exaratum'
30	4 a calce,	pro ' animaculi' lege ' animalculi'
34	6	pro ' nigro' lege ' nigro-viridi'
46	19	pro ' ciliatis' lege ' ciliatus'
53	13	pro ' stria' lege ' strias'
56	6	pro ' denuo' lege ' demum'
85	21	pro ' roseat' lege ' roserat'
91	3	pro ' *Licheni*' lege ' *Lichenum*'
100	8	pro ' æream' lege ' aeream'
111	20	post ' corp.' supple ' 1.'
114	7 a calce,	pro ' simillimus' lege ' simillima'
128	antepenult.	pro ' Subvillosus obsurè niger,' lege ' Subvillosa obscurè nigra'
136	12	pro ' *Bovistæ*' lege ' *Bovista*'
139	4	pro ' 4-pustulata' lege ' 4-pustulatus'
160	penult.	pro ' lineolâquæ' lege ' lineolaque'
184	15	pro ' *atro violescens*' lege ' atro-violascens'
212	1	post ' nitidissimus' adde ' lævis, margine angulisque anticis flavis. Elytra nitida, striata,'
217	23	pro ' 9. 10' lege ' 10. 39.'
222	penult.	pro ' tsstacea' lege ' testacea'
223	penult.	pro ' articuli' lege ' articulus'
223	ult.	pro ' ferruginei' lege ' ferrugineus'
225	7 a calce,	pro ' artctè lege ' arctè'
296	7	pro ' *entomorrhiza*' lege ' *fraxineus*'
342	penult.	pro ' nigræ' lege ' nigro'
393	14 a calce,	pro ' germanicus' lege ' aquaticus'
409	7	pro ' maculis duabus luridis' lege ' macula lurida'
458	4	dele ' et pedibus pallidioribus, fere testaceis'
483	17	pro ' spondet' lege ' splendet'

XXX (2 Bde) I.89

XXX (2 Bde) I.89

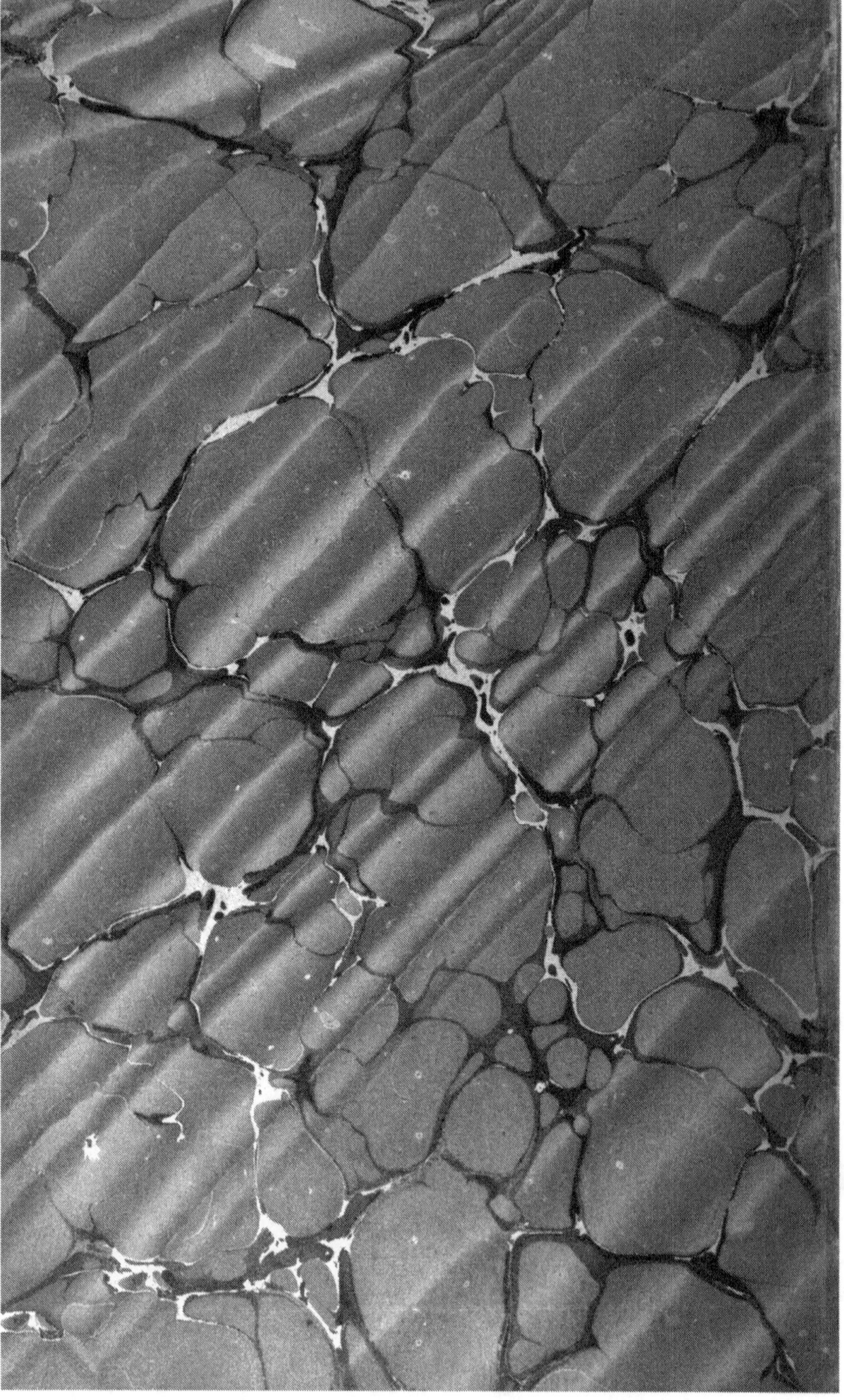